MIJN LEVEN ALS GEISHA

Mijn leven als Geisha

AUTOBIOGRAFIE

MINEKO IWASAKI

MET RANDE BROWN

Noot van de vertaler:
In dit boek worden de Japanse namen geschreven op de 'westerse' manier: eerst de voornaam, dan de achternaam. Alleen bij historische personages wordt volgens Japans gebruik de omgekeerde volgorde aangehouden.
Japanse zelfstandig naamwoorden kennen geen meervoudsvorm, wat in deze vertaling wordt gevolgd.

Oorspronkelijke titel: Geisha, a Life
This edition published by arrangement with the original publisher,
Atria Books, a Division of Simon & Schuster, Inc., New York

Vertaling uit het Engels: Mieke Tennant
Eindredactie: Ellen H.L. Kasteleijn
Omslagontwerp: Mariska Cock
Alle foto's zijn afkomstig uit de privé-collectie van de auteur
Zetwerk: V3-Services, Baarn
ISBN 90 325 0864 4
NUR 320

In dit boek worden veel Japanse termen gebruikt. De eerste keer staat er steeds een duidelijke vertaling en/of omschrijving bij.
Voor het gemak van de lezer volgt hieronder een aantal veelgebruikte termen.

atotori
Letterlijk: iemand die erna komt, opvolger.
Erfgename van het huis, okiya, en alles wat erbij hoort. Ze draagt de achternaam ervan, door geboorte of adoptie, en woont er haar hele carrière.

geiko
Letterlijk: vrouw van de kunst.

geisha
Letterlijk: artiest.
Professioneel opgeleide vrouwelijke artiesten.

hibachi
Rechthoekige eettafel, met ingebouwde bak- en warmhoudplaten.

karyukai
Letterlijk: de wereld van bloemen en wilgen.
Wijken waar de professioneel opgeleide vrouwelijke artiesten, de geisha, wonen en werken.

kimono
Traditionele Japanse dracht. De coupe van de kimono is veelal dezelfde, maar aan de stof, de patronen en de gebruikte kleuren kan men de status van de drager/draagster aflezen.

maiko
Letterlijk: vrouw van de dans.
Tienergeisha (van 15 tot ongeveer 20 jaar); maiko zijn er alleen in Kyoto en ze zijn wereldberoemd als het symbool van deze stad.

obi
De sjerp van de kimono.

ochaya
Letterlijk: theehuizen.
Gelegenheid waar de ozashiki plaatsvinden.

okiya
Letterlijk: logement.
Huis waarin geisha (in Kyoto geiko en maiko) wonen, met personeel.

ozashiki
Letterlijk: banket of feestmaal.
Ook de naam van de feestzaal waar het feestmaal wordt gehouden.

Woord vooraf

序文

Het eilandenrijk Japan in Oost-Azië kent speciale wijken, de *karyukai*, voor de vreugde van esthetisch plezier. In deze gemeenschappen wonen en werken de professioneel opgeleide vrouwelijke artiesten, de *geisha*.

Karyukai betekent 'de wereld van bloemen en wilgen'. Elke geisha is als een bloem, mooi op haar eigen manier, en als een wilgenboom, gracieus, meegaand en krachtig. In de driehonderdjarige geschiedenis van de karyukai is er nooit een vrouw met haar verhaal naar buiten getreden. We werden hiervan weerhouden door ongeschreven wetten, het staatsiekleed van traditie en de heiligheid van onze exclusieve roeping.

Maar naar mijn gevoel is het tijd om te spreken. Ik wil dat u weet hoe het echt is om als geisha te leven, een leven gevuld met extreme beroepseisen en rijke, glorieuze beloningen. Volgens velen was ik de beste geisha van mijn generatie; ik was zeker de meest succesvolle. En toch vond ik het een te beperkend leven om mee door te gaan. Een leven dat ik uiteindelijk de rug moest toekeren.

Het is een verhaal dat ik al heel lang wil vertellen.

Mijn naam is Mineko.

Het is niet de naam die ik bij mijn geboorte van mijn vader kreeg. Het is mijn beroepsnaam. Ik kreeg die naam toen ik vijf jaar was van het hoofd van de vrouwenfamilie die mij in de geishatraditie heeft opgevoed. De achternaam van de familie is Iwasaki. Toen ik tien jaar was, werd ik wettelijk erfgenaam van de naam en opvolgster van de eigenaresse van de zaak en de daarbijbehorende bezittingen.

Mijn loopbaan begon al heel vroeg. Als driejarige maakte ik gebeurtenissen mee die me ervan overtuigden dat het voorbestemd was.

Toen ik vijf jaar was verhuisde ik naar het Iwasaki-huis en op mijn zesde begon mijn artistieke opleiding. Ik was dol op dansen. Het werd mijn passie en het onderwerp van mijn uiterste toewijding. Ik was vastbesloten om de beste te worden – en dat werd ik.

Het dansen hield me op de been als de andere beroepseisen bijna ondragelijk waren. Letterlijk. Ik weeg zo'n negentig pond. Een complete *kimono* met haarornamenten weegt algauw veertig pond. Dat is een heel gewicht. Voor mij zou het voldoende geweest zijn als ik gewoon had kunnen dansen, maar door de eisen van het systeem werd ik gedwongen om op mijn vijftiende te debuteren als tienergeisha, een *maiko*.

Het Iwasaki-huis lag in de Gion Kobu-wijk in Kyoto en was de bekendste en meest traditionele karyukai van allemaal. In deze gemeenschap bracht ik mijn hele professionele loopbaan door.

In Gion Kobu hebben we het niet over onszelf als geisha (wat artiest betekent), maar gebruiken we de meer specifieke naam *geiko*, 'vrouw van de kunst'. De jonge danseres, de *maiko* – 'vrouw van de dans' – is het type geiko dat wereldberoemd is geworden als het symbool van Kyoto. Vandaar dat ik in dit boek de termen geiko en maiko gebruik.

Op twintigjarige leeftijd 'keerde ik mijn kraag', het ritueel bij de overgang van maiko naar volwassen geiko. Terwijl ik groeide in mijn beroep, raakte ik steeds gedesillusioneerder door de onbuigzaamheid van het archaïsche systeem. Ik probeerde hervormingen door te voeren die de opleidingsmogelijkheden, financiële onafhankelijkheid en beroepsrechten zouden vergroten voor de vrouwen die erin werkten. Ik raakte zo ontmoedigd door mijn onvermogen om veranderingen teweeg te brengen dat ik uiteindelijk besloot afstand te doen van mijn positie en me terug te trekken. Ik deed dit – tot afschuw van de gevestigde orde – op het hoogtepunt van mijn succes, op negenentwintigjarige leeftijd. Ik sloot het Iwasaki-geishahuis dat onder mijn leiding stond, pakte de onbetaalbare kimono en de met juwelen bezette ornamenten in en vertrok uit Gion Kobu. Ik trouwde en breng nu mijn dochter groot.

Ik woonde in de karyukai in de jaren zestig en zeventig, een tijd waarin Japan radicaal veranderde van een postfeodale samenleving in een moderne. Maar mijn bestaan speelde zich af in een aparte sfeer, een bijzondere wereld, waar opdracht en identiteit afhingen van het instandhouden van de aloude tradities uit het verleden. En daarop had ik me volledig toegelegd.

Maiko en geiko wonen en leren aan het begin van hun carrière in een *okiya* (logement), meestal vertaald als geishahuis. Daar volgen ze een uitermate streng regime van voortdurend leren en oefenen, qua intensiteit te vergelijken met dat van een prima ballerina, een concertpianist of een operazanger in het Westen. De eigenaresse van het okiya ondersteunt de geiko tijdens haar beroepsopleiding in alles en helpt haar bij het regelen van haar carrière nadat ze eenmaal haar debuut heeft gemaakt. De geiko woont een contractueel vastgestelde periode in het okiya, meestal vijf tot zeven jaar, en zal in die tijd de in haar gedane investering terugbetalen. Daarna is ze zelfstandig en gaat op zichzelf wonen, al blijft er een band, omdat het okiya als agent haar belangen behartigt.

De uitzondering hierop is de geiko die is aangewezen als *atotori*, erfgename van het huis, de opvolgster. Ze draagt de achternaam ervan, door geboorte of adoptie, en woont er gedurende haar hele carrière.

Maiko en geiko treden op bij zeer exclusieve feestmalen in *ochaya*, vaak letterlijk vertaald met 'theehuizen'. Tijdens besloten feesten vermaken we daar regelmatig selecte groepen gasten. Ook treden we in het openbaar op bij jaarlijkse uitvoeringen. De bekendste is de *Miyako Odori* ('kersendansen'). De dansvoorstellingen zijn behoorlijk spectaculair en trekken een enthousiast, wereldwijd publiek. De Miyako Odori vinden plaats in april in ons eigen theater, het *Kaburenjo*.

Er bestaat veel geheimzinnigheid en onbegrip over wat het inhoudt een geisha of, zoals in mijn geval, een geiko te zijn. Ik hoop dat mijn verhaal u laat zien hoe het werkelijk is en ook als document van dit unieke onderdeel van de Japanse culturele geschiedenis zal dienen.

Kom, reis nu met mij mee naar de bijzondere wereld van Gion Kobu.

1

Ik ben me bewust van de grote ironie in mijn beroepskeuze. Een eersteklas geiko staat voortdurend in de schijnwerpers, terwijl ik me een groot deel van mijn kindertijd verstopte in donkere kasten. Een eersteklas geiko gebruikt al haar vaardigheden om haar publiek tevreden te stellen, ervoor te zorgen dat iedereen met wie zij in aanraking komt zich fantastisch voelt, terwijl ik liever in eenzaamheid bezig ben. Een eersteklas geiko is een delicate wilgenboom, die zich buigt om anderen te dienen, terwijl ik koppig was, een tegendraadse natuur had en uitermate trots was.

Terwijl een eersteklas geiko een meesteres is in het scheppen van een sfeer van ontspanning en vermaak, houd ik er niet zo van om met andere mensen samen te zijn.

Een topgeiko is geen enkel moment alleen, ik wilde altijd alleen zijn.

Vreemd, hè? Het lijkt haast of ik met opzet de moeilijkste weg heb gekozen, waardoor ik gedwongen was om mijn eigen hindernissen onder ogen te zien en te overwinnen.

Eigenlijk denk ik dat als ik niet in de karyukai was opgenomen, ik een boeddhistische non was geworden. Of een politieagente.

Het is moeilijk uit te leggen waarom ik als meisje de beslissing nam naar de karyukai te gaan.

Waarom zou een klein kind dat haar ouders aanbidt, besluiten om hen te verlaten? Toch koos ik voor dit beroep en deze werkplek en liet daardoor mijn ouders in de steek.

Ik ga u vertellen hoe het gebeurde en misschien worden mijn motieven dan duidelijker.

Terugkijkend op mijn leven zie ik nu in dat ik alleen echt gelukkig was toen ik bij mijn ouders woonde. Ik was veilig en vrij. En al was ik heel jong, ik werd met rust gelaten en mocht precies doen wat ik wilde. Nadat ik op mijn vijfde het huis verliet, was ik nooit meer alleen en steeds bezig het andere mensen naar hun zin te maken. Alle latere vreugde en overwinningen werden verstoord door ambivalentie en een duistere, zelfs tragische keerzijde die deel van mij ging uitmaken.

Mijn ouders hielden veel van elkaar. Ze waren een interessant stel. Mijn vader kwam uit een familie van oude aristocraten en feodale heren, die hun positie verloren in moeilijke tijden. Mijn moeder kwam uit een zeer rijk geslacht van artsen, voorheen piraten. Mijn vader was lang en slank. Hij was scherpzinnig, actief en extravert. Hij was ook heel streng. Mijn moeder was het tegenovergestelde. Ze was klein en mollig, had een lief rond gezicht en een volle boezem. Mijn vader was hard, mijn moeder zacht. Toch waren zij beiden uitleggers, troosters, vredestichters. Zijn naam was Shigezo Tanakaminamoto (Tanakaminamoto no Shigezo volgens oud Japans gebruik) en haar naam Chie Akamatsu.

De stamvader was Fujiwara no Kamatari, een man die tijdens zijn leven in de adelstand werd verheven. De Tanakaminamoto-stamboom kent nu al 52 generaties.

De aristocratische familie Fujiwara bekleedde van oudsher de positie van bestuurder van de keizer. Onder het bewind van keizer Saga kreeg Fujiwara no Motomi de positie van *daitoku* (de hoogste hofminister, zoals vastgesteld door Shotoku Taishi). Hij stierf in 782. Zijn dochter, prinses Tanaka, trouwde met keizer Saga en schonk het leven aan een prins, Sumeru, achtste in de lijn van keizerlijke opvolging. Als volgeling van de keizer kreeg hij de naam Tanakaminamoto en werd vrije aristocraat.

Tot op de dag van vandaag is Minamoto een naam die alleen door aristocraten mag worden gebruikt. De familie bekleedde steeds hoge posities, waaronder keizerlijke hofwaarzegger en hoge ambtenaar, die was belast met het toezicht op heiligdommen en tempels. De Tanakaminamoto's hebben de keizers meer dan duizend jaar gediend.

In het midden van de negentiende eeuw vonden er in Japan grote veranderingen plaats. De militaire dictatuur die 650 jaar lang de macht had gehad, werd omvergeworpen en keizer Meiji werd als hoofd van de regering aangesteld. Het feodale systeem was ontmanteld en Japan begon zich te ontwikkelen tot een moderne natie. Onder leiding van de keizer gingen de aristocraten en intellectuelen een levendige discussie aan over de toekomst van het land.

In die tijd was mijn overgrootvader, Tanakaminamoto no Sukeyoshi, ook aan verandering toe. Hij had genoeg van de eindeloze verborgen machtsstrijd van de aristocratie en wilde af van de zware taken die bij zijn positie hoorden. De keizer besloot de keizerlijke hoofdstad te verplaatsen van Kyoto, die het meer dan duizend jaar lang geweest was, naar Tokyo. De wortels van mijn familie lagen verankerd in hun thuisland. Mijn overgrootvader wilde niet weg. Als hoofd van de familie nam hij de ingrijpende beslissing om zijn titel terug te geven en zich aan te sluiten bij de gewone mensen.

De keizer vroeg hem dringend bij de adel te blijven, maar mijn overgrootvader verklaarde trots dat hij een man van het volk was. De keizer stond erop dat hij zijn naam behield en daar ging hij mee akkoord. In het dagelijks leven gebruikt de familie nu de verkorte vorm ervan: Tanaka.

Alhoewel mijn grootvaders beslissing bewonderenswaardig was, was die tegelijkertijd desastreus voor de familiefinanciën. Het opgeven van zijn titel hield natuurlijk ook in het verlies van de bezittingen die erbij hoorden. De familielanderijen besloegen een enorm deel van noordoost-Kyoto, van het Tanaka-heiligdom in het zuiden tot de Ichijoji-tempel in het noorden, een gebied van duizenden hectaren.

Mijn overgrootvader en zijn nakomelingen zijn dit verlies niet te boven gekomen. Het lukte hen niet vaste voet aan de grond te krijgen in de moderne economie die het land omhoogstuwde; ze kwijnden weg in deftige armoede, terend op spaartegoeden en gedijend op hun verouderde gevoel van aangeboren superioriteit. Sommigen van hen bekwaamden zich redelijk in de keramische kunst.

Mijn moeder is een lid van de familie Akamatsu. In vroeger tijden waren zij legendarische piraten, die de handelsroutes over de Japanse Zee en richting Korea en China onveilig maakten. Op hun strooftochten vergaarden ze een behoorlijk fortuin dat ze met winst in legitieme rijkdom hadden weten om te zetten toen mijn moeder werd geboren. De familie Akamatsu heeft nooit een Daimyo gediend, zij had zelf de macht en de bezittingen om West-Japan te regeren. De familie werd de naam Akamatsu vergund door keizer Gotoba (1180-1239).

Tijdens hun avontuurlijke handelen in buitenlandse artikelen vergaarde de familie veel kennis over medicinale kruiden en hun bereiding. Ze werden genezers en brachten het uiteindelijk zelfs tot persoonlijke geneesheren van de Ikeda-clan, de feodale baronnen van Okayama. Mijn moeder erfde het genezende vermogen van haar voorouders en gaf haar kennis en vaardigheden door aan mijn vader.

Mijn moeder en vader waren beiden kunstenaars. Mijn vader volgde de kunstacademie en werd beroepsdecorateur van kimono van een hoge kwaliteit en taxateur van fijn porselein.

Mijn moeder was dol op kimono. Toen ze op een dag in een kimonowinkel was, liep ze toevallig mijn vader tegen het lijf die ter plekke verliefd op haar werd. Hij achtervolgde haar hardnekkig. Het klassenverschil tussen hen was zodanig dat volgens mijn moeder een relatie onmogelijk was. Hij vroeg haar drie keer ten huwelijk en zij weigerde. Uiteindelijk maakte mijn vader haar zwanger van mijn oudste zuster. Hierdoor restte haar geen keus en moesten ze trouwen.

In die tijd liepen mijn vaders zaken heel goed en verdiende hij veel geld. Zijn creaties leverden de hoogste prijzen op en hij zorgde iedere maand voor een goed inkomen. Maar hij gaf het meeste daarvan weg aan zijn ouders, die weinig bronnen van inkomsten hadden. Mijn grootouders woonden met hun uitgebreide familie in een enorm huis in de wijk Tanaka van de stad en hadden een groot aantal bedienden. Omstreeks 1930 was de familie door het grootste deel van het spaargeld heen. Een paar leden hadden geprobeerd om als politieman of ambtenaar aan de slag te komen, maar geen van hen was in staat een baan lang te houden. Ze hadden er gewoon geen benul van hoe het was om te werken voor de kost. Mijn vader onderhield dat hele huishouden.

Dus, ook al was mijn vader niet de oudste zoon, mijn grootouders stonden erop dat hij en mijn moeder bij hen introkken nadat ze waren getrouwd. In feite hadden ze mijn vaders geld nodig.

Het was geen gelukkige situatie. Mijn grootmoeder, Tamiko, had een dominant, flamboyant karakter en was autocratisch en kortaangebonden tegen mijn zachtaardige, volgzame moeder. Mijn moeder was opgevoed als een prinses, maar mijn grootmoeder behandelde haar als een van de bedienden. Vanaf het begin beledigde ze haar en hekelde voortdurend haar gewone komaf. De Akamatsu-stamboom kende enkele notoire misdadigers en mijn grootmoeder deed alsof mijn moeders familie besmet was. Ze vond mijn moeder niet goed genoeg voor haar zoon.

Schermen was een hobby van grootmoeder Tamiko en ze was een meesteres in het hanteren van de *naginata*, de Japanse hellebaard. Mijn moeders stilte maakte mijn grootmoeder gek en ze begon haar te tergen door openlijk met haar wapen te dreigen. Ze joeg haar door het huis. Het was zonderling en heel beangstigend. Op een keer ging mijn grootmoeder te ver. Ze sneed een paar keer achter elkaar door mijn moeders *obi* (de sjerp van de kimono), waardoor die van haar lichaam viel. Dat was de druppel.

Mijn ouders hadden op dat moment al drie kinderen, twee meisjes en een jongen. De meisjes heetten Yaeko en Kikuko. Yaeko was tien jaar en Kikuko acht. Mijn vader had een dilemma, want hij had niet genoeg geld om zowel zijn ouders als een zelfstandig huishouden te onderhouden. Hij besprak zijn problemen met een van zijn zakenpartners, een handelaar in kimonostoffen. Die begon tegen mijn vader over de karyukai en stelde voor dat hij op z'n minst een keer ging praten met een eigenaar van een van deze huizen.

Mijn vader sprak toen met de eigenaar van het okiya Iwasaki, een van de beste geikohuizen in Japan, en met een eigenaar uit Pontocho, een van de andere geikowijken in Kyoto. Hij vond een plek voor zowel Yaeko als Kikuko en kreeg contractgeld voor hun leertijd. Ze zouden opgeleid worden in de traditionele kunsten, etiquette en decorum, en volledig onderhouden worden tijdens hun carrière. Als ze volleerde geiko waren zouden ze zelfstandig worden, al hun schulden vereffend zijn en het geld dat ze zouden verdienen zou van henzelf zijn. Het okiya zou voor zijn diensten als agent en manager nog wel een percentage van de inkomsten van mijn zusters blijven ontvangen.

Door mijn vaders beslissing kwam er een verbond tussen onze familie en de karyukai dat in de daaropvolgende jaren een grote invloed op al onze levens zou hebben. Mijn zusters vonden het verschrikkelijk dat ze de veilige plek in mijn grootouders' huis moesten verlaten. Yaeko raakte het gevoel van in de steek gelaten zijn nooit meer kwijt. Tot op de dag van vandaag is ze boos en verbitterd.

Mijn ouders verhuisden met mijn oudste broer naar een huis in Yamashina, een buitenwijk van Kyoto. In de volgende jaren schonk mijn moeder het leven aan nog eens acht kinderen. In 1939 stuurden ze, door de financiële situatie gedwongen, nog een van hun dochters, mijn zuster Kuniko, naar het Iwasaki okiya, als assistente van de eigenaar.

Ik werd geboren in 1949; mijn vader was toen 53 jaar en mijn moeder 44. Ik was het laatste kind van mijn ouders, geboren op 2 november, een schorpioen in het Jaar van de Os. Mijn ouders noemden mij Masako.

Voor zover ik wist waren we met z'n tienen. Ik had vier oudere broers (Seiichiro, Ryozo, Kozo en Fumio) en drie oudere zusters (Yoshiko, Tomiko en Yukiko). Ik wist niets van het bestaan van de andere drie meisjes.

Ons huis was ruim. Het stond aan het eind van een kanaal op een groot stuk land, zonder buren. Het werd omgeven door grote bomen en bamboebosjes en lag aan de voet van een berg. Men kon via een betonnen voetbrug over het kanaal bij ons huis komen. Voor ons huis lag een vijver, omringd door cosmea's. Iets verder was de voortuin met vijgen- en peperbomen. Achter het huis was een groot erf met een druk kippenhok, een visvijver vol karpers, een ren voor onze hond Koro en de groentetuin van mijn moeder.

Op de begane grond van het huis was een salon, een altaarkamer, een woonkamer, een eetkamer met open haard, een keuken, twee achterkamertjes, mijn vaders studio en het bad. Er waren nog twee kamers boven de keuken. De andere kinderen sliepen allemaal boven. Ik sliep met mijn ouders beneden.

Er is een gebeurtenis waaraan ik met veel plezier terugdenk. Het was in de regentijd. Voor ons huis lag een grote ronde vijver. De hortensia's stonden in bloei, het heldere blauw in harmonie met het groen van de bomen.

Het was een prachtige stille dag. Plotseling vielen er dikke regendruppels. Ik graaide snel mijn speelgoed bij elkaar en rende naar binnen. Ik legde mijn spulletjes op een plank naast de mahoniehouten kist.

Net nadat iedereen thuis was begon het te stortregenen. De regen kwam in bakken naar beneden. In naar het scheen enkele minuten liep de vijver over en kwam het water het huis in. We renden allemaal opgewonden rond en pakten de *tatami* (rieten matten) op. Ik vond het allemaal erg amusant.

Nadat we zoveel mogelijk tatami hadden gered, kregen we allemaal twee aardbeiensnoepjes, met op het papiertje een plaatje van een aardbei. We renden allemaal door het huis en aten onze snoepjes op. Er dreven een paar tatami op het water. Mijn ouders gingen erop zitten en gebruikten ze als vlotten om van de ene kamer naar de andere te komen. Zij hadden meer plezier dan wie dan ook.

De volgende dag riep mijn vader ons bij elkaar en zei: 'Luister. We moeten dit huis van binnen en van buiten schoonmaken. Seiichiro, jij neemt een ploeg om de achterwand te bewerken, Ryozo, jij neemt een ploeg mee naar het bamboebosje, Kozo, jij gaat met een ploegje de tatami schoonmaken en Fumio, jij gaat met je kleine zusje naar je moeder om te vragen wat jullie moeten doen. Begrepen? Ga dan en doe je werk goed!'

'En jij, papa, wat ga jij doen?' Dat wilden we allemaal weten.

'Iemand moet hier blijven en het kasteel bemannen,' zei hij.

Zijn strijdkreet gaf ons energie, maar er was wel een probleem. We hadden de avond tevoren alleen maar die aardbeiensnoepjes gehad en we hadden niet kunnen slapen van de honger. We waren uitgehongerd. Al ons eten was weggespoeld.

Toen we ons bij mijn vader beklaagden zei hij: 'Een leger kan niet op een lege maag vechten. Dus jullie kunnen maar beter op jacht gaan naar provisie. Neem het mee naar het kasteel en bereid je voor op een belegering.'

Nadat ze hun orders hadden gekregen, gingen mijn oudere broers en zussen erop uit en kwamen terug met rijst en brandhout. Op dat moment was ik heel blij dat ik broers en zussen had en ik was dankbaar voor de bal rijst die ik te eten kreeg.

Niemand ging die dag naar school en iedereen sliep vervolgens een gat in de dag.

Een andere keer ging ik de kippen voeren en eieren zoeken zoals altijd. De moederhen heette Nikki. Ze werd boos en joeg me het huis in, haalde me in en pikte in mijn been. Mijn vader werd woedend en ving de hen.

Hij pakte haar op en zei: 'Hier vermoord ik je voor.' Hij draaide haar de nek om en hing haar dode lijf aan haar nek onder de dakrand (normaal gesproken hing hij de kippen aan hun poten op). Daar liet hij haar hangen tot iedereen uit school was.

Toen ze haar zagen dachten ze allemaal: Mmm! Vanavond eten we kip-in-het-pannetje. Maar mijn vader zei streng tegen hen: 'Kijk heel goed en leer er iets van. Dit domme beest heeft onze dierbare Masako gepikt. Dat heeft haar het leven gekost. Denk eraan. Het is nooit goed om mensen zeer te doen of pijn te berokkenen. Dat sta ik niet toe. Begrepen?' We deden allemaal alsof we het begrepen.

Die avond aten we kip-in-het-pannetje, gemaakt van de onfortuinlijke Nikki. Ik kon geen hap door mijn keel krijgen.

Mijn vader zei: 'Masako, je moet Nikki vergeven. Ze was grotendeels een goede kip. Je moet eten om Nikki te helpen boeddha te worden.'

'Maar mijn buik doet zeer. Waarom helpen mama en jij Nikki niet om boeddha te worden.' Daarna zei ik een gebedje.

'Dat is een goed idee. Laten we doen wat Masako zegt en allemaal de kip eten zodat ze boeddha kan worden.'

Iedereen zei een gebedje voor de vogel, tastte toe en genoot met volle teugen om Nikki te helpen boeddha te worden.

Op een ander moment was ik, in een zeldzame bui van uitbundigheid, samen met de anderen aan het spelen. We gingen de berg aan de rechterkant van ons huis op. Daar groeven we een groot gat, haalden alle spullen uit de keuken, alle potten, pannen en schalen, en stopten die in dat gat.

We speelden vlak bij het geheime fort van mijn broer. We hadden het reuze naar onze zin tot mijn oudere broer mij uitdaagde om in een dennenboom te klimmen die daar stond.

De tak brak af en ik viel in de vijver voor ons huis. Mijn vaders studio keek uit op die vijver. Hij hoorde de plons toen ik viel. Hij moet verrast zijn geweest, maar reageerde rustig. Hij keek me aan en vroeg kalm: 'Wat doe je daar?'

'Ik lig in de vijver,' zei ik.

'Het is te koud om in de vijver te liggen. Stel dat je kouvat? Volgens mij kun je er beter uitkomen.'

'Ik kom er over een paar minuten uit.'

Op dat moment kwam mijn moeder eraan en die nam de leiding over. 'Hou op haar te plagen,' zei ze. 'Kom er onmiddellijk uit!'

Met tegenzin haalde mijn vader me uit de vijver en deponeerde me terstond in de badkuip.

Dit zou het eind van dit verhaal moeten zijn, maar toen ging mijn moeder naar de keuken om eten te maken. Alles was weg. Ze riep mijn vader die samen met mij een bad nam.

'Lieverd, ik heb een probleempje. Ik kan geen eten maken. Wat moet ik doen?'

'Waar heb je het in hemelsnaam over? Waarom kan je geen eten maken?'

'Omdat hier niets is. Al onze spullen zijn weg!'

Ik hoorde dit gesprek en bedacht dat ik maar beter de anderen van haar ontdekking op de hoogte kon stellen. Maar op weg naar de deur werd ik door mijn vader in de kraag gevat.

Algauw kwam iedereen thuis. (Het zou beter zijn geweest als ze niet waren gekomen.) Mijn vader bereidde zich voor op het uitdelen van zijn gebruikelijke straf, waarbij hij iedereen in een rij opstelde om hen vervolgens een voor een op het hoofd te slaan met een bamboezwaard. Ik stond meestal naast hem als hij dat deed (denkend: dat doet vast erg zeer). Maar deze keer niet. Op die dag riep hij me toe: 'Jij ook, Masako. Jij hebt hier ook aan meegedaan.' Ik begon te jammeren toen hij me bij de anderen in de rij zette. Ik herinner me dat ik 'pappie' zei maar hij negeerde me. 'Dit komt ook door jou.' Hij sloeg me niet zo hard als de anderen maar het was toch een grote schok. Hij had me nog nooit geslagen.

We kregen niets te eten. Mijn broers en zussen huilden terwijl ze in bad gingen. Daarna moesten we gaan slapen. Mijn broer klaagde dat hij zo'n honger had dat hij als een ballon in bad lag.

Door de constante zoektocht van mijn ouders naar esthetische zaken stond ons huis vol met prachtige objecten: kwartskristallen die schitterden in het zonlicht, geurige nieuwjaarsversieringen van hout en bamboe, exotisch uitziende gereedschappen en werktuigen die mijn moeder gebruikte bij de bereiding van medicinale kruiden, glinsterende muziekinstrumenten, zoals mijn vaders bamboe shakuhachi-fluit en mijn moeders enkelsnarige koto, en een verzameling verfijnde, handgemaakte keramische voorwerpen. Het huis had ook z'n eigen badkuip, van het ouderwetse soort, die leek op een enorme ijzeren soepketel.

Mijn vader was de heerser over dit kleine koninkrijk. Hij had zijn studio aan huis en werkte daar met enkele van zijn vele leerlingen. Mijn moeder leerde de traditionele manier van Japans knoopverven, het *roketsuzome*, van mijn vader en werd een expert op dat gebied. Mijn ouders stonden bekend om hun kruidenremedies. Er kwamen regelmatig mensen naar ons huis om hun te vragen een of ander middeltje te brouwen.

Mijn moeder had geen sterk gestel. Ze leed aan malaria en dat had haar hart verzwakt. Toch had ze de kracht en het uithoudingsvermogen om elf kinderen te baren.

Als ik niet in het gezelschap van mijn ouders kon zijn, was ik liever alleen dan met iemand anders. Ik vond het niet eens leuk om met mijn zussen te spelen. Ik hield van stilte en ik kon al die herrie van de andere kinderen niet uitstaan. Als ze uit school kwamen, verstopte ik me of ik zocht een andere manier om hen te negeren.

Ik verstopte me veel. Japanse huizen zijn klein en spaarzaam gemeubileerd volgens westerse normen, maar hebben wel enorme kasten. Daarin bewaren we veel huishoudelijke zaken als we die niet gebruiken, zoals het beddengoed. Altijd als ik van streek was of als ik me niet lekker voelde, of als ik me wilde concentreren of juist ontspannen, zocht ik een kast op.

Mijn ouders begrepen mijn behoefte om alleen te zijn en dwongen me nooit om met de oudere kinderen te spelen. Ze hielden me natuurlijk wel in de gaten maar gunden me mijn eigen ruimte.

Toch herinner ik me prachtige momenten waarop de familie helemaal compleet was. Favoriet voor mij waren de maanverlichte nachten als mijn ouders duetten vertolkten, hij op de shakuhachi en zij op de koto. Dan gingen we om hen heen zitten luisteren. Ik had er geen idee van hoe snel deze idyllische intermezzo's zouden ophouden.

Dat gebeurde spoedig.

2

Ik kan precies het moment benoemen waarop dingen begonnen te veranderen.

Het was net na mijn derde verjaardag, op een koude wintermiddag. Mijn ouders hadden bezoek van een vrouw. Een heel oude vrouw. Ik was verlegen bij buitenstaanders, dus ik verstopte me in de kast op het moment dat ze binnenkwam. In het donker luisterde ik naar hun gesprek. Er was iets vreemds en onweerstaanbaars aan deze vrouw. Ik was gefascineerd door haar manier van praten.

De bezoekster heette Madame Oima. Zij was eigenaresse van het Iwasaki okiya in Gion Kobu en ze kwam vragen of mijn zuster Tomiko misschien geiko wilde worden. Tomiko had al een paar bezoeken gebracht aan het Iwasaki okiya en Madame Oima zag haar mogelijkheden. Tomiko was mijn meest verfijnde en best gemanierde zuster. Ze was dol op kimono, traditionele muziek en fraaie keramiek, waarover ze mijn ouders altijd vragen stelde. Ze was veertien jaar. Ik begreep niet alles waar ze over praatten maar ik snapte wel dat deze dame Tomiko een baan aanbood.

Ik had niet door dat het Iwasaki okiya in ernstige financiële problemen verkeerde. Maar ik zag wel dat mijn ouders haar met het grootst mogelijke respect behandelden en dat ze meer autoriteit uitstraalde dan enig ander persoon die ik ooit ontmoet had. Het was me duidelijk dat mijn ouders haar zeer hoog achtten.

Aangetrokken door haar stem schoof ik de kastdeur iets open en gluurde door de opening om te zien van wie die stem was.

De dame zag de deur opengaan en zei: 'Chie-san, wie zit er in de kast?'

Mijn moeder zei lachend: 'Dat is mijn jongste, Masako.'

Toen ik mijn naam hoorde noemen, kwam ik de kamer in.

De dame keek me even aan. Haar lichaam bewoog niet maar haar ogen vergrootten zich. 'O mijn hemel,' zei ze. 'Wat een zwart haar en zwarte ogen! En zulke kleine rode lipjes! Wat een prachtig kind!'

Mijn vader stelde ons aan elkaar voor.

Ze bleef naar mij kijken maar sprak tegen mijn vader. 'Weet u, meneer Tanaka, ik ben al heel lang op zoek naar een *atotori* ('iemand die erna komt' of opvolger) en ik heb het vreemde gevoel dat ik haar zojuist gevonden heb.'

Ik had geen idee waarover ze het had. Ik wist niet wat een atotori was of waarom zij er eentje nodig had. Maar ik voelde hoe de energie in haar lichaam veranderde.

Men zegt dat iemand met ogen die kunnen zien, kan doordringen tot de kern van iemands karakter, ongeacht de leeftijd van die persoon.

'Ik meen het serieus,' zei ze. 'Masako is een fantastische kleine meid. Ik zit al lang in dit vak en ik zie dat zij een schat is. Wilt u alstublieft overwegen om haar ook naar het Iwasaki okiya te laten gaan. Ik denk werkelijk dat zij daar een fantastische toekomst kan krijgen. Ik weet dat ze nog erg jong is, maar wilt u er alstublieft over nadenken om haar te laten opleiden voor een carrière?'

De opleiding tot geiko in Gion Kobu is een gesloten systeem. Het is zodanig georganiseerd dat alleen de meisjes die in een okiya in Gion Kobu wonen alle benodigde disciplines kunnen aanleren van erkende leraren aan erkende scholen en aan de vereisten van het afmattende programma kunnen voldoen. Het is op geen enkele manier mogelijk geiko te worden als je buiten het okiya woont.

Mijn vader was duidelijk van zijn stuk gebracht door deze onverwachte wending en gaf niet meteen antwoord. Ten slotte zei hij: 'We zullen uw aanbod uitvoerig met Tomiko bespreken en haar aanmoedigen uw voorstel te accepteren, hoewel de uiteindelijke beslissing bij haar ligt. We nemen contact op zodra zij een besluit heeft genomen. En nu over Masako, het spijt me werkelijk maar ik kan het niet eens in overweging nemen. Ik wil gewoonweg niet nog een van mijn dochters afstaan.' Als Tomiko ermee instemde om naar het Iwasaki okiya te gaan dan had hij al vier van zijn zeven dochters afgestaan.

Laat me even uitleggen wat ik bedoel met afstaan. Als een jong meisje naar een okiya vertrekt, is het alsof ze naar een kostschool gaat. Meestal bezoekt ze haar ouders als ze vrij van school heeft en zij kunnen haar bezoeken wanneer ze willen. Dat is de gebruikelijke gang van zaken. Is een meisje echter gekozen als opvolgster van een huis en een naam, dan wordt ze door de eigenaresse als wettige erfgenaam geadopteerd. In dat geval neemt ze de naam aan van de okiya-familie en verlaat haar biologische familie voorgoed.

Madame Oima was tachtig jaar en maakte zich grote zorgen dat ze nog niet voor een goede opvolgster had gezorgd. Geen van de vrouwen die nu bij haar waren kwam ervoor in aanmerking en ze kon niet sterven zonder iemand gevonden te hebben. Het Iwasaki okiya bezat onroerend goed, kimono, kunst en ornamenten met een waarde van vele miljoenen dollars en onderhield zo'n twintig man personeel. Het was Madame Oima's verantwoordelijkheid om ervoor te zorgen dat de zaken voortgezet konden worden. Ze had een erfgename nodig om de toekomst van het okiya veilig te stellen.

Madame Oima bezocht ons dat jaar vele malen om over de komst van Tomiko te praten. En ze deed haar best om mij voor zich te winnen.

Mijn ouders hebben er nooit in mijn bijzijn over gesproken maar ik denk dat ze het allemaal aan Tomiko uitgelegd hebben. Madame Oima was de vrouw aan wie ze mijn oudste zuster Yaeko lang geleden hadden toevertrouwd. Madame Oima had Yaeko aangewezen als haar atotori en haar opgevoed tot geiko. Maar Yaeko had Gion Kobu verlaten zonder aan haar verplichtingen jegens Madame Oima te voldoen. Hierdoor waren mijn ouders in verlegenheid gebracht. Zij hoopten dat de toetreding van Tomiko Yaeko's afvalligheid enigszins goed zou kunnen maken.

Het was echter absoluut onmogelijk dat Tomiko de volgende atotori zou worden. Daar werd ze met haar veertien jaar te oud voor geacht. Het liefst begon men met de opleiding van een atotori op zeer jonge leeftijd.

Niemand vertelde me dat ze wegging. Ik denk dat mijn ouders vonden dat ik te jong was om te begrijpen wat er aan de hand was, dus ze probeerden het me niet uit te leggen. Ik wist niet beter of Tomiko was op een dag klaar met de basisschool, ging de volgende voorjaarsvakantie weg en kwam nooit meer terug. (Volgens de moderne wet moet een meisje eerst haar basisschoolexamen doen voordat ze naar een geiko-opleidingsschool mag.)

Ik vond het jammer dat ze er niet meer was. Ze was mijn lievelingszus. Ze was slimmer en leek meer te kunnen dan de anderen.

Met het vertrek van Tomiko waren de bezoekjes van Madame Oima echter niet afgelopen. Ze wilde mij ook nog steeds hebben. Ondanks mijn vaders protesten hield ze vol. Ze bleef ons bezoeken en elke keer vroeg ze weer naar mij, maand na maand. En iedere maand weigerde mijn vader beleefd.

Madame Oima gebruikte elk denkbaar argument om hem ervan te overtuigen dat ik een fantastische carrière bij haar zou hebben en dat hij mij daarin niet moest belemmeren. Ze smeekte mijn vader het opnieuw in overweging te nemen. Ik herinner me met name nog dat ze hem vertelde: 'Iwasaki is verreweg het beste okiya in Gion en wij kunnen Masako veel betere kansen bieden dan ze elders vindt.'

Uiteindelijk begon de volhardendheid van Madame Oima de vastberadenheid van mijn vader aan te tasten. Ik voelde de verandering in zijn houding.

Op een dag lag ik opgerold op zijn schoot terwijl zij met z'n tweeën aan het praten waren. Zij bracht het onderwerp opnieuw ter sprake. Mijn vader lachte: 'Goed goed, Madame Iwasaki, het is nu nog te vroeg maar ik beloof dat ik op een dag met haar bij u op bezoek zal komen. Je weet maar nooit, zij mag het zeggen, misschien vindt ze het wel leuk.' Ik denk dat hij dat alleen maar zei om van haar gezeur af te zijn.

Ik besloot dat het tijd werd dat Madame Oima naar huis ging. Ik wist dat de meeste mensen naar de wc gingen voor ze ons huis verlieten, dus ik wendde me tot haar en zei: 'Plassen.' Ze dacht dat het een vraag en geen opdracht was en ze vroeg me minzaam of ik wilde dat zij met mij naar de wc ging. Ik knikte, sprong van mijn vaders schoot en nam haar bij de hand. Bij de wc gekomen zei ik: 'Daar', en ik marcheerde terug naar de woonkamer.

Madame Oima kwam enkele ogenblikken later terug.

'Dankjewel dat je zo goed voor me zorgt,' zei ze tegen mij.

'Ga naar huis,' antwoordde ik.

'Ja, ik moest maar eens gaan. Meneer Tanaka, ik ga. Ik denk dat we vandaag echt vooruitgang hebben geboekt.' En met die woorden vertrok ze.

Ik heb slechts een gering aantal jaren in het huis bij mijn ouders doorgebracht, maar in die korte tijd hebben ze mij dingen geleerd die me in mijn latere leven goed van pas zijn gekomen. Met name mijn vader deed al het mogelijke om mij de waarde van onafhankelijkheid en verantwoordelijkheid te leren. Bovenal bracht hij mij een diep gevoel van trots bij.

Mijn vader had twee favoriete uitdrukkingen. Een is een gezegde over samurai. Het is een soort spreekwoord waarin gezegd wordt dat een samurai altijd op een hoger niveau moet staan dan gewone mensen. Zelfs als hij niets te eten heeft, doet hij alsof hij meer dan genoeg heeft. Met andere woorden, een samurai blijft altijd trots. En hij gebruikte het om aan te geven dat een krijger nooit zwakheid toont aan een tegenstander. Zijn andere uitdrukking was *hokori o moisu*, hou vast aan je trots. Leef met waardigheid, hoe de omstandigheden ook zijn.

Hij herhaalde deze aforismen zo vaak en met zulk een overtuiging dat ze voor ons een evangelie werden.

Iedereen zegt dat ik een vreemd meisje was. Mijn ouders zeiden dat ik haast nooit huilde, zelfs niet als heel klein kind. Ze vroegen zich bezorgd af of ik wellicht niet goed hoorde, er iets niet in orde was met mijn stem of misschien dat ik wat achtergebleven was. Mijn vader praatte soms heel hard met zijn mond tegen mijn oor of hij maakte me opzettelijk wakker als ik diep in slaap was. Ik keek dan geschrokken maar huilde niet.

Toen ik ouder werd, realiseerden zij zich dat er niets met mij aan de hand was, gewoon buitengewoon rustig. Ik dagdroomde graag. Ik herinner me dat ik de namen wilde weten van alle bloemen, vogels, bergen en rivieren. Ik geloofde dat als ik het vroeg, zij me hun naam zouden vertellen. Ik wilde niet dat andere mensen het bedierven door mij die informatie te geven. Ik geloofde dat als ik lang genoeg naar iets keek het tegen me zou gaan praten. Dat geloof ik nog steeds.

Op een keer keken mijn moeder en ik naar een heleboel witte en perzikkleurige cosmea's die aan de andere kant bloeiden van de vijver voor ons huis. Ik vroeg haar: 'Hoe heet deze bloem?'

'Cosmea,' antwoordde ze.

'Hmm, cosmea. En hoe heet die kleine?'

'Ook cosmea,' antwoordde ze.

'Hoe bedoel je? Hoe kunnen twee verschillende bloemen dezelfde naam hebben?'

Mijn moeder keek verbijsterd. 'Nou, de naam van die bloemen is cosmea. Zo heten ze.'

'Maar bij ons woont een familie mensen die allemaal hun eigen naam hebben. Dus ik wil dat je al die bloemen een naam geeft, net zoals je ons een naam gaf. Zo zal geen ervan zich naar voelen.'

Mijn moeder ging naar mijn vader, die aan het werk was.

'Masako zei net iets heel vreemds. Ze wil dat ik iedere cosmea een eigen naam geef.'

Mijn vader zei tegen mij: 'We hebben geen kinderen meer nodig, dus we hoeven ze geen naam te geven.'

De gedachte dat we geen kinderen meer nodig hadden, gaf me een heel eenzaam gevoel.

Ik herinner me vooral een prachtige middag in mei. Er waaide een zacht briesje vanaf de bergen in het oosten. De irissen stonden volop in bloei en er heerste een volmaakte rust. Mijn moeder en ik rustten uit op de veranda aan de voorzijde van het huis. Ik zat op haar schoot en we waren aan het zonnebaden. Ze zei tegen me: 'Wat een heerlijke dag is het vandaag!' Ik herinner me heel duidelijk dat ik tegen haar zei: 'Ik ben zo gelukkig.'

Dit is de laatste waarlijk zalige herinnering aan mijn kindertijd.

Ik keek op. Een vrouw kwam over de voetbrug naar ons huis toe. Ik zag haar wat vaag, als een soort luchtspiegeling.

Iedere spier in mijn moeders lichaam spande zich. Haar hart begon als een razende te kloppen en het zweet brak haar uit. Haar geur veranderde. Ze kromp merkbaar ineen, alsof ze in doodsangst terugdeinsde. Ze omarmde me steviger in een instinctief beschermend gebaar. Ik merkte aan alles het gevaar dat zij voelde.

Ik keek hoe de vrouw ons naderde. Opeens voelde ik dat de tijd stilstond. Het leek alsof ze met vertraagde tred naar ons toeliep. Ik herinner me nog precies hoe ze gekleed was. Ze had een donkere kimono aan, dichtgebonden met een obi met een beige, bruin en zwart geometrisch patroon.

Een plotselinge rilling ging door mij heen en ik rende het huis in om me in de kast te verstoppen.

Ik kon niet geloven wat er daarna gebeurde. Mijn vader kwam de kamer in en die vrouw begon tegen mijn ouders te praten met een stem vol haat. Ze probeerden haar te antwoorden maar ze onderbrak hen steeds en ze sprak steeds scheller en agressiever. Haar stem klonk steeds luider. Het meeste van wat ze zei begreep ik niet, maar ik wist dat ze veel slechte woorden en zeer grove taal gebruikte. Ik had nog nooit iemand op die toon horen praten. Ze leek wel een soort duivel. Haar tirade leek uren te duren. Ik wist niet wie ze was en ik kon me niet voorstellen wat mijn ouders gedaan hadden waardoor ze zich zo gedroeg. Eindelijk vertrok ze.

Daarna daalde er een donkere wolk op ons huis neer. Ik had mijn ouders nog nooit zo ontdaan gezien. De maaltijd verliep die avond gespannen. We proefden ons eten niet. Ik was heel erg bang. Ik kroop op mijn moeders schoot en begroef mijn gezicht in haar zij.

Mijn broers en zussen gingen meteen na het eten naar bed. Net als altijd nestelde ik me bij mijn moeder in afwachting van mijn vaders aankondiging dat het bedtijd was. Ze spraken nauwelijks. Het werd steeds later en mijn vader bewoog zich niet. Uiteindelijk viel ik in mijn moeders armen in slaap. De volgende ochtend werd ik wakker met mijn ouders en Koro, de hond, op hun futon.

De vreselijke vrouw kwam korte tijd later terug. Dit keer had ze twee jongens bij zich. Ze liet die bij ons achter en ging weg. Alles wat ik over hen wist, was dat het haar zonen waren.

De oudste heette Mamoru. Hij was een rotkind en ik vond hem helemaal niet aardig. Hij was drie jaar ouder dan ik, had dezelfde leeftijd als een van mijn broers en die twee konden goed met elkaar opschieten. De jongste heette Masayuki. Hij was maar tien maanden ouder dan ik. Hij was aardig en wij werden vrienden.

De moeder kwam haar zonen een keer per maand opzoeken. Dan bracht ze snoep en speelgoed voor haar jongens mee maar nooit iets voor ons, al waren wij ook kinderen. Het deed me denken aan mijn vaders gezegde over de samurai. Ik kon haar niet uitstaan. Haar ogen hadden iets roofzuchtigs en kouds. Als zij kwam, verstopte ik me in de kast met mijn handen over mijn oren en ik kwam er niet uit voordat zij weg was.

3

Mijn vader was van plan een bezoek te brengen aan Madame Oima en hij vroeg mij of ik met hem mee wilde gaan. Ik vond het heerlijk om uitstapjes te maken met mijn vader, dus ik zei ja. Mijn vader verzekerde me dat we alleen op bezoek gingen en dat we elk gewenst moment konden vertrekken.

Ik vond het nog steeds eng om over de voetbrug voor ons huis te lopen en mijn vader moest me dragen. We liepen naar de tram waarmee we richting station Sanjo Keihan gingen. Mijn wereld was in die tijd nog erg klein. Er stonden geen andere huizen aan onze kant van de brug en ik had geen speelkameraadjes. Dus ik liep met grote ogen van verbazing naar alles in die grote stad te kijken, de vele huizen en straten in Gion Kobu en al die mensen die overal waren. Het was spannend en ook een beetje angstig. Tegen de tijd dat we er kwamen, was ik al behoorlijk gespannen.

Het Iwasaki okiya lag in de Shinbashi-straat, drie deuren ten oosten van de Hanamikoji-straat, en was opgetrokken in de elegante bouwstijl die typerend was voor de Kyoto karyukai. Het was een lang en smal gebouw met ramen met dwarsbalken aan de straatzijde. Ik vond dat het er afschrikwekkend uitzag.

We kwamen binnen in de *genkan* (vestibule) en liepen een trapje op naar de ontvangstkamer. Die zat vol vrouwen, allemaal gekleed in informele kimono. Ik voelde me raar. Madame Oima nodigde ons met een brede glimlach op haar gezicht uit binnen te komen. Ze putte zich uit in begroetingen en gastvrijheid.

Tomiko verscheen. Ze droeg een ingewikkeld kapsel. Tot mijn verbazing zag ze eruit als een bruid, vooral door het haar.

Toen kwam er een vrouw de kamer in, gekleed in een jurk in westerse stijl.

Mijn vader zei: 'Masako, dit is je oudere zuster.'

'Ik heet Kuniko,' zei ze.

Ik was met stomheid geslagen.

En raad eens wie er toen binnenkwam? Die gemene vrouw die ik niet kon uitstaan, de moeder van de jongens die in ons huis woonden.

Ik trok aan de mouw van mijn vaders kimono en zei: 'Ik wil naar huis.' Ik kon al die indrukken niet verwerken.

Buiten begonnen de tranen te stromen, langzaam maar zeker. Ik hield pas op met huilen toen we bij het tramstation Sanjo Keihan kwamen. Ik weet dat we daar waren omdat ik me herinner dat ik de basisschool met de torentjes zag.

We gingen in de trein naar huis en ik trok me terug in mijn gebruikelijke stilte. Mijn vader leek mijn gevoelens te begrijpen. Hij probeerde niet om met me te praten over wat er gebeurd was maar sloeg gewoon een troostende arm om mijn schouder.

Meteen toen ik thuiskwam en mijn moeder zag, barstte ik in tranen uit en wierp mezelf hysterisch in haar armen. Na een tijdje maakte ik me van haar los en ging de kast in.

Mijn ouders lieten mij met rust en ik bracht er de nacht door, opgerold in het donker.

De volgende dag kwam ik uit de kast maar ik was nog steeds overstuur van mijn reisje naar het Iwasaki okiya. Wat ik gezien had van de karyukai was zo anders dan alles wat ik kende. Mijn kleine wereldje begon in te storten. Ik was in de war en bang en de meeste tijd zat ik met mijn armen om me heen in de ruimte te staren.

Na ongeveer twee weken hervatte ik mijn gewone routine. Ik deed mijn dagelijkse werkjes en ging weer aan het 'werk'. Toen ik te groot werd om op mijn vaders schoot te zitten, had hij van een sinaasappelkistje een bureautje voor mij gemaakt naast dat van hem. Ik was daar uren gelukkig bezig.

Madame Oima had precies die dag uitgekozen om op bezoek te komen. Haar aanblik alleen al was genoeg om naar binnen te rennen, weer de kast in. Maar dit keer was het erger. Ik vond het zo eng om naar buiten te gaan dat ik niet eens onder de peperboom aan de andere kant van de vijver wilde spelen. Ik hing aan mijn ouders en weigerde hun zijde te verlaten.

Maar Madame Oima bleef komen en naar mij vragen.

Dit ging zo enkele maanden door. Mijn vader maakte zich zorgen over mij en probeerde een manier te bedenken om mij terug in de wereld te lokken.

Hij kreeg een idee. Op een dag zei hij tegen me: 'Ik moet kimono afleveren in de stad. Ga je met me mee?' Hij wist hoe leuk ik het vond om alleen met hem ergens naartoe te gaan. Ik was nog steeds op mijn hoede voor wat er zou kunnen gebeuren, en ook al was ik achterdochtig, ik zei dat ik mee wilde.

Hij nam me mee naar een kimonostoffenwinkel ergens in de Muromachi-straat. Toen wij naar binnen liepen, werd mijn vader met veel eerbied door de eigenaar begroet. Mijn vader zei tegen me dat hij zaken moest bespreken en vroeg me of ik in de winkel op hem wilde wachten.

De verkopers hielden me bezig door de verschillende dingen te laten zien die te koop waren. Ik was gefascineerd door de verscheidenheid en rijkdom van de kimono en obi. Ik kon – ondanks mijn leeftijd – duidelijk zien dat de kimono van mijn vader de mooiste in de winkel waren.

Ik kon niet wachten om mijn moeder alles te vertellen van wat er gebeurd was en toen we thuiskwamen, kon ik niet ophouden met praten over de kimono die ik had gezien. Ik gaf een uitgebreide beschrijving van iedere kimono. Mijn ouders hadden mij nog nooit zo lang achter elkaar horen praten en ze waren verbijsterd over de details die ik onthouden had. En nog wel over kimono. Ik vond het extra belangrijk om mijn moeder te vertellen hoe trots ik was omdat mijn vaders kimono de allermooiste in de winkel waren.

Mijn vader zei: 'Masako, het maakt me erg gelukkig dat je zoveel van kimono houdt. Er is iets waarover ik met Madame Oima moet praten. Ga je met me mee als ik naar haar toe ga? Als we er zijn en je vindt het niet leuk, dan gaan we meteen weer naar huis. Dat beloof ik.'

Ik werd nog steeds onrustig bij de gedachte dat ik daar heen moest, maar ik heb een welhaast dwangmatige neiging om dingen die me bang maken te overwinnen; volgens mij kwam dit trekje al duidelijk tot uiting op mijn derde. Ik stemde toe om mee te gaan.

Kort daarna gingen we erheen. Ik was stilletjes maar niet zo overstuur als de eerste keer. Ik kon me nauwelijks bijzonderheden van het huis herinneren, maar die tweede keer was ik rustig genoeg om aandacht aan mijn omgeving te besteden.

We kwamen het huis binnen in een ouderwetse genkan (vestibule), waar de vloer gemaakt was van aangestampte aarde in plaats van hout. Meteen erna kwam de tatamikamer, de ontvangstruimte. Achter in die ruimte stond een mooi scherm dat de kamers erachter aan het zicht onttrok. Voor het scherm stond een bloemstuk. Rechts van de entree stond een hoge schoenenkast, die van vloer tot plafond reikte. Daarna kwam een inbouwkast gevuld met borden, schalen, komforen, eetstokjes en ander tafelgerei. En er stond een houten ijskast, zo'n ouderwetse die gekoeld werd met blokken ijs.

Vanuit de genkan ging een deur naar een lange met aarde bevloerde gang, die over de hele lengte van het huis liep. Aan de rechterkant was een bijkeuken, compleet met ovens. De kamers van het huis lagen aan de linkerkant van de gang.

De kamers lagen achter elkaar, als een lange spoorlijnflat. De eerste kamer was een ontvangstkamer of salon. Daarachter lag de eetkamer waar de geikofamilie bijeenkwam om te eten en te ontspannen. In de hoek stond een *hibachi*, een rechthoekige tafel met ingebouwde bakplaten en er was de trap naar de eerste verdieping. De schuifdeuren van de eetkamer stonden open waardoor ik de officiële woonkamer kon zien met een groot staand altaar. Voor de altaarkamer was een omsloten tuin.

Madame Oima nodigde ons in de eetkamer. Ik zag een jonge maiko. Ze droeg gewone kleren en haar gezicht was niet opgemaakt, maar er zaten nog sporen van witte make-up in haar nek. We namen plaats tegenover Madame Oima aan de hibachi. Zij zat met haar rug naar de tuin, terwijl wij, de bezoekers, op het uitzicht getrakteerd werden. Mijn vader boog en begroette haar formeel.

Madame Oima bleef naar mij glimlachen terwijl ze tot mijn vader sprak. 'Het doet me genoegen u te kunnen vertellen dat het goed gaat met de lessen van Tomiko. Ze lijkt een aangeboren gevoel voor muziek te hebben en leert prachtig shamisen spelen. Haar leraren en ik zijn bijzonder tevreden over haar vooruitgang.'

Ik hoorde een ritselend geluid. Ik stak mijn hoofd onderzoekend onder de tafel en ontdekte dat daar een hond lag.

'Hoe heet je?' vroeg ik hem. Als antwoord kreeg ik enkel een blaf.

'O,' zei Madame Oima. 'Dat is John.'

'Grote John zou een betere naam voor hem zijn,' reageerde ik.

'Goed dan, ik denk dat we hem voortaan maar Grote John noemen,' antwoordde Madame Oima.

Op dat moment verscheen er een andere dame. Ze was beeldschoon maar had een nare uitdrukking op haar gezicht. Madame Oima noemde haar Masako, dezelfde naam die ik had. Maar ik gaf haar stilletjes een bijnaam. Ik noemde haar 'Ouwe Gemenerik'. Madame Oima vertelde mijn vader dat dit de geiko was die de Oudere Zuster van Tomiko zou zijn.

'Ik vind John een prima naam,' zei ze op verwaande toon.

'Maar juffrouw Masako vindt Grote John een betere naam,' weerlegde Madame Oima. 'En als juffrouw Masako dat vindt, dan gebruiken we die naam voortaan. Luister iedereen. Vanaf nu wil ik dat jullie allemaal de hond Grote John noemen.'

Ik herinner me dit gesprek woord voor woord omdat ik zo onder de indruk was van Madame Oima's macht. Zij had de macht om de naam van een hond te veranderen, zomaar. En iedereen moest naar haar luisteren en doen wat ze zei. Zelfs Ouwe Gemenerik.

Ik sloot meteen vriendschap met Grote John. Tomiko en ik mochten van Madame Oima met hem gaan wandelen. Tomiko vertelde mij waar Grote John vandaan kwam. Ze zei dat een of andere hond een ongeoorloofde affaire had gehad met een collie, die eigendom was van een beroemde augurkenhandelaar in de buurt, en Grote John was het resultaat geweest.

Iemand hield ons staande op straat.

'Wie is dat beeldschone meisje? Is zij een Iwasaki?' vroeg de vrouw.

'Nee, zij is mijn kleine zusje,' antwoordde Tomiko.

Een paar minuten later zei iemand anders: 'Wat een aanbiddelijke Iwasaki!'

En mijn zuster zei weer: 'Nee, zij is gewoon mijn kleine zusje.'

Zo ging het door. Mijn zuster raakte behoorlijk geïrriteerd. Ik kreeg er een ongemakkelijk gevoel van dus ik vroeg Tomiko of we terug konden gaan. Voordat ze ja kon zeggen draaide Grote John zich om en liep richting huis.

Grote John was een fantastische hond. Hij was buitengewoon intelligent en bereikte de eerbiedwaardige leeftijd van achttien jaar. Ik had altijd het gevoel dat hij mij begreep.

We gingen terug naar het Iwasaki okiya en ik zei tegen mijn vader: 'Het is tijd om naar huis te gaan, papa. Ik ga.' Ik riep nog een beleefd 'tot ziens' naar de anderen en na Grote John geaaid te hebben, huppelde ik de deur uit. Mijn vader nam plechtig afscheid en volgde me.

Hij nam me bij de hand toen we naar de tramhalte liepen. Ik had geen idee waar mijn vader en Madame Oima over gepraat hadden toen Tomiko en ik aan het wandelen waren, maar ik merkte dat mijn vader geërgerd en overstuur was. Ik vermoedde dat er iets helemaal fout was.

Zodra we thuis waren, ging ik meteen naar de kast. Ik kon mijn ouders horen praten. Mijn vader zei: 'Weet je, Chie, ik denk dat ik het gewoon niet kan. Ik denk niet dat ik haar kan laten gaan.' Mijn moeder antwoordde: 'Ik denk dat ik het ook niet kan.'

Ik ging steeds meer tijd in de kast doorbrengen, mijn rustige baarmoeder in de bedrijvigheid van het gezinsleven.

In april van dat jaar kreeg mijn oudste broer Seiichiro een baan bij de nationale spoorwegen. De avond dat hij zijn eerste loonstrookje mee naar huis nam, vierden we dat met sukiyaki en iedereen ging aan tafel zitten om in de feestvreugde te delen. Mijn vader liet me uit de kast komen om mee te eten.

Mijn vader had de gewoonte om iedere avond voor het eten een kleine toespraak te houden. Dan keek hij terug op belangrijke gebeurtenissen van die dag en feliciteerde ons met onze prestaties, zoals een eervolle vermelding op school of een verjaardag.

Ik zat bij hem op schoot toen hij mijn broer feliciteerde met zijn onafhankelijkheid.

'Vandaag begint jullie broer Seiichiro een bijdrage te leveren aan de huishoudkosten. Hij is nu volwassen. Ik hoop dat de andere kinderen leren van zijn goede voorbeeld. Als jullie jezelf kunnen onderhouden, wil ik dat jullie ook aan andere mensen denken dan alleen jezelf en bijdragen aan hun verzorging en welvaart. Begrijpen jullie wat ik bedoel?'

Eendrachtig antwoordden we: 'Ja, dat begrijpen we. Gefeliciteerd, Seiichiro.'

Mijn vader zei: 'Heel goed' en begon te eten. Ik kon vanaf zijn schoot niet bij de sukiyaki en ik zei: 'Papa, en ik dan?' 'O jee, ik was Masako vergeten,' zei hij en hij begon me uit de sukiyakipot te voeren.

Mijn ouders waren in een goed humeur. Terwijl ik op het eerste stukje rundvlees kauwde en daarna op een volgend, dacht ik na over hoe gelukkig ze waren. Hoe meer ik nadacht, hoe stiller ik werd en hoe minder ik wilde eten.

Ik ging nadenken. Zou het beter zijn als ik naar het Iwasaki okiya zou gaan? Hoe zou ik dat doen? Hoe kon ik daar komen? Ik moest een plan bedenken.

Een van mijn leukste uitstapjes was onze jaarlijkse kersenbloesemexcursie en ik vroeg mijn ouders: 'Kunnen we naar de kersenbloesem gaan kijken? En kunnen we daarna het Iwasaki okiya bezoeken?' Er was geen logisch verband. We gingen altijd picknicken onder de bomen op de kanaaloever, letterlijk enige stappen van onze voordeur verwijderd. Maar ik wist dat de kersenbloesem er nooit hetzelfde zou uitzien vanaf de andere kanaaloever.

Mijn vader reageerde onmiddellijk: 'Chie, laten we naar de kersenbloesem gaan kijken.'

'Dat is een leuk idee,' antwoordde mijn moeder. 'Ik maak een picknickmand klaar.'

'En meteen nadat we de kersenbloesem hebben bekeken, kunnen we naar het Iwasaki okiya gaan, goed?'

Ze wisten hoe koppig ik was als ik eenmaal een plan in mijn hoofd had. Mijn vader probeerde me af te leiden.

'Ik denk dat we naar de Miyako Odori gaan nadat we de kersenbloesem hebben bekeken. Vind jij dat ook niet een beter plan, Chie?' vroeg hij aan mijn moeder.

Ik sprak al voordat ze een antwoord kon geven.

'Ik ga naar het Iwasaki okiya nadat we de kersenbloesem hebben bekeken. Ik ga niet naar de Miyako Odori!'

'Wat zeg je, Masako?' vroeg mijn vader. 'Vertel me eens waarom je naar het Iwasaki okiya wilt?'

'Omdat ik wil gaan,' verklaarde ik. 'Dan houdt die mevrouw op met gemeen tegen jou en mama te zijn. Ik wil nu gaan.'

'Wacht eens eventjes, Masako. De situatie tussen die mevrouw en Madame Oima en ons heeft niets met jou te maken. Jij bent te klein om te begrijpen wat er aan de hand is maar wij zijn Madame Oima enorm veel dank verschuldigd. En je zuster Tomiko is naar het Iwasaki okiya gegaan om onze eer hoog te houden. Daar hoef jij je geen zorgen over te maken. Dat moeten wij volwassenen zelf regelen.'

Uiteindelijk stemde mijn vader erin toe dat ik een nachtje doorbracht in het Iwasaki okiya. Ik wilde mijn lievelingsdeken en kussen meenemen. Mijn moeder zocht ze bij elkaar en pakte ze in. Ik zat op de veranda voor ons huis en staarde naar de brug.

Het was tijd om te gaan. Mijn moeder kwam naar buiten om ons uit te zwaaien. Toen we bij de brug kwamen, bukte mijn vader zich om mij op te tillen en me net als altijd te dragen maar ik zei: 'Nee, ik ga het zelf doen.'

Ik was nog nooit eerder zelf over die voetbrug gelopen. Ik vond het te eng.

Onder de brug loopt een kanaal. En in dat kanaal stroomt koud, helder water, water afkomstig uit het Biwameer in het noorden, naar het Nanzenji-aquaduct. Het vervolgt zijn weg na het aquaduct langs kilometers kersenbomen op de oevers en dan naar beneden de grote waterweg van Kyoto in. Dan gaat het verder langs de dierentuin en de Keian-tempel en uiteindelijk mondt het uit in de Kamogawa-rivier, vanwaar het richting Osaka stroomt, de open zee in.

Ik zal nooit vergeten hoe ik die eerste keer over de brug liep. Het contrast tussen het witte beton, de handgebreide rode jurk die mijn moeder voor me had gemaakt en mijn rode gympies staat in mijn geheugen gebrand.

Vroeg in de middag kwamen we aan. Mijn vader vertrok snel en ik zat in de salon, zonder iets te zeggen, alleen maar te kijken en te observeren. Ik was geboeid door de details. Ik keek net zo lang rond tot ik een kast zag, zodat ik een plek had om zonodig naartoe te ontsnappen. Maar buiten dat zat ik gewoon rustig naar alles om me heen te kijken. Mensen die me iets vroegen, kregen beleefd antwoord, en ik herhaalde steeds dat ik daar wilde blijven zitten.

Later in de middag nam Madame Oima me bij de hand en gingen we naar een ander huis. We openden de deur naar de entree en gingen naar binnen. Madame Oima boog diep voor een dame die ik nog niet eerder gezien had. Madame Oima stelde haar voor als Madame Sakaguchi en vertelde me dat ik moeder tegen haar moest zeggen. Madame Oima lachte en zei dat Moeder Sakaguchi haar baas was.

De vrouw was erg vriendelijk en we mochten elkaar meteen.

Toen we terugkwamen van ons bezoek aan het Sakaguchi okiya was het tijd voor het avondeten. Dat ging anders dan bij mij thuis. In plaats van aan tafel te zitten at iedereen van aparte dienbladen die in u-vorm rondom de rechthoekige hibachi waren neergezet.

Aangezien ik de gast was ging ik ervan uit dat ik naast Madame Oima zou zitten. Ik wilde net naast haar gaan zitten toen Ouwe Gemenerik binnenkwam en op die plek wilde plaatsnemen.

Ik zei: 'Dat is mijn plaats.'

Ouwe Gemenerik wilde protesteren maar Madame Oima zei met een grote glimlach : 'Ja, kind, dat klopt. Ga maar zitten.'

Ik ging naast de hibachi zitten.

Ouwe Gemenerik ging boos naast me zitten, pakte haar eetstokjes op en begon te eten zonder dat het gebruikelijke gebedje 'itadakimasu' was uitgesproken. *Itadakimasu* betekent: 'Ik ontvang dit eten in nederige dankbaarheid.' Het is een erkenning voor de inspanningen van de boeren en andere mensen die ervoor gezorgd hebben dat dit voedsel op tafel kan komen. Madame Oima was hoofd van het huishouden en niemand kon eigenlijk gaan eten voordat zij deze woorden uitgesproken had en haar eetstokjes had opgepakt. Ik berispte Ouwe Gemenerik voor haar schending van de etiquette.

'Het is niet netjes om te gaan eten voordat Madame Oima "itadakimasu" heeft gezegd en als eerste een hap te nemen. Je hebt zeer slechte manieren.'

Madame Oima zei tegen Ouwe Gemenerik: 'Luister naar wat zij zegt. Ze kan jou nog veel leren.' Vervolgens wendde ze zich tot de rest van de vrouwen die rondom de lange hibachi zaten en zei: 'Spreken jullie niet tegen juffrouw Masako tenzij zij eerst tegen jullie spreekt.' Ik kon haast niet geloven dat Madame Oima mij belangrijker vond dan al die keurige volwassenen.

Ouwe Gemenerik kon het niet hebben en fluisterde zo luid dat ik het wel moest horen: 'Nou, nou, we hebben hier een klein prinsesje.'

Die opmerking gaf me zo'n naar gevoel dat ik zei: 'Ik kan dit niet eten.'

Madame Oima vroeg: 'Waarom niet? Wat is er niet goed aan?'

'Ik kan niet eten als ik naast deze gemene oude mevrouw zit.'

Ik stond rustig op, zocht Grote John en ging met hem wandelen.

Toen ik terugkwam, vroeg mijn oudere zuster Kuniko of ik een lekkere rijstbal wilde eten of een bad nemen.

'Ik eet alleen maar rijstballen die mijn moeder heeft gemaakt en ik ga alleen in bad met mijn vader,' antwoordde ik. Toen verviel ik in stilte. De rest van de avond heb ik geen woord meer gezegd.

Mijn zuster Kuniko bracht me naar bed. Ze rolde me in mijn lievelingsdeken, turkoois met witte tulpen erop. Ik mocht naast haar op de futon liggen. Ik kon nog steeds niet zonder borstvoeding in slaap vallen en ik mocht aan haar borst sabbelen totdat ik in slaap viel.

Mijn vader kwam me de volgende ochtend halen. In het okiya is het een ongeschreven regel dat bezoekers niet voor tien uur 's morgens worden toegelaten. Maar mijn vader kwam al heel vroeg, om halfzeven.

Ik was heel blij om hem te zien. Ik zei: 'Dag, tot ziens,' en was de deur al uit. Madame Oima riep me nog achterna: 'Kom alsjeblieft gauw nog eens.'

'Ja,' riep ik terug.

Ik was boos op mezelf om dat antwoord, want dat wilde ik niet geven. Eigenlijk wilde ik precies het tegenovergestelde. Ik had willen zeggen dat ik nooit meer terugkwam maar kon de woorden niet uit mijn mond krijgen.

Mijn moeder was zo gelukkig mij te zien toen ik thuiskwam dat ik dacht dat ze zou gaan huilen. Ik bleef niet lang genoeg staan om me door haar te laten knuffelen en dook meteen mijn veilige kast in.

Mijn moeder lokte me uit de duisternis met mijn lievelingseten, *onigiri*, een soort rijstbroodje omwikkeld met zeewier en iets hartigs binnenin. Pruimen en stukjes zalm zijn geliefde vullingen maar mijn voorkeur hadden gedroogde bonitovlokken. En die maakte mijn moeder voor mij die dag. Ze waren heerlijk.

(Gedroogde bonitovis is een van de hoofdbestanddelen van de Japanse keuken. De vlokken worden over het algemeen gebruikt als basis voor bouillon en andere gerechten op smaak te brengen.)

Dit was het begin van mijn verhuizing naar het Iwasaki okiya. Het begon met die ene nacht. Een tijdje later ging ik twee nachten en daarna meerdere dagen op bezoek. De dagen gingen over in een maand. En uiteindelijk, een paar maanden nadat ik vijf jaar was geworden, ging ik er voorgoed wonen.

5

Het is moeilijk om in eigentijdse termen uitdrukking te geven aan het belang, bijna de heiligheid van de okiya-eigenaresse en haar opvolgster in de hiërarchie van Gion Kobu. De okiya-eigenaresse is de koningin van het rijk, de atotori is de troonopvolgster en de andere leden van het okiya zijn een soort koninklijke hofhouding, verplicht de bevelen van de regerende koningin zonder discussie of vraag te accepteren. De troonopvolgster wordt met dezelfde eerbied behandeld.

Al was het nog niet officieel, Madame Oima behandelde mij als haar atotori vanaf het moment dat ik deel ging uitmaken van het huishouden. Ze wilde dat iedereen mij zo behandelde. De andere leden van het okiya waren er om mij op mijn wenken te bedienen. Ze gebruikten beleefdheidstaal als ze me aanspraken, mochten niet tegen mij spreken tenzij ik eerst had gesproken – eigenlijk moesten ze mij gewoon gehoorzamen. Ik neem aan dat sommigen van hen jaloers op me waren maar het was zo in ieders belang Madame Oima te plezieren dat ik me nooit bewust ben geweest van enige negatieve reactie op mijn komst. Het was volgens mij heel natuurlijk gegaan.

Madame Oima vroeg of ik haar tante wilde noemen, wat ik graag deed. Ik zat voortaan naast Tante Oima, op de ereplaats, bij alle maaltijden. Ik kreeg altijd het lekkerste van het eten dat werd opgediend en werd altijd als eerste bediend.

Kort na mijn intrede kwamen er steeds kleermakers om mijn maten te nemen. Een paar dagen later had ik een nieuw stel kleren, zowel westerse jassen en jurken als Japanse kimono en obi. Totdat ik volwassen was, heb ik geen kleding gedragen die niet handgemaakt was. Ik droeg kimono in onze eigen buurt en trok vaak een jurk aan als we naar het kabukitoneel gingen, wedstrijden in sumoworstelen of de speeltuin.

Tante Oima bracht urenlang spelend met mij door en bedacht eindeloos veel manieren om mij te vermaken. Ik mocht van haar net zo vaak naar de kimono van de geiko kijken als ik wilde. Als mijn handen schoon waren liet ze me het rijke borduursel aanraken, mocht ik met mijn vingers de patronen van herfsttaferelen en rollende golven natrekken.

Ze zorgde voor een bureau in de genkan zodat ik mijn werk kon doen. Daaraan maakte ik mijn tekeningen en oefende ik het schrijven van de letters, zoals ik had gedaan toen ik bij mijn vader woonde.

We veranderden een vijver met stenen in de tuin op de binnenplaats in een tehuis voor goudvissen. Dat werd een hele onderneming en we bedachten ieder aspect ervan samen. We zochten prachtige stenen en eendenkroost, zodat de vissen een verstopplekje hadden. We kochten gekleurd grint, een namaakbruggetje en een beeld van een reiger om een sprookjesachtige omgeving voor mijn huisdieren te scheppen.

Eens maakten Tante Oima en ik in de tuin de visvijver schoon. Het was een van mijn geliefde bezigheden omdat ik tegen niemand hoefde te praten als ik daarmee bezig was. Als het aan mij had gelegen, had ik de vijver elke dag schoongemaakt maar dat vond Tante Oima niet goed. Ze vertelde me dat vissen niet kunnen leven in te helder water. We moesten het water met rust laten, zodat de algen konden groeien.

Op een dag vroeg ik haar iets dat me al een tijdje dwarszat.

'Tante, u laat niet zoveel mensen met mij praten. Alleen u en Ouwe Gemenerik. Maar die Yaeko? Waarom mag zij ook tegen mij praten? En waarom wonen haar zoontjes in mijn huis?'

'O Mine-chan, ik dacht dat je dat wist. Yaeko is de oudste dochter van je ouders. Ze is je oudste zuster. Je vader en moeder zijn de grootouders van die jongens.'

Ik had het gevoel dat ik ging flauwvallen of overgeven en ik gilde: 'Dat is niet waar! U liegt!' Ik was echt overstuur. 'Een oud iemand als u mag niet liegen. Binnenkort gaat u naar de Enma [de koning van de hel] en hij rukt uw tong eruit omdat u niet de waarheid heeft gesproken!' Ik barstte in tranen uit.

Tante Oima zei zo rustig en vriendelijk mogelijk: 'Het spijt me, mijn kind, maar ik ben bang dat het waar is. Ik wist niet dat niemand het je verteld had.'

Ik had al vermoed dat er een reden was waarom Yaeko steeds in mijn wereld bleef opduiken, maar dit was erger dan ik had kunnen bedenken. Als Yaeko mijn zuster was, dan waren die jongens mijn neefjes!

'Je hoeft je om haar niet druk te maken,' troostte Tante Oima. 'Ik zal je beschermen.'

Ik wilde haar wel geloven maar ik kreeg steeds een naar gevoel in mijn maag als Yaeko in de buurt was.

In het begin bleef ik steeds vlakbij Tante. Na een paar weken, toen ik me wat meer thuis ging voelen, begon ik mijn nieuwe omgeving te verkennen. Ik besloot om de kast in de eetkamer, onder de trap, als verstopplek te gebruiken. De kast waar Kuniko haar beddengoed in bewaarde. Als ik op de dekens kroop, snoof ik haar geur op. Ze rook net als mijn moeder.

Ik reisde verder, de trappen op. Boven vond ik een kast die me ook beviel en ik besloot die als andere verstopplek te gebruiken. Er waren nog vier grote kamers op de eerste verdieping, met vele kaptafels en kisten vol make-up voor de maiko en geiko. Niet bijzonder interessant.

Mijn volgende onderzoek wijdde ik aan het gastenverblijf. Dat was een fantastische ontdekking. De grootste kamer van het gastenverblijf was de 'beste' kamer van het okiya, gereserveerd voor belangrijke bezoekers. Het was een frisse, ruime en vlekkeloze ruimte. Ik was de enige persoon van het huishouden aan wie het toegestaan was daar te zijn. Op een bepaalde manier was ik de enige persoon in huis die een 'gast' was.

Achter het gastenverblijf was een officiële tuin, net zo groot als die bij de altaarkamer. Ik zat soms uren op de veranda, gefascineerd door de stille schoonheid van de stenen en het mos.

Het badhuis lag aan de andere kant van de tuin. Er stond een grote moderne badkuip, gemaakt van geurend *hinoki* (wit cederhout).

Tante Oima en Kuniko baadden mij iedere avond. Ik herinner me nog de tuingeur die door een hoog raam in de muur het bestoomde badhuis binnendreef.

De meeste nachten sliep ik met Tante Oima in de altaarkamer. Zij liet me aan haar borst sabbelen tot ik in slaap viel. Soms, als het erg warm was of de maan uitzonderlijk helder, sliepen we in het gastenverblijf.

Ik sliep ook wel eens met Kuniko in de eetkamer. In traditionele Japanse huizen worden de schaars gemeubileerde tatamikamers voor een aantal doelen gebruikt. Woonkamers doen ook vaak dienst als slaapkamers. Kuniko was de leerling-huishoudster en had als belangrijke taak te waken over de keuken en de haard, het hart van het huis. Vandaar dat ze 's avonds gewoon de lage tafels aan de kant schoof en haar futon op de tatami legde. Kuniko was eenentwintig toen ik in het okiya kwam wonen. Ik voelde me het veiligst als ik me kon opkrullen tegen haar warme molligheid. Ze was dol op kinderen en verzorgde me alsof ik haar eigen kind was.

Net als bij mijn vader werd ik ook in het okiya om zes uur 's ochtends wakker. Iedereen moest laat opblijven en er was nog niemand wakker op dat uur, zelfs de dienstmeisjes niet. Meestal bleef ik opgerold op mijn futon liggen lezen in de plaatjesboeken die mijn vader voor mij meebracht. Soms deed ik mijn sloffen aan en dwaalde rond.

Zo kwam ik erachter waar iedereen sliep.

De twee dienstmeisjes schoven het kamerscherm weg en sliepen op de tatami in de genkan. De anderen sliepen allemaal boven. Ouwe Gemenerik had een van de middelste kamers helemaal voor zich alleen. Dat was omdat ze een Iwasaki was, legde Kuniko mij uit. De andere geiko en maiko sliepen samen in de grote voorkamer. Daar sliep Tomiko ook. Ik herinner me dat Ichifumi, Fumimaru en Yaemaru daar later ook sliepen. Er was nog een grote kamer, maar die werd niet gebruikt om in te slapen, daar kleedde iedereen zich aan.

Een van de vrouwen sliep niet in het okiya, al leek het of ze altijd in huis was. Zij heette Taji. Iedereen noemde haar Aba (kleine moeder). Zij hield het toezicht op de maaltijden, de kleding, de boodschappen en het schoonmaken. Aba was getrouwd met de broer van Tante Oima en woonde ergens anders.

Ik probeerde erachter te komen hoe de hiërarchie van het huishouden in elkaar zat. Het was heel anders dan bij mijn familie. Mijn vader kookte, mijn moeder rustte, mijn ouders behandelden ons allemaal hetzelfde. Ik dacht dat iedereen in een familie gelijk was. Maar hier niet.

Er waren twee groepen. Tante Oima, Ouwe Gemenerik, de geiko, maiko en ik zaten in de eerste groep. Aba, Kuniko, de leerlingen en de dienstmeisjes zaten in de tweede. De eerste groep had meer macht en meer privileges dan de tweede. Dit stoorde mij omdat Kuniko, van wie ik hield, niet in mijn groep zat en mensen die ik niet aardig vond, zoals Yaeko, wel.

De 'tweede' groep droeg andere kleren, gebruikte andere toiletten en wachtte totdat wij klaar waren met eten voordat zij begonnen. Ze aten ander voedsel dan wij en moesten in een hoek van de eetkamer, vlak bij de keuken zitten. En zij waren degenen die ik de hele tijd echt zag werken.

Ik zag eens een hele gegrilde vis op Kuniko's bord liggen. Kop en staart zaten er nog aan en het zag er heerlijk uit. Zoiets had ik nog nooit gezien. Zelfs toen ik bij mijn ouders woonde, aten we alleen maar gefileerde vis (een overblijfsel van mijn vaders aristocratische opvoeding).

'Aba, wat is dat?'

'Dat is een gedroogde sardine.'

'Mag ik er wat van hebben?'

'Nee liefje, sardines zijn niet geschikt voor jou. Je zou niet van dit voedsel houden.'

Sardines werden beschouwd als armenkost en ik kreeg alleen de beste soorten vis: tong, tarbot, paling. Maar een vis met kop en staart, dat leek me echt iets speciaals.

'Ik wil hetzelfde eten als Kuniko!' Ik zeurde niet vaak maar nu maakte ik een uitzondering.

'Dat eten is niet geschikt voor een atotori,' zei Aba.

'Dat kan mij niets schelen, ik wil het hebben. Ik wil eten wat andere mensen eten en ik wil dat we allemaal samen eten.'

Voor ik goed en wel wist wat er gebeurde, stond er een tafel in de eetkamer en gebruikten we onze maaltijd samen, net als thuis.

Op een dag kondigde Tante Oima aan dat ze mijn naam had veranderd in Mineko. Ik vond het verschrikkelijk. Ik wist dat ze de macht had dat bij een hond te doen, maar ik had nooit gedacht dat ze het bij mij zou doen. Mijn vader had me de naam Masako gegeven en ik vond dat niemand het recht had die te veranderen. Ik zei tegen haar dat ze het niet kon doen.

Ze legde me geduldig uit dat Ouwe Gemenerik ook Masako heette en dat het verwarrend was als we allebei dezelfde naam hadden. Ik bleef tegenstribbelen. Ze wilde niet luisteren.

Tante Oima ging me Mineko noemen en ze stond erop dat de anderen dat ook deden. Ik wilde die naam niet horen. Als iemand me Mineko noemde, negeerde ik hen of ik draaide me spoorslags om en stormde de kast in. Ik was vastbesloten niet toe te geven.

Uiteindelijk liet Tante Oima mijn vader komen om in deze situatie te bemiddelen. Hij deed zijn best me om te praten. 'Ik neem je weer mee naar huis, als je dat wilt, Masako. Je hoeft dit niet allemaal te accepteren. Als je hier wilt blijven kun je net doen alsof ze je Masako noemen als ze Mineko zeggen. Maar dat is natuurlijk niet zo leuk. Misschien is het toch beter als je met me mee naar huis gaat.'

Terwijl hij zijn best deed om mij over te halen deed Ouwe Gemenerik ook een duit in het zakje. 'Ik heb zeker niet het verlangen je te adopteren, daar kun je van verzekerd zijn. Maar als Tante Oima jou tot opvolgster benoemt, heb ik geen keuze.'

'Wat bedoelt ze, papa? Wanneer ben ik geadopteerd? Ik hoor toch niet bij hen – of wel? Hoor ik niet bij jou?' Ik had niet begrepen dat het bij een atotori hoorde om geadopteerd te worden.

'Natuurlijk hoor je bij mij, Masako. Je bent nog steeds mijn kleine meisje. Je achternaam is nog steeds Tanaka en niet Iwasaki.' Hij probeerde me te troosten en wendde zich tot Tante Oima.

'Weet u, ik geloof dat het beter is als ik haar een tijdje mee naar huis neem.'

Tante Oima reageerde paniekerig. 'Wacht even, meneer Tanaka! Ga alstublieft niet weg. Ik smeek u! U weet hoe ik haar aanbid. Haal haar alstublieft niet weg. Ze betekent zoveel voor me. Denk alstublieft na over wat u wilt doen. En probeer het belang van de situatie aan

Masako uit te leggen. Ik weet zeker dat ze naar u luistert. Alstublieft, meneer Tanaka. Alstublieft!'

Mijn vader hield voet bij stuk. 'Het spijt me, Tante Oima. Masako is een kind dat zelf beslist. Ik ga haar niet dwingen iets te doen dat ze niet wil. Ik weet dat dit een grote kans is maar het is mijn taak erop toe te zien dat ze gelukkig is. Misschien moeten we niet overhaast te werk gaan. Laat me er nog eens over nadenken.'

Dit was het enige moment dat ik bijna aarzelde over mijn beslissing. Zodra ik zijn woorden hoorde, werd ik overvallen door schuldgevoelens. O nee, ik doe het weer, dacht ik. Ik ben een baby die alleen maar aan zichzelf denkt. De problemen beginnen weer opnieuw en dat is mijn schuld.

Mijn vader stond op om te vertrekken.

'Laat maar, papa, het doet er niet toe. Het is al goed. Ze mogen me Mineko noemen. Het maakt me niet uit. Ik blijf gewoon hier.'

'Dat hoef je niet te zeggen, Masako. Laten we naar huis gaan.'

'Nee, ik blijf hier.'

Toen ik net in het Iwasaki okiya woonde, was het me nog niet duidelijk of Tante Oima wilde dat ik, net als de meeste andere vrouwen in het huis, een geiko zou worden. Ik wist dat Tante Oima mij als haar atotori wilde, maar zij was geen geiko en dat leek geen vereiste voor de positie te zijn.

Ze praatte vaak met me over dansen. Tegen die tijd begreep ik dat alle geiko die danseressen waren hun carrière waren begonnen als maiko. En Tante Oima vertelde me steeds verhalen over legendarische maiko in het verleden. Ik wilde niet per se een maiko worden maar echt heel graag dansen. Niet om indruk te maken op anderen, maar gewoon omdat het me zo leuk leek. Ik wilde dansen voor mezelf.

Tante Oima beloofde me dat ik met dansles mocht beginnen op 6 – 6 – 6: 6 juni na mijn vijfde verjaardag, die in het oude systeem – het jaar waarin je geboren wordt telt als je eerste – gezien werd als mijn zesde verjaardag. Zes – zes – zes. In mijn verbeelding werd dit een magische dag.

Terwijl mijn eerste dansles steeds dichterbij kwam, vertelde Tante Oima me dat we moesten beslissen wie mijn Oudere Zuster zou worden.

De vrouwengemeenschap in Gion Kobu is georganiseerd volgens verwantschap in naam, waarbij senioriteit wordt bepaald door status. Zo worden, ongeacht hun leeftijd, eigenaressen van het okiya en ochaya Moeders of Tantes genoemd, terwijl maiko en geiko door iedereen die later dan zij in actieve dienst zijn gekomen Oudere Zuster worden genoemd. Verder krijgt iedere maiko en geiko een senior sponsor toegewezen die haar eigen Onesan (Oudere Zuster) wordt genoemd.

De oudere geiko dient rolmodel en mentor voor de jongere te zijn. Zij houdt toezicht op haar artistieke vooruitgang en bemiddelt in conflicten tussen de nieuweling en haar leraren of gelijken. Ze helpt haar Jongere Zuster zich voor te bereiden op haar debuut en vergezelt haar bij haar eerste beroepsverplichtingen. De Onesan vertelt de jongere vrouw de fijne kneepjes van de feestmaaletiquette en introduceert haar bij belangrijke cliënten en mensen die haar verder kunnen helpen met haar carrière.

Op een dag hoorde ik Tante Oima, Moeder Sakaguchi en Ouwe Gemenerik over mijn Onesan praten. Moeder Sakaguchi noemde Satoharu.

Als zij het toch eens kon worden!

Satoharu was een beroemde geiko in het Tamaki okiya, een van de 'zusters' van de familie Sakaguchi. Ze was een slanke, gracieuze schoonheid die heel lief en aardig voor mij was. Ik kan me nog steeds herinneren hoe ontroerend prachtig ze danste in *Chikubushima* en *Ogurikyokubamonogatari*. Ik wilde net als zij worden.

Toen noemde Ouwe Gemenerik (de gevreesde) Yaeko. 'Is Yaeko niet de natuurlijke keuze? Ze is immers Mineko's oudste zuster en hoort bij ons eigen okiya. Ik denk dat het wel goed zal komen, al hebben we in het verleden wat problemen met haar gehad.' 't Hart zonk mij in de schoenen.

Moeder Sakaguchi wierp tegen: 'Ik denk dat de nadelen van Yaeko zwaarder wegen dan de voordelen. Waarom zouden we Mineko opzadelen met de smet van Yaeko's ontrouw en scheiding? Onze kleine meid verdient beter dan dat. Trouwens, de andere geiko mogen Yaeko niet. Zo zou ze Mineko meer schade dan goed doen. Wat is er mis met Satoharu? Volgens mij is ze een uitstekende keuze.'

Net als in de rest van de Japanse samenleving zijn persoonlijke relaties vaak de sleutel tot succes en Moeder Sakaguchi wilde mij verbinden aan een geiko die mijn status binnen de gemeenschap zou verhogen.

Luister alstublieft naar haar, bad ik in de veiligheid van de kast.

Maar Ouwe Gemenerik hield voet bij stuk. 'Ik ben bang dat dat niet mogelijk is,' zei ze. 'Ik denk niet dat ik nauw met Satoharu kan samenwerken. Ik vind haar verwaand en moeilijk. Ik denk dat we beter af zijn met Yaeko.'

Madame Sakaguchi probeerde haar om te praten maar Ouwe Gemenerik was vastbesloten.

Ik heb me vaak afgevraagd waarom Ouwe Gemenerik de ontaarde Yaeko verkoos boven de schitterende Satoharu. Het moet te maken hebben gehad met macht. Ik denk dat ze het gevoel had dat Yaeko naar haar moest luisteren zoals Satoharu nooit zou doen.

En dus werd er tot mijn grote teleurstelling besloten dat Yaeko mijn Oudere Zuster zou worden. Het leek alsof ik niets kon doen om er onderuit te komen.

Mijn moeder en vader kwamen vaak op bezoek. Mijn vader bracht dan plaatjesboeken mee en mijn lievelingshapjes. Moeder nam meestal een handgebreide trui of jurk mee. Ik begon heel erg op te zien tegen hun bezoekjes, want hun aanwezigheid in het huis was altijd de oorzaak van een van Yaeko's woedeaanvallen. Ze schreeuwde dan dat mijn ouders babyhandelaars waren en gooide dingen door de keuken. Ik vond dat angstaanjagend en kreeg het gevoel dat al mijn pogingen om hen te beschermen nutteloos waren.

Ik was vijf jaar en leefde in een magische denkwereld. Ik dacht echt dat ik mijn ouders kon beschermen tegen deze bezeten vrouw. Ik begon hen te negeren als ze op bezoek waren in de hoop dat ze dan weg zouden blijven. Als ik daar – nu ik zelf moeder ben – op terugkijk, kan ik me nauwelijks voorstellen hoe hartverscheurend mijn afstandelijkheid voor hen geweest moet zijn.

Ik begon mijn eigen plaats te vinden in het Iwasaki okiya en de straten van Gion Kobu. Deze naoorlogse wijk was vol kinderen en ik maakte mijn eerste vrienden. Wetend wie ik was en wat ik zou kunnen worden, overstelpten de volwassenen in mijn omgeving me met traktaties en aandacht. Ik begon me erg veilig te voelen onder de beschermende paraplu van de Iwasaki-naam. Langzaam maar zeker werd ik een van hen.

Tante Oima kon fantastisch goed verhalen vertellen.

Ik bracht menige koude winteravond door dicht tegen haar aangekropen bij de hibachi. Dan roosterden we pinda's en dronken we thee. Of we verdreven een zomeravond terwijl we onszelf koelte toewuifden op krukjes in de tuin.

Ze vertelde me hoe Gion Kobu was ontstaan.

'In vroeger tijden was er een wijk voor amusement vlak bij het keizerlijk paleis, op de Imadegawa-straat bij de rivier. Dat was de Wilgenwereld.

Aan het eind van de zestiende eeuw verenigde een machtige generaal het land, Hideyoshi Toyotomi. Hideyoshi was erg streng en wilde dat de mensen hard werkten. Hij verplaatste de Wilgenwereld, weg van het paleis, helemaal de stad uit.'

'Waar bracht hij die naartoe?'

'Hij verplaatste de wijk naar de stad Fushimi. Maar de mensen wilden zich natuurlijk vermaken en er verrees een nieuwe wijk om de andere te vervangen.

Raad eens waar dat was?'

'Hier?'

'Goed zo! Al duizenden jaren komen er pelgrims naar het heiligdom van Yasaka om de legendarische kersenbloesem in het voorjaar te zien en de esdoornbladeren in de herfst. In de zeventiende eeuw kwamen er taveernes, *mizukakejaya*, in de buurt van het heiligdom om de bezoekers van verfrissingen te voorzien. Dit werden de ochaya van vandaag de dag en Gion Kobu groeide eromheen.'

Het heiligdom van Yasaka ligt genesteld in de uitlopers van het

Higashiyama-gebergte, de keten langs de oostgrens van Kyoto. De omvang van Gion Kobu, die westelijk van het heiligdom ligt, is ongeveer een vierkante mijl. Een keurig stelsel van verzorgde laantjes doorsnijdt de wijk. Hanamikoji (kersenbloesemzichtpad) loopt door het centrum van de wijk van noord naar zuid en de Shinmonzenstraat scheidt oost van west. Een eeuwenoud kanaal, waarin helder water uit de oostelijke bergen stroomde, slingert diagonaal door de buurt. De Shinbashi-straat, waar het okiya was leidt naar de muren van het heiligdom.

Tante Oima vertelde me over zichzelf.

'Ik ben hier geboren, niet lang nadat admiraal Perry naar Japan kwam. Als kapitein Morgan mij als eerste had gezien dan was hij met mij getrouwd en niet met Oyuki, daar wil ik om wedden.'

We gilden van het lachen. Oyuki was een van de beroemdste geiko aller tijden. Haar beschermheer was George Morgan, een Amerikaanse miljonair. Uiteindelijk trouwde hij met haar en ze verhuisden naar Parijs, waar ze een legende werd.

'U was lang niet zo mooi als Oyuki!' protesteerden wij.

'Ik was veel mooier!' plaagde Tante Oima. 'Oyuki zag er raar uit. Ze had een grote neus, maar weet je, buitenlanders houden van dat soort dingen.'

Ze kreeg ons niet zover dat we haar geloofden.

'Ik werd een naikai en werkte me op tot gerant in Chimoto, het beroemde restaurant ten zuiden van Pontocho. Mijn droom was om eens mijn eigen zaak te hebben.'

Naikai zijn vrouwen die toezicht houden op en serveren tijdens feestmalen in ochaya en exclusieve restaurants. Naikai word je niet zomaar, het is een geschoold beroep.

'En ik woonde hier ook,' viel Aba bij. 'Dat was voor ik met oom trouwde. We hadden een van de drukstbezochte gelegenheden in Gion Kobu. Nergens zag je zoveel komen en gaan. Het was een geweldige tijd.'

'We hadden vier geiko en twee maiko,' voegde Tante Oima toe. 'Een van onze geiko was de grootste ster van Gion Kobu. Ze heette Yoneyu. Ze was een van de meest fantastische geiko die ik ken. Ik hoop dat jullie op haar gaan lijken.'

'Mineko, de familie van Moeder Sakaguchi bezat in die tijd een grote okiya. Mijn moeder, Yuki Iwasaki, was met hen verbonden. Daarom is het Iwasaki okiya een onderdeel van het Sakaguchi okiya. Daarom vraag ik Moeder Sakaguchi altijd om hulp bij beslissingen en daarom noem ik haar Moeder, al ben ik tien jaar ouder dan zij!'

In de loop van de tijd werden de stukjes en beetjes verhaal langzamerhand een samenhangend geheel.

Yoneyu had een briljante carrière. Zij was de meest verdienende geiko in het vooroorlogse Japan, waardoor het Iwasaki okiya een van de meest succesvolle huizen was.

Ze was een klassieke schoonheid en mannen vielen voor haar als blaadjes van de bomen. Een van degenen die haar ondersteunde was een heel belangrijke baron, van wie ze een gulle toelage ontving. Hij betaalde haar een salaris, zodat ze altijd beschikbaar was om hem en zijn gasten desgewenst te vermaken.

Dit soort regelingen is niet ongebruikelijk. Een geiko tot je onmiddellijke beschikking hebben is een belangrijk statussymbool in de Japanse samenleving. En de jaren dertig waren een tijd van overvloed voor Gion Kobu. De wijk trok gasten van heinde en verre, mannen uit de hoogste kringen van de zakenwereld en de aristocratie. Ze streden met elkaar om de populairste geiko te helpen onderhouden. Het lijkt enigszins op het beschermheerschap van bijvoorbeeld de opera, maar in plaats van een zetel in het bestuur van de opera zou een man kiezen zijn favoriete diva te onderhouden. En net als een beschermheer van de opera geen seksuele diensten van de diva verwacht, onderhield de baron Yoneyu alleen om de artistieke perfectie die zij belichaamde en de glans die zij aan zijn reputatie gaf.

Ik wil echter geen verkeerde indruk wekken. Als je getalenteerde, mooie, elegante vrouwen samenbrengt met rijke en machtige mannen kun je niet verwachten dat er nooit iets gebeurt. Romantische verwikkelingen ontstaan steeds opnieuw, sommige leiden tot huwelijken en andere tot gebroken harten. Ikzelf bijvoorbeeld ontmoette de liefde van mijn leven tijdens mijn werk. Daarentegen werd Ouwe Gemenerik steeds verliefd op cliënten die uiteindelijk haar hart braken.

Yoneyu had een langdurige relatie met een machtige en welgestelde man, Seisuke Nagano, de erfgenaam van een van de grotere kimonoconcerns. Het was in het vooroorlogse Japan niet ongebruikelijk dat succesvolle mannen buitenechtelijke relaties hadden. Huwelijken werden gearrangeerd om bloedlijnen voort te zetten, niet voor het plezier, en mannen hadden vaak maîtresses.

Yoneyu raakte zwanger van Seisuke. Op 24 januari 1923 baarde ze een dochter, thuis in het okiya. Dit nieuws werd in het huis met grote vreugde ontvangen. Een meisje was een schat. Ze kon opgevoed worden in het okiya en als ze getalenteerd was, zou ze een goede geiko kunnen worden, zelfs atotori. Jongens waren echter een probleem. Okiya waren alleen voor vrouwen. De moeder van een jongetjesbaby moest uit het okiya vertrekken en apart wonen of ze moest hem afstaan voor adoptie.

'Hoe heette de baby van Yoneyu?' vroeg ik.

'Zij heette Masako,' zei Tante Oima met een knipoog.

'Bedoelt u Ouwe Gemenerik?' Ik was verbijsterd toen ze mij dit deel van het verhaal voor het eerst vertelde.

Al had Tante Oima geen dochter, toch nam ik op de een of andere manier aan dat Ouwe Gemenerik haar kleindochter was.

'Ja, Mineko, "Ouwe Gemenerik" is de dochter van Yoneyu. Zij en ik zijn geen bloedverwanten.'

Toen Masako geboren werd, was Tante Oima, als Yuki's natuurlijke dochter, eerste in lijn om de zaak te erven. Ze had zelf geen kinderen en had daarom Yoneyu geadopteerd als haar dochter om een ononderbroken opvolging te verzekeren.

Yoneyu was de ideale kandidaat om haar op te volgen. Ze was bekwaamd in alle vaardigheden van een volleerde geiko en in de positie om degenen die na haar kwamen op te leiden. Ze had een grote kring beschermheren om zich heen gevormd bij wie ze de aan haar zorgen toevertrouwde geiko kon introduceren, zodat ze in staat zou zijn de zaak gaande te houden en te helpen groeien.

Het instandhouden van een ononderbroken opvolgingslijn is een van de belangrijkste verantwoordelijkheden van de eigenaar van een okiya. Tante Oima en Yoneyu keken uit naar iemand die de volgende in de lijn kon zijn en waren zeer verheugd over de komst van Masako. Ze baden dat ze de kwaliteiten had en de kwalificaties kon ontwikkelen die nodig waren voor een atotori.

Op driejarige leeftijd begon Masako *jiuta* (een klassieke vorm van Japanse muziek en zang) te studeren en dat zag er veelbelovend uit. Met zes jaar kreeg ze les in theeceremonie, kalligrafie en *koto* (Japanse luit). Maar toen ze ouder werd, begon het steeds duidelijker te worden dat ze een moeilijke persoonlijkheid had. Ze was bot, op het sarcastische af, en niet bepaald vriendelijk.

Tante Oima vertrouwde me later toe dat Masako erg geleden had van het feit dat ze een onwettig kind was. Seisuke bezocht haar regelmatig in haar jeugd, maar hij kon het zich niet permitteren om zijn vaderschap openlijk te erkennen. Masako voelde hierover grote schaamte en haar gêne werd nog eens versterkt door haar aangeboren melancholische aard.

Tante Oima en Yoneyo kwamen met tegenzin tot de conclusie dat Masako geen atotori kon zijn, sterker: ze zou niet eens een goede geiko worden. Ze moedigden haar aan om te trouwen en een huishoudelijk leven te leiden. Daarom werd Masako na het behalen van haar basisschooldiploma naar een speciale opleiding van de tempel gestuurd om de huisvrouwelijke kunsten te leren. Maar ze haatte het en kwam drie dagen later al thuis. Ze besloot om thuis te blijven wonen totdat haar Ouderen een echtgenoot voor haar gevonden hadden.

Ik bedoel niet dat een geisha niet kan trouwen. Enkele van de meest succesvolle geiko die ik kende, waren getrouwd en woonden onafhankelijk van hun okiya. Ik had vooral respect voor een bepaalde geiko, een lange slanke vrouw die Ren heette, om de manier waarop zij uiterst vaardig de eisen van een actieve carrière in balans kon brengen met die van een echtgenoot. Maar de meeste geiko vonden het een te ontmoedigend idee en wachtten tot ze zich teruggetrokken hadden voor ze trouwden. Anderen genoten zo van hun onafhankelijkheid dat ze die nooit opgaven.

In 1943, toen Masako twintig was, werd ze verloofd met Chojiro Kanai. Hij moest meevechten in de oorlog. Zij bleef thuis en werkte aan haar uitzet. Helaas vond het huwelijk nooit plaats. Chorijo werd gedood in de oorlog.

Aangezien Masako werd overgeslagen, moest de familie iemand anders vinden als opvolgster van Yoneyu. In die tijd werd Tante Oima door een gemeenschappelijke kennis voorgesteld aan mijn vader. Tante Oima ging ermee akkoord om Yaeko te laten intrekken in het Iwasaki okiya. Dat was in 1935. Yaeko was tien jaar oud.

Yaeko was een aanbiddelijk kind, hartelijk en grappig. Ze was zo mooi als de Mona Lisa. Tante Oima en Yoneyu besloten om haar voor te bereiden op atotori.

Door het enorme succes van Yoneyu konden ze het zich permitteren gigantisch te investeren in Yaeko's carrière en dat deden ze. Ze introduceerden Yaeko als maiko in 1938, toen ze dertien jaar oud was, onder de naam Yaechiyo. Voor de oorlog hoefden meisjes niet hun schoolopleiding af te hebben voor ze maiko konden worden. Sommigen debuteerden al op acht- of negenjarige leeftijd. Ze waren drie jaar bezig met het voorbereiden van Yaeko's spectaculaire debuut in de karyukai.

Tientallen jaren later praatten de mensen nog steeds over de pracht van Yaeko's garderobe. Ze bestelden Yaeko's kimono in de allerbeste winkels in Kyoto, zoals Eriman. Men zou een huis hebben kunnen bouwen van de kosten van een van haar ensembles en ze had er vele. Geen uitgave was te hoog om haar te voorzien van de beste haarornamenten en andere onderdelen van een maikokostuum. Tante Oima vertelde me keer op keer hoe buitengewoon het was. Ze zei dat Yaeko's garderobe een rechtstreekse getuigenis was van de rijkdom en macht van de Iwasaki-beschermheren.

Om de gelegenheid luister bij te zetten schonk Yoneyu's baron de dertienjarige Yaechiyo een robijn ter grootte van een perzikpit. Dat was geen overdadig geschenk in Gion Kobu, waar de beschermheren vrijgevig en extravagante geschenken gebruikelijk waren.

Maar Yaeko was niet gelukkig. Ze was zelfs erg ongelukkig. Ze voelde zich verraden door mijn ouders en ze haatte het dat ze moest werken. Later vertelde ze me dat ze het gevoel had van de hemel in de hel te zijn beland.

Volgens Yaeko was het leven met grootmoeder Tomiko puur genot geweest. Mijn grootmoeder aanbad haar en zij waren altijd samen. Yaeko zat op haar schoot terwijl ze dwingend heerste over haar meer dan vijftig bedienden en de aanwezige familieleden. Zo af en toe kwam mijn grootmoeder dan overeind en riep: 'Kijk hier eens naar, Yaeko!' waarna ze mijn moeder opjoeg met haar lans. En kennelijk vond Yaeko dit erg vermakelijk.

Yaeko zegt dat zij toen ze klein was niet eens wist dat onze moeder en vader haar ouders waren. Zij dacht dat zij bij de bedienden van mijn grootouders hoorden en ze riep: 'Hé jij!' naar hen als ze iets wilde.

Het was dus een verschrikkelijke schok voor haar om ineens in het Iwasaki okiya te wonen, waar ze een streng regime van lessen en regels moest volgen. Ze begreep absoluut niet dat wat voor haar de hemel was geweest voor mijn moeder een hel was. En ze was natuurlijk veel te jong om iets te begrijpen van de financiële situatie van onze ouders. Haar woede smolt samen met een brandend slachtoffergevoel dat ze haar hele leven met zich heeft meegedragen.

Ik ben ervan overtuigd dat haar leed echt was, maar ik moet eraan toevoegen dat Yaeko bij lange na niet de enige aristocratische dochter was die in deze hachelijke situatie belandde. Veel adellijke families vervielen tot armoede na de Meiji-hervormingen en vonden levensonderhoud voor hun meisjes in de karyukai. Dat was een plek waar ze hun thuis aangeleerde dans- en theeceremonies konden uitvoeren, de hoge kwaliteit kimono konden dragen zoals ze gewend waren, financieel onafhankelijk konden worden en bovendien nog een kans maakten op een goed huwelijk.

Maar Yaeko niet. Zij voelde zich bedrogen.

Yaeko verborg haar ziedende wrok onder een zorgvuldig gevormd masker van spottende verleidelijkheid. Het lukte haar om zo min mogelijk te doen en zoveel mogelijk te krijgen.

Op zestienjarige leeftijd werd Yaeko verliefd op een van haar cliënten, de jongeman Seizo Uehara, die zijn vader regelmatig naar Gion Kobu vergezelde. De Uehara's kwamen uit Nara, waar zij een groot hoedenbedrijf bezaten. De relatie leek haar humeur te verbeteren en omdat Seizo vrijgezel was, was het voor niemand een probleem.

In eerste instantie waren Tante Oima en Yoneyu tevreden over Yaeko's vooruitgang. Yoneyu was de hoogste geiko in rang in Gion Kobu (en dus van heel Japan) en Yaeko werd al snel nummer twee. De namen van Yoneyu en Yaechiyo werden in vele gezinnen door het hele land gehoord. Het geluk leek met het Iwasaki okiya te zijn.

Maar er was een probleem. Het werd algauw duidelijk dat Yaeko haar carrière niet serieus nam. Eerlijk gezegd is het mogelijk voor een maiko, en zeker voor zo'n verbluffend mooi iemand als Yaeko, om een tijdlang zonder inspanning te profiteren van haar schitterende kostuums en haar kinderlijke charisma. Maar haar carrière kan niet tot bloei komen als haar talent niet gekapitaliseerd wordt. Yaeko was lui en ongedisciplineerd. Ze raakte snel verveeld en kon dingen niet tot een goed einde brengen. Ze haatte de lessen en was nauwelijks met haar aandacht bij repetities. Haar dansen werd er niet beter op. Tante Oima vertelde dat ze er heel nerveus van werd.

Ze hadden zoveel in Yaeko geïnvesteerd en nu raakten ze het vertrouwen in haar als de juiste opvolgster kwijt. Yoneyu had naar haar gevoel geen keuze. Masako stond buiten spel.

Dus eigenlijk werd Yaeko bij gebrek aan beter in de familie geadopteerd.

En vanaf dat moment vielen de dingen uiteen.

Een jaar nadat Yaeko maiko was geworden, in 1939, overleed Tante Oima's moeder, Tante Yuki.

Tante Oima werd hoofd van de familie Iwasaki. Yoneyu was nog in actieve dienst en zou voorlopig nog niet stoppen, dus Tante Oima moest haar dromen over een eigen restaurant in de wacht zetten en het Iwasaki okiya overnemen.

Dat gebeurde rond de tijd dat mijn zuster Kuniko deel ging uitmaken van het Iwasaki-huishouden. Kuniko was de derde dochter van mijn ouders en ze zat in die tijd nog op de basisschool. Ze had een warme en verzorgende persoonlijkheid maar helaas ook twee gebreken waardoor ze geen maiko kon worden. Ten eerste had ze zulke slechte ogen dat ze zich niet zonder bril door de wereld kon bewegen. Het tweede probleem was dat ze mijn moeders lichaamsbouw had geërfd en klein en dik was. Dus om haar gezichtsvermogen en haar plompheid besloten degenen die het voor het zeggen hadden dat ze beter opgeleid kon worden tot ondersteunend persoon dan welke soort geiko ook. Ze werd naar een openbare school gestuurd en kwam bij Aba in de leer als assistente.

Op 8 december 1941 begon Japan aan de Tweede Wereldoorlog. De oorlog duurde vier lange jaren waarin Gion Kobu, net als de rest van het land, zware tijden doormaakte. Als onderdeel van de pogingen om alle bronnen en aandacht van het land te richten op de oorlogsinspanningen sloot de regering Gion Kobu voor zaken in 1943. Veel van de geiko gingen naar hun familie. Degenen die achterbleven, werden verplicht om in een munitiefabriek te werken.

Het Iwasaki okiya bezat helemaal geen kimono die gemaakt waren van indigo-gekleurde stof (zoals arbeiders dragen) en daarom maakten ze werkkleding van hun oude geikokostuums. Ze moeten er voor mensen van buiten de karyukai vreemd uitgezien hebben. Werkkleding wordt normaliter gemaakt van katoen en nooit van dunne zijde. Tante Oima vertelde me jaren later: 'Ook al was het oorlog, degenen die in Gion Kobu woonden wedijverden met elkaar over wie de mooiste zijden werkkleding had. We bevestigden kragen aan onze halslijn, vlochten ons haar in twee lange vlechten en droegen helderwitte hoofdbanden. We wilden ons nog steeds vrouwelijk voelen. We werden beroemd om de manier waarop we, hoofden trots omhoog, in de rij stonden om aan het werk te gaan in de fabriek.'

Tante Oima verdeelde de bezittingen van het okiya in drie gedeeltes, die ze naar afzonderlijke plaatsen in veilige bewaring zond.

Yoneyu, Masako, Yaeko en Kuniko, de kern van de familie, waren de enige mensen die van Tante Oima in het okiya mochten blijven. De rest van de maiko en geiko werd teruggestuurd naar hun ouders. Het eten in de stad raakte op. Tante Oima en Kuniko vertelden me dat ze angst hadden om van de honger te sterven. Ze vielen af door een schraal dieet van bij elkaar gezochte wortelen en een dunne pap van water, zout en een beetje graan.

Yaeko's geliefde Seizo werd officier en bleef de hele oorlog gestationeerd in Japan en hun relatie duurde voort. In 1944 kondigde ze aan dat ze vertrok om met hem te trouwen. Ze had het geld dat het

Iwasaki okiya in haar carrière had geïnvesteerd nog niet terugbetaald maar Tante Oima wilde geen probleem met haar. Ze besloot het verlies te nemen en ontsloeg Yaeko grootmoedig van de verplichtingen in haar contract. Zo'n contractbreuk komt wel vaker voor maar is onbehoorlijk. Yaeko keerde het okiya gewoon de rug toe en liep weg.

Omdat Yaeko officieel een lid van de familie Iwasaki was, behandelde Tante Oima haar als een dochter en gaf ze haar een gepaste bruidsschat mee. Die bestond uit juwelen, waaronder de robijn die de baron haar had gegeven, en twee grote kledingkisten vol waardevolle kimono en obi. Yaeko verhuisde naar Osaka en begon haar nieuwe leven.

In december van dat jaar kreeg het okiya nog een tegenslag te verwerken. Yoneyu overleed onverwacht aan een nierziekte. Ze was pas tweeënvijftig. Tante Oima had geen opvolgster meer. En Masako, toen tweeëntwintig, had geen moeder meer.

Beide Iwasaki-sterren waren gedoofd.

De oorlog eindigde op 15 augustus 1945. Het Iwasaki okiya had een absoluut dieptepunt bereikt. Er woonden maar drie vrouwen in het enorme huis: de ouder wordende Tante Oima, de depressieve Masako en de mollige Kuniko. Dat was het. Tante Oima vertelde me dat ze ten einde raad was en overwoog het okiya helemaal te sluiten.

Maar de dingen gingen er wat beter uitzien. De Amerikaanse bezettingsmacht beval dat Gion Kobu weer heropend moest worden en de karyukai kwamen langzaam opnieuw tot leven. De Amerikanen vorderden een deel van het Koburenjo-theater als danszaal. De militaire officieren werden regelmatige bezoekers van de ochaya. Enkelen, geiko en maiko die tijdens de oorlog waren weggegaan, vroegen of ze mochten terugkeren naar het okiya, onder wie Koyuki, de Iwasaki-geiko met de grootste aanhang. Aba kwam ook terug. Het Iwasaki okiya kwam weer tot leven.

Ik vroeg Tante Oima of men er moeite mee had om de Amerikanen te verwelkomen in het ochaya nadat we de oorlog van hen hadden verloren. Ze zei dat het niet helemaal vanzelfsprekend ging. Natuurlijk was er wel wat wrok, maar over het algemeen waren de officieren aardig. De meeste mensen waren al gelukkig om weer aan het werk te zijn. En het vermogen om alle geëerde gasten gelijkwaardig te behandelen, zonder onderscheid des persoons, zit diep geworteld in de psyche van de karyukai. Ze vertelde me een verhaal dat haar ware gevoelens leek te bevatten.

Op een avond werd Koyuki ontboden bij een banket voor generaal MacArthur in het Ichirikitei. Hij was zo onder de indruk van de kimono die Koyuki droeg, dat hij vroeg of hij die mocht hebben om mee te nemen naar de Verenigde Staten.

De eigenaar van Ichirikitei gaf het verzoek door aan Tante Oima, die het volgende antwoord gaf: 'Onze kimono zijn ons leven. Hij kan de kimono meenemen als hij wil maar dan moet hij mij erbij nemen. Hij kan mijn land bezetten maar hij zal nooit mijn ziel kunnen bezetten!'

De eigenaar van Ichirikitei gaf de boodschap door aan de generaal en hij heeft nooit meer om de kimono gevraagd. Elke keer als Tante Oima me dit verhaal vertelde, stak ze haar kin omhoog en straalde. Haar gevoel van trots was een van de dingen waarvan ik zoveel hield. Ik heb die kimono nog steeds in mijn bezit. Hij is veilig opgeborgen in een kist in mijn huis.

Het Iwasaki okiya worstelde zich, net als de rest van Japan, de daaropvolgende jaren vooruit.

Masako wachtte nog steeds op de terugkeer van haar verloofde. Pas in 1947 stelde de regering Chojuro's familie op de hoogte van zijn dood. Masako was totaal gebroken. Met haar bruidskist tegen zich aangeklemd huilde ze dagen achter elkaar. Nu was ze werkelijk alleen, had geen toekomstperspectief en kon nergens heen.

Na lange gesprekken met Tante Oima besloot Masako geiko te worden. Ze debuteerde als *jikata* (musicienne) geiko in 1949, op zesentwintigjarige leeftijd, met de naam Fumichiyo.

Al was ze heel mooi, Fumichiyo was niet erg bekwaam in het bekoren van cliënten. Het ontbrak haar aan de speelse handigheid en het gevoel voor humor die een succesvolle geiko nodig heeft. Geiko zijn is meer dan het beheersen van je kunstvorm. Je moet ook passie en enthousiasme voor het beroep hebben en dat vereist een intense inzet, een enorme hoeveelheid werk, een onverstoorbaar gelaat en de tegenwoordigheid van geest om rustig te blijven bij rampen.

Geen van deze beschrijvingen paste Masako. Maar aangezien ze geen keus leek te hebben hield Masako vol. En toen kreeg ze nog meer tegenslag. Net nadat ze was gaan werken, werd ze getroffen door tuberculose en moest meer dan een jaar stoppen. Begin jaren vijftig begon ze weer te werken, maar haar onsamenhangende pogingen droegen weinig bij aan verlichting van het huishouden.

Kuniko bereikte de huwbare leeftijd van achttien. Er werden inlichtingen ingewonnen en regelingen besproken maar Kuniko weigerde enig aanbod te overwegen. Voor haar gevoel moest ze in het Iwasaki okiya blijven wonen om de eer van mijn familie hoog te houden na de afvallige Yaeko. Kuniko werkte vervolgens dertig jaren in het okiya en bleef ongetrouwd.

Op dat moment kon het Iwasaki okiya met moeite in zijn eigen onderhoud voorzien. Het huis bezat een schitterende collectie kostuums en onderhield een volledige staf personeel, opgeleid om geiko te kleden, maar er waren niet genoeg geiko om ze te dragen. De paar geiko die er huisden, konden niet de hele zaak draaiende houden. Tante Oima moest nieuw talent zoeken om het Iwasaki okiya te laten overleven. En daarom ging ze in de winter van 1952 met mijn ouders over Tomiko praten.

Omdat Yoneyu en Yaeko er niet meer waren, moest ze een opvolgster vinden.

Tante Oima had niet verwacht Yaeko ooit terug te zien en was totaal onvoorbereid toen ze weer bij het Iwasaki okiya verscheen, ongenood, vlak nadat Tomiko was ingetrokken.

Yaeko kondigde aan dat ze weer aan het werk wilde. Haar huwelijk was een ramp en ze had echtscheiding aangevraagd. Seizo bleek een onverbeterlijke rokkenjager te zijn. Hij was ook in vage zaken betrokken geraakt en had al hun geld verspeeld. Hij liet Yaeko achter met twee kleine jongens en een berg schulden, waarvoor zij officieel aansprakelijk was. Yaeko besloot dat het opeisen van haar laatste positie bij het Iwasaki okiya al haar problemen zou oplossen. Ze wilde dat Tante Oima haar schulden zou afbetalen. Ze had bedacht haar terug te betalen door weer als geiko te gaan werken.

Tante Oima dacht dat Yaeko haar verstand kwijt was. Haar voorstel was absoluut onbespreekbaar, om heel veel redenen. Allereerst was Yaeko's achternaam niet meer Iwasaki, ze heette Uehara. Omdat ze geen lid van de familie meer was, kon ze geen atotori zijn. Zelfs als haar scheiding definitief was, zou Tante Oima haar niet opnieuw willen benoemen. Yaeko had door haar handelwijze laten zien dat ze die mantel niet verdiende, ze was te egoïstisch en onverantwoordelijk.

Ten tweede, als een geiko stopt, wordt haar carrière als voorbij beschouwd. Yaeko zou opnieuw geïntroduceerd moeten worden. Het kost een klein vermogen om een geiko te kleden en Yaeko had geen kostuums meer. Het was zo dat zij het Iwasaki okiya geld verschuldigd was en niet andersom. Bovendien werden al Tante Oima's financiële reserves gebruikt om het debuut van Tomiko voor te bereiden.

Ze had niets meer om Yaeko's schulden af te betalen. Yaeko had het okiya in een moeilijke tijd de rug toegekeerd en dat had Tante Oima haar niet vergeven.

En de lijst was langer. Yaeko was niet zo'n beste geiko geweest en ze zou nu zeker niet veel beter zijn. Ze had al zeven jaar geen dansles gehad. Mensen mochten haar niet. En wat ging ze met haar zonen doen? Die konden niet bij Yaeko in het Iwasaki okiya wonen.

Tante Oima walgde van het hele idee, een absolute schending van de regels. Voor Tante Oima was dit het ergste.

Nadat ze al deze feiten tot in detail had opgesomd, zei Tante Oima nee tegen Yaeko. Ze stelde voor dat ze a. haar schoonouders om hulp zou vragen, omdat Yaeko en haar kinderen nu eigenlijk hun verantwoordelijkheid waren, en b. een baan ging zoeken in een ochaya of restaurant, waarvoor ze door haar opleiding heel geschikt was.

Tijdens deze tamelijk verhitte woordenwisseling liet Tante Oima fijntjes weten dat Tomiko nu onder haar zorgen viel en dat ze heel erg hoopte dat ik bij haar zou komen wonen en haar opvolgster worden.

Nu had Yaeko al jarenlang geen contact gehad met mijn ouders en ze wist niet van mijn bestaan af. Tante Oima's woorden maakten haar woedend. Niet alleen werd zij verstoten als troonopvolgster, de nieuwe troonpretendente was alweer een nakomeling van haar verachtelijke ouders. Ze stormde het Iwasaki okiya uit en nam de tram.

Yaeko was zeer uitgekookt en tijdens het korte ritje naar Yamashina overwoog ze haar mogelijkheden. Ze zag wel in dat het voor haar onmogelijk was om het Iwasaki okiya te erven. En ze wist dat ze tegenover haar schulden alleen haar toekomstige inkomsten kon zetten en ze als geiko het snelst geld kon verdienen. Ze moest ervoor zorgen dat Tante Oima haar terugnam.

Wat had de oude dame ook weer gezegd? Ze had gezegd dat ze heel graag wilde dat Masako in het Iwasaki okiya kwam.

Tante Oima was een open boek voor Yaeko en Yaeko kende het systeem. Ze wist hoezeer Tante Oima mij nodig had.

Misschien kan ik dat kleine rotkind als onderpand gebruiken in de onderhandelingen om weer binnen te komen, moet ze gedacht hebben. En wat nog meer? O ja, de jongens. Geen probleem. Mijn ouders kunnen voor hen zorgen. Ze zijn me nog wat schuldig.

Ze had een donkere kimono aan, samengebonden met een obi met een beige, bruin en zwart geometrisch patroon. Ik zag haar over de brug naar het huis komen.

Mijn ouders waren machteloos tegenover haar felheid en hun eigen schuldgevoel. Ze beschuldigde hen ervan baby's te maken om die te verkopen. Ze stemden erin toe haar twee zonen in huis te nemen.

Yaeko ging terug naar Tante Oima en vertelde dat ze nu vrij was om terug te komen en weer aan het werk te gaan. En ze beloofde Tante Oima dat ze mij op een zilveren schaaltje bij haar zou afleveren.

Tante Oima was verbijsterd. Ze was bereid Yaeko te gebruiken als dat mij bij haar zou brengen. Yaeko was lui, maar ze was een grote ster geweest. Een glansloze ster was misschien beter dan niets. Ze ging naar Moeder Sakaguchi om het te bespreken.

'Ik wil dat kind ontmoeten,' zei Moeder Sakaguchi. 'Het kind op wie jij verliefd bent geworden. Ik vertrouw je gevoel en ik denk dat we er alles aan moeten doen om haar naar het Iwasaki okiya te halen. Laten we nu even toegeven en de rollen omdraaien zodat ze ons uiteindelijk helpt. Ze was erg populair in haar tijd en ze zal een stukje inkomsten en weer gezicht aan het huis geven.'

'Wat doen we met haar schulden? Ik heb het geld niet om ze nu te betalen.'

'Ik zal je zeggen wat ik doe. Ik betaal die schulden in plaats van dat jij het doet. En laten we dat tussen ons houden. Ik wil niet dat Yaeko het weet. We willen dat ze zoveel mogelijk onder jouw toezicht blijft en ik wil geen problemen met haar. Je kunt mij het geld teruggeven als zij het aan jou terugbetaalt. Akkoord?'

'Ik aanvaard uw grootmoedige aanbod nederig.' Tante Oima boog helemaal tot op de tatami. 'Ik zal alles wat in mijn vermogen ligt doen om Masako zo snel mogelijk aan u voor te stellen.'

Yaeko was heel blij dat haar plannetje leek te werken. Ze trok weer in het Iwasaki okiya in en bereidde zich voor om aan het werk te gaan. Maar ze had niets om aan te trekken. De Iwasaki okiya's reservekimono werden bewaard voor Tomiko. Yaeko had de brutaliteit om rechtstreeks naar de kast te gaan waar de kimono bewaard werden, er enkele van de beste uit te halen en aan te kondigen: 'Deze kunnen ermee door. Die zal ik gaan dragen.'

Tante Oima vertelde me dat ze met stomheid geslagen was. Ik vind het moeilijk om heel duidelijk uit te leggen hoe belangrijk kimono in het leven van een geiko zijn of over te brengen welke enorme inbreuk de daad van Yaeko eigenlijk had. Kimono, de kostuums van ons beroep, zijn heilig voor ons. Ze zijn het symbool van ons beroep. Gemaakt van de fijnste en duurste stoffen ter wereld belichamen kimono schoonheid zoals wij die bedoelen. Elke afzonderlijke kimono is een uniek kunstwerk, waaraan de eigenaresse actief medeschepper is geweest.

Over het algemeen kunnen we aan de hand van de kimono die iemand draagt veel zeggen over die persoon: financiële status, stijlgevoel, familieachtergrond, persoonlijkheid. Er is misschien weinig variatie in de coupe van een kimono, er is een enorme verscheidenheid van kleuren en patronen in de stoffen waarvan ze gemaakt zijn.

Het is een ware kunst om de juiste kimono voor een bepaalde gelegenheid te kiezen. Het is van het allergrootst belang dat hij past bij het seizoen. Volgens de traditionele Japanse smaaknormen is het jaar verdeeld in achtentwintig seizoenen, die elk hun eigen symbolen hebben. Idealiter weerspiegelen de kleuren en patronen van de kimono en obi het juiste seizoen, bijvoorbeeld nachtegalen eind maart of chrysanten begin november.

De nonchalante wijze waarop Yaeko zich Tomiko's kimono had toegeëigend, was een grove schending. Het was bijna alsof Yaeko Tomiko had aangerand of had ingebroken in de diepste uithoeken van haar privacy. Maar Tante Oima was machteloos om haar te stoppen. Ik was er nog niet.

Yaeko ging naar mijn ouders en vertelde dat ze mij aan het Iwasaki okiya had beloofd. Ze vertelden haar keer op keer dat ze niet het recht had om die beslissing te nemen. Maar Yaeko weigerde te luisteren. Het was alsof ze gek was.

Midden in dit drama besloot ik om bij Tante Oima in het Iwasaki okiya te gaan wonen. Ik nam dat besluit zelfstandig, uit vrije wil.

Als ik daar nu op terugkijk, ben ik verbaasd en ook een beetje onder de indruk van hoe vastbesloten en resoluut ik op zo'n jonge leeftijd was.

Op 6 juni 1954 werd ik 's ochtends heel vroeg wakker, net als toen ik bij mijn ouders woonde. Kraaien krasten boven me. Er zat nieuw groen blad aan de esdoorn in de tuin.

Er was nog niemand op, zelfs de dienstmeisjes niet. Ik haalde een van mijn boeken tevoorschijn, een cadeautje van mijn vader. Ik had het zo vaak gelezen dat ik de woorden uit mijn hoofd kende.

Het is een oude gewoonte in Japan dat kinderen die voorbestemd zijn voor een artistieke beroepscarrière officieel met de opleiding in hun discipline beginnen op 6 juni van het jaar dat ze zes worden (6 – 6 – 6). Veel kinderen die een traditionele kunstvorm willen beoefenen, beginnen echter al op hun derde jaar.

Die jeugdige opleiding komt vooral vaak voor bij de twee grote Japanse toneeltradities, no en kabuki. Het no-drama, ontwikkeld in de veertiende eeuw, is gebaseerd op de eeuwenoude hofdansen die werden opgevoerd als offerande aan de goden. Ze zijn aristocratisch, statig en lyrisch. Kabuki, een toneelvorm die tweehonderd jaar later werd ontwikkeld als vermaak voor de gewone mensen, is levendiger dan no en kan vergeleken worden met de westerse opera's.

Zowel no als kabuki wordt uitsluitend door mannen gespeeld. De zonen van leidende acteurs beginnen hun opleiding als kind. Velen volgen hun vader later op. Een aantal hedendaagse artiesten kan bogen op bloedlijnen die tien generaties of meer teruggaan.

Op mijn eerste dag werd ik bij dageraad wakker. Ik wachtte vol ongeduld tot ik zonder problemen Tante Oima wakker kon maken. Eindelijk ging de 'buurtwekker' af. Er was een groentewinkel tegenover het okiya in de Shinbashi-straat. De oude dame van die winkel nieste elke ochtend drie keer. Heel hard. Precies om halfacht. Daar heb ik jarenlang op vertrouwd.

Ik porde Tante Oima wakker.

'Kunnen we al gaan?'

'Nog niet, Mineko. We moeten eerst wat anders doen.'

Ze haalde een kleine tinnen emmer tevoorschijn. In die emmer zaten borstels, een klein vegertje, een plumeau, kleine vloerdoekjes en een minidoosje met schuurpoeder. Ze had overal aan gedacht.

We gingen naar de altaarkamer om onze ochtendgebeden te zeggen. Daarna sloeg ze mijn lange mouwen om met een touwtje zodat ik kon werken en ze stak de plumeau achter in mijn obi. Vervolgens nam ze me mee naar de toiletruimte en leerde me de juiste manier om een wc schoon te maken.

Aangezien dit de eerste verantwoordelijkheid is die iemand aan zijn opvolger overdraagt, was het overgeven van de wc-borstel zoiets als het overgeven van een estafettestokje. Het werk van Tante Oima zat er nu op, het mijne was begonnen.

Het Iwasaki okiya had drie toiletruimtes, wat in die tijd behoorlijk buitensporig was. Beneden waren er twee, een voor geiko en gasten en een voor de bediening. Boven was er een voor de bewoners. In alle zat ook een wastafel en het was mijn verantwoordelijkheid dat alles vlekkeloos schoon te houden.

Die taak was me op het lijf geschreven. Het was werk dat ik alleen kon doen. Ik hoefde tegen niemand te praten als ik ermee bezig was. En ik voelde me volwassen en productief. Ik was erg trots op mezelf als ik klaar was. Kuniko maakte een speciaal ontbijt voor mijn grote dag. We waren ongeveer om negen uur klaar met eten.

Na het ontbijt kleedde Tante Oima me in een nieuwe oefenkimono met rode en groene strepen op een witte achtergrond en een rode zomer-obi voor mijn eerste ontmoeting met mijn lerares. Ze gaf me een kleurig bedrukte zijden tas, waar van alles in zat: een waaier, een (dans) *tenugui* of sjaal, een schoon paar *tabi* (witte katoenen sokjes) in zijden hoesjes die ze zelf genaaid had, een speelgoedje en iets lekkers te eten.

Mevrouw Kazama was de danslerares die lesgaf aan de familie Sakaguchi. Ik had haar al vaak ontmoet bij Moeder Sakaguchi thuis. Ik wist dat zij zowel Yaeko als Satoharu les had gegeven en ik nam aan dat zij ook mijn lerares zou worden. Maar Tante Oima vertelde me dat we ons klaar gingen maken om naar het huis te gaan van de *iemoto* (grootlerares) Yachiyo Inoue IV. Ze vertelde me dat de iemoto mijn lerares zou worden.

Toen iedereen gekleed was in officiële gewaden gingen we op pad. Voorop Tante Oima, gevolgd door Ouwe Gemenerik, Yaeko en mijzelf. Kuniko kwam achteraan en droeg mijn pakketje. We gingen naar het huis van Moeder Sakaguchi en zij en mevrouw Kazama sloten zich aan bij onze keurige optocht. Het was maar een paar minuutjes lopen naar de studio van de iemoto, gevestigd in haar huis in de Shinmonzen-straat.

We kwamen aan bij de studio en werden naar een wachtkamer vlak bij een van de oefenruimtes geleid. De sfeer in de oefenruimte was erg stil en heel gespannen. Ik schrok van een hard geluid. Het was duidelijk het geluid van een gesloten waaier die tegen een hard oppervlak wordt geslagen.

Ik keek naar de les toen de lerares een van de leerlingen terechtwees door met haar waaier op haar arm te tikken. Ik schoot weg door het geluid, instinctief op zoek naar een plek om me te verstoppen. Al snel verdwaalde ik en kwam bij de badkamer terecht. Na enige paniek vond Kuniko me en die bracht me terug naar de anderen.

We kwamen de studio binnen. Ik moest naast Moeder Sakaguchi zitten in de officiële houding van respect tegenover de iemoto. Moeder Sakaguchi boog diep. 'Juffrouw Aiko (haar echte naam), laat mij u alstublieft voorstellen aan dit dierbare kind. Ze is een van onze schatten en we hopen van harte dat u buitengewoon goed voor haar wilt zorgen. Haar naam is Mineko Iwasaki.'

De iemoto boog ook. 'Ik zal mijn best doen. Zullen we beginnen?'

Mijn hart sloeg snel. Ik had geen idee wat ik zou moeten doen en ik zat daar als bevroren. De iemoto kwam naar me toe en zei vriendelijk: 'Mine-chan, ga op je knieën zitten. Recht je rug en leg je handen in je schoot. Heel goed. Als eerste gaan we leren hoe we onze *maiohgi* (danswaaier) vasthouden. Kijk, ik zal het je voordoen.'

Een danswaaier is iets groter dan een gewone waaier, hij heeft bamboeribben van ongeveer dertig centimeter lang. Men bewaart de maiohgi weggestopt aan de linkerbinnenkant van de obi met de bovenkant omhoog.

'Trek je maiohgi met je rechterhand uit je obi en leg hem op je linkerhandpalm, alsof je een schaaltje rijst vasthoudt. Laat dan je hand over de maiohgi naar de top glijden en houd het uiteinde van de maiohgi vast met je rechterhand alsof je een schaaltje rijst vasthoudt. Met de maiohgi in je rechterhand leun je naar voren en leg je hem op de grond voor je knieën, op deze manier. Met een geheel rechte rug buig je en je zegt *Onegaishimasu* (Vervul alstublieft mijn nederige wens om onderwezen te worden). Is dat duidelijk?'

'Ja.'

'Niet ja. *Ja.*' Ze gebruikte de Gion-wijze van uitspreken *hei* in plaats van het *hae* dat ik geleerd had. 'Probeer jij het nu eens.'

'Ja.'

'*Ja.*'

'Ja.'

Ik was zo geconcentreerd op het goed neerleggen van mijn *maiohgi* dat ik vergat om onderwijs te vragen.

'Denk je nog aan *Onegaishimasu*?'

'Ja.'

Ze glimlachte toegeeflijk. 'Goed. Sta maar op, dan gaan we een paar passen proberen.'

'Ja.'

'Je hoeft niet elke keer ja te antwoorden als ik iets zeg.'

'Hm,' knikte ik.

'En je hoeft ook niet steeds te knikken. Volg mij maar. Hou je armen zo en je handen op deze manier en richt je ogen daarop.'

En zo begon het. Ik danste.

Traditionele Japanse dansen zien er heel anders uit dan hun westerse equivalenten. Ze worden uitgevoerd op witte katoenen tabisokjes in plaats van speciale schoentjes. De bewegingen, bijvoorbeeld heel anders dan bij ballet, zijn langzaam en richten zich veeleer op je band met de grond dan die met de hemel. Maar net als bij ballet vereisen de bewegingen uitermate getrainde spieren om ze uit te kunnen voeren en je leert ook vaststaande patronen (*kata*) die aaneengeregen worden om een eigen stuk te vormen.

De Inoue-school wordt als de beste school voor traditionele dans in Japan beschouwd. De Inoue iemoto is daarom de machtigste persoon in de traditionele danswereld. Zij is de standaard volgens welke alle andere danseressen beoordeeld worden.

Na een gepaste pauze zei Moeder Sakaguchi: 'Juffrouw Aiko, ik denk dat de les lang genoeg is geweest voor vandaag. Heel hartelijk dank voor uw vriendelijkheid en uw aandacht.'

Mij leek het een heel lange tijd.

De iemoto draaide zich in mijn richting. 'Goed, Mine-chan. De dans die we aan het leren zijn, heet *kadomatsu*. Dit was het voor vandaag.'

Kadomatsu was de eerste dans die in de Inoue-school geleerd werd aan kinderen die met hun lessen begonnen.

Kadomatsu zijn versieringen gemaakt van dennentakken die we in onze huizen zetten als onderdeel van de nieuwjaarsviering. Ze zijn feestelijk en hebben een heerlijke geur. Ik associeerde ze met gelukkige tijden.

'Ja,' zei ik.

'Nadat je "*ja*" gezegd hebt, moet je gaan zitten en "dank u" zeggen.'

'Ja,' zei ik weer.

'En je moet, voordat je de studio verlaat, nog een keer dank u zeggen, dan tot ziens en je maakt je laatste buiging. Begrijp je?'

'Ja, ik begrijp het. Tot ziens,' zei ik en keerde dankbaar terug naar de veiligheid van Moeder Sakaguchi, die verheugd glimlachte.

Het duurde een tijdje voordat ik *begrijpen* en *doen* kon verbinden en het duurde nog langer voordat ik vertrouwd was met het geikodialect. Het Kyotodialect dat ik thuis had geleerd, was het dialect van de aristocratie. Het was nog trager en zachter dan waarop het in Gion Kobu gesproken werd.

Moeder Sakaguchi streelde mijn haar. 'Dat was prachtig, Mineko. Je deed het echt heel goed. Wat ben je toch een slim kind!' Tante Oima's glimlach werd nauwelijks verborgen door haar opgeheven hand. Ik had geen idee wat ik gedaan had om deze loftuitingen te ontvangen maar ik was blij dat ze allebei zo gelukkig leken.

Het Iwasaki okiya lag een blok zuidelijk van Shinmonzen in de Shinbashi-straat, drie huizen ten oosten van Hanamikoji. Moeder Sakaguchi woonde aan de andere kant van Hanamikoji, zes huizen ten westen van ons. De dansstudio van de iemoto lag een blok ten westen en een blok ten noorden op Shinmonzen. Het Kaburenjo-theater lag zes blokken zuidelijk. Als kind liep ik overal naartoe.

Prachtige etalages sieren de straten van Gion Kobu op en verkopen de zaken die de industrie nodig heeft. Behalve de honderden okiya en ochaya zijn er bloemenwinkels en delicatessenzaken, kunstgalerijen en textielwinkels, haarornamenten- en waaierwarenhuizen. De buurt is dichtbevolkt en compact.

Na 6 – 6 – 6 werd mijn leven veel drukker. Ik kreeg kalligrafeerlessen van een fantastische man, Oom Hori, die twee huizen bij ons vandaan woonde, en lessen in *koto*, zang en *shamisen* van zijn dochter, die een meesteres was in een vorm van *jiuta* (een stijl van zang en het bespelen van de shamisen die typisch voor het Kyotogebied was), belangrijk voor de Inoue-school. De koto en shamisen zijn beide snaarinstrumenten die vanuit China naar Japan zijn gekomen. De koto is een grote dertiensnarige luit, die op de grond rust als men hem bespeelt. De shamisen is een kleiner driesnarig instrument dat als een altviool wordt bespeeld. Ze begeleiden de meeste van onze dansen.

Behalve het dagelijks volgen van de lessen maakte ik ook elke ochtend de wc's schoon. En ik ging elke middag naar dansles.

Nu ik een grote meid was, moest ik me ook gaan gedragen als de atotori. Ik mocht niet schreeuwen en grove taal gebruiken of iets doen dat niet gepast was voor een opvolgster. Tante Oima wilde dat ik me het dialect van Gion Kobu ging eigen maken, waar ik me steeds heftig tegen verzet had. Ik mocht niet meer ruw spelen of rondrennen. Mensen zeiden de hele tijd tegen me dat ik voorzichtig moest zijn om mezelf niet te bezeren en vooral niets te breken – al helemaal geen been of hand want dat zou mijn schoonheid en mijn dans schaden.

Tante Oima begon nu serieus met mijn opleiding als haar opvolgster. Tot dan toe had ik naast haar gespeeld als zij haar taken vervulde. Nu begon ze me uit te leggen wat ze aan het doen was. Ik begon te begrijpen wat er gaande was en ik begon op een bewustere manier deel te nemen aan de dagelijkse routine in het Iwasaki okiya.

Mijn dagen begonnen vroeg. Ik werd nog steeds voor de rest van het huishouden wakker en had nu een taak te doen. Terwijl ik met de wc's bezig was, stond Kuniko op om met het ontbijt te beginnen en de dienstmeisjes stonden op om hun ochtendtaken te beginnen.

De dienstmeisjes maakten het Iwasaki okiya van buiten naar binnen schoon. Eerst veegden ze de straat voor het Iwasaki okiya aan, dan het pad van het hek naar de vooringang. Ze sprenkelden water op het pad en zetten een nieuwe zoutkegel naast de voordeur van het huis, om het te reinigen. Vervolgens maakten ze de genkan (vestibule) schoon en draaiden ze alle sandalen om richting deur, klaar om gedragen te worden, de buitenwereld in. Binnen maakten de meisjes de kamers schoon en ruimden alle dingen op die de nacht ervoor gebruikt waren. Alles stond weer op z'n plaats voordat Tante Oima opstond.

Ten slotte maakten ze het boeddhistische altaar klaar voor de ochtendgebeden van Tante Oima. Ze stoften de beelden af, maakten de wierookbranders schoon, ruimden de offerandes van de vorige dag op en staken nieuwe kaarsen in de houders. Hetzelfde deden ze met het shinto-altaar op een verhoogde plank in de hoek van de kamer.

Bewoners van Gion Kobu zijn meestal heel devoot. Ons bestaan berust volledig op de religieuze en spirituele waarden waarop de traditionele Japanse cultuur is gebaseerd. Praktisch gesproken is ons dagelijks leven verweven met alle ceremonies en feesten in het Japanse jaar en we voeren ze zo getrouw mogelijk uit.

Tante Oima ging iedere ochtend na het wassen van haar gezicht naar de altaarkamer om haar ochtendgebeden te zeggen. Ik probeerde dan klaar te zijn met schoonmaken, zodat ik ze samen met haar kon zeggen. Dit is nog steeds het eerste dat ik 's ochtends doe.

In de korte tijd die ons daarna restte tot het ontbijt knuffelden Tante Oima en ik uitgebreid Grote John. Tegen die tijd waren de leerlingen op en ze hielpen de dienstmeisjes met het afmaken van hun ochtendtaken. In alle traditioneel Japanse disciplines wordt schoonmaken als een essentieel onderdeel van de opleiding gezien en elke nieuwkomer moet zich erin bekwamen. Er wordt spirituele betekenis aan gegeven. Het reinigen van een onreine plek wordt gezien als het reinigen van de geest.

Als het huis eenmaal op orde was, was het tijd voor de maiko en geiko om op te staan. Ze werkten tot zeer laat elke avond en waren altijd als laatsten op in de ochtend. Hun inkomen onderhield de rest van ons, dus zij hoefden geen huishoudelijk werk te doen.

Aba arriveerde en we ontbeten. Daarna ging iedereen haar eigen weg. De maiko en geiko gingen naar de Nyokoba voor lessen of naar de oefenruimte als ze een voorstelling aan het repeteren waren. De dienstmeisjes deden hun overige taken: het beddengoed luchten, de was, koken, boodschappen doen. Totdat ik het jaar daarna naar school ging, 'hielp' ik Tante Oima met haar ochtendzaken.

Tante Oima en Aba waren 's ochtends druk met het indelen van de werkschema's voor alle maiko en geiko onder hun toezicht. Ze bekeken de rekeningen van de afspraken op de vorige avond, maakten aantekeningen over ontvangen inkomsten en schulden, behandelden verzoeken voor optredens en namen zoveel afspraken aan als de agenda's van de geiko toestonden. Tante Oima besliste welk kostuum iedere maiko en geiko die avond zou dragen en Aba moest toezien op de coördinatie en beschikbaarheid van de ensembles.

Het bureau van Tante Oima stond in de eetkamer tegenover haar plaats aan de hibachi. Er was voor iedere geiko een apart register, waarin ze verslag deed van haar activiteiten en de kostuums die naar de verschillende cliënten gedragen waren noteerde. Tante Oima hield ook nauwkeurig bij welke uitgaven er speciaal voor haar werden gedaan, zoals de aankoop van een nieuwe kimono of obi. Bijdragen voor eten en lessen stonden vast en werden maandelijks verrekend.

De meeste leveranciers kwamen 's ochtends. Mannen mochten vanaf tien uur in het Iwasaki okiya komen, als de meeste bewoners vertrokken waren. De ijsman bracht het ijs voor de ijskast. Kimonoverkopers, restaurateurs, mensen die rekeningen kwamen innen en anderen werden in de genkan begroet. Daar stond een bankje waar ze konden zitten als ze met hun zaken bezig waren. Mannelijke familieleden, zoals mijn vader, mochten helemaal tot de eetkamer komen. Alleen priesters en kinderen mochten verder het huis in. Zelfs Aba's echtgenoot, de jongere broer van Tante Oima, mocht niet zomaar in- en uitlopen.

Daarom is het idee dat 'geishahuizen' poelen van verderf zijn zo belachelijk. Mannen worden nauwelijks toegelaten in deze bastions van de vrouwelijke samenleving, laat staan dat ze de kans krijgen om met de bewoners te dollen als ze er zijn.

Als het avondschema klaar was, kleedde Tante Oima zich om uit te gaan. Zij bezocht elke dag mensen aan wie het Iwasaki okiya dank verschuldigd was: de eigenaren van de ochaya en restaurants waar haar geiko de avond ervoor hadden opgetreden, de dans- en muziekleraren die hun lesgaven, de Moeders van okiya waarmee we verbonden waren, de plaatselijke vak- en ambachtsmensen die ons kleedden. De inspanningen van vele mensen waren nodig om een maiko of geiko te presenteren.

Deze informele bezoekjes over en weer zijn cruciaal voor de sociale structuur in Gion Kobu. Op die manier worden de intermenselijke relaties, waarvan het systeem afhankelijk is, gecultiveerd en onderhouden. Vanaf het moment dat ik bij haar kwam wonen, nam Tante Oima mij mee op haar dagelijkse bezoekrondes. Ze wist dat de connecties waarvoor zij in die ontmoetingen de basis legde mij van pas zouden komen in mijn verdere beroepscarrière of in mijn leven als ik ervoor koos om net als zij dat in Gion Kobu door te brengen.

De meeste leden van de huishouding kwamen in het Iwasaki okiya voor de lunch bij elkaar. We aten traditionele Japanse kost (rijst met vis en groenten) en alleen als we getrakteerd werden op een uitje naar een trendy restaurant aten we westers voedsel, zoals biefstuk en ijsjes. De lunch was de hoofdmaaltijd van de dag, aangezien geiko geen zware maaltijd voor hun optreden 's avonds kunnen eten.

Maiko en geiko mogen bij een ozashiki niet eten, hoe weelderig dat ook voor hen is uitgestald. Ze zijn er om de gasten te vermaken, om te geven en niet om te nemen. Een uitzondering op deze regel wordt gemaakt als een geiko wordt uitgenodigd om een cliënt te vergezellen naar een etentje in een restaurant.

Na de lunch deelde Tante Oima of Kuniko aan de verzamelde geiko de opdrachten voor die avond uit. De vrouwen gingen dan 'aan het werk' en bestudeerden de gegevens van de mensen die ze die avond zouden vermaken. Als een van haar cliënten een politicus was, bestudeerde ze de politieke standpunten die hij voorstond, een actrice dan las ze een tijdschriftartikel over haar en een zanger dan luisterde ze naar zijn platen. Of ze las zijn of haar boek. Of ze bestudeerde het land waar de cliënt vandaan kwam. We gebruikten alle ons ter beschikking staande bronnen. Ik heb, met name toen ik een maiko was, menige middag doorgebracht in boekwinkels, bibliotheken en musea. Jongere meisjes wendden zich tot hun Oudere Zusters voor advies en informatie.

Naast dit werk moesten geiko 's middags ook beleefdheidsbezoekjes afleggen om op goede voet te blijven met de eigenaren van de ochaya en met de oudere maiko en geiko. Als er een lid van de gemeenschap ziek of gewond was, vereiste het protocol dat ze haar meteen bezochten om hun zorg uit te spreken.

Kuniko ging met mij in de middag naar mijn danslessen.

Aan het eind van de middag kwamen de maiko en geiko terug naar het Iwasaki okiya om zich te kleden. De deuren van het Iwasaki okiya werden voor de rest van de dag voor buitenstaanders gesloten. De maiko en geiko gingen in bad, maakten hun haar op en brachten hun uiterst gestileerde make-up aan. Vervolgens kwamen de kleders om hen in hun kostuum te helpen. Al onze kleders kwamen uit de Suehiroya.

De meeste kleders zijn mannen en zij zijn de enige uitzonderingen op de geen-mannen-in-de-binnenste-woonruimtes-van-het-okiya-regel. Zij mochten tot de grote kleedkamer op de eerste verdieping komen. Kleder is een hooggeschoold vak en het kost jaren om het te beheersen. Een goede kleder is cruciaal voor het succes van een geiko. Evenwicht is essentieel. Bijvoorbeeld, toen ik debuteerde als maiko woog ik zo'n 79 pond. Mijn kimono woog circa 44 pond. Ik moest de hele aankleding in evenwicht houden op vijftien centimeter hoge houten sandalen. Als een onderdeel niet op z'n plaats zat, zou dat een ramp kunnen betekenen.

Kimono worden altijd gedragen met houten of lederen sandalen. *Okobo*, vijftien centimeter hoge, klompachtige houten sandalen, zijn een kenmerkend onderdeel van de uitrusting van een maiko. De hoogte van de sandalen is een tegenwicht voor de bungelende uiteinden van de lange obi van de maiko. Het is moeilijk om op okobo te lopen, en ze zorgen voor een trippelende pas die gezien wordt als een aanvulling op de charme van de maiko.

Maiko en geiko dragen altijd witte tabi-sokjes. De grote teen van de tabi is apart, net als de duim in een want, zodat de teen beter grip heeft op de sandaal. We dragen sokjes die een maat kleiner zijn dan onze schoenmaat, wat de voet een keurig en bevallig voorkomen geeft.

De *otokoshi* (kleder) die mij werd toegewezen op mijn vijftiende was de mannelijke erfgenaam van het huis Suehiroya, dat al vele jaren zorgde voor het Iwasaki okiya. Hij kleedde mij elke dag van mijn vijftienjarige carrière, behalve twee of drie keer dat hij te ziek was om mij te helpen. Hij kende al mijn fysieke eigenaardigheden, zoals de ruggenwervel die na een val was verschoven en waardoor lopen erg pijnlijk voor me was als mijn kimono en de talrijke andere kledingstukken niet passend zaten.

Het belangrijkste van de geiko-onderneming is perfectie en de taak van de otokoshi is die perfectie te verzekeren. Als er iets ontbreekt, niet helemaal op z'n plaats zit of niet past bij het seizoen, dan is de kleder degene die daar uiteindelijk de schuld voor draagt.

De relatie gaat veel verder dan het uiterlijk. Door hun verregaande toegang tot de interne organisatie van het systeem zijn de kleders geaccepteerde bemiddelaars geworden tussen de verschillende verhoudingen binnen de karyukai, zoals de koppeling van Jongere en Oudere Zusters. Ze doen dienst als escorte bij daarvoor in aanmerking komende gelegenheden. En ten slotte zijn ze onze vrienden. Je kleder wordt vaak je vertrouweling, iemand tot wie je je kunt wenden voor broederlijk advies en raad.

Terwijl de vrouwen hun voorbereidingen voltooiden en boodschappers aankwamen met de allerlaatste verzoeken voor optredens, maakten de dienstmeisjes de entree klaar voor het vertrek van de maiko en geiko. Ze veegden weer grondig, sprenkelden water en vervingen het zoutblok naast de voordeur. In de vroege avond vertrokken de maiko en geiko, schitterend in hun magnifieke gewaden, naar hun afspraken.

Na hun vertrek kwam het huis tot rust. De leerlingen en de staf gebruikten hun avondeten. Ik oefende de dans die ik die dag geleerd had, het koto-stuk waar ik mee aan het werk was, en mijn kalligrafie. Toen ik naar school ging, moest ik ook huiswerk maken. Tomiko studeerde op de shamisen en zong. Ze moest ook nog beleefdheidsbezoekjes aan de ochaya brengen om haar opwachting te maken bij de oudere maiko en geiko die haar later zouden begeleiden en om in de gunst te komen bij de beheerders van de theehuizen waar ze zou gaan werken.

Er waren meer dan honderdvijftig ochaya in Gion Kobu in de tijd dat ik er woonde. In deze sfeervolle en prachtige gelegenheden was men elke avond van de week druk met het voorbereiden van en het bedienen bij de voortdurende stroom particuliere feestjes en diners die er door hun selecte krantenkring werd georganiseerd. Een geiko kwam soms op een avond bij feestjes in wel drie of vier verschillende gelegenheden, wat veel komen en gaan met zich meebracht.

In september 1965 werd er een feestlijnsysteem geïnstalleerd in Gion Kobu dat alle okiya en ochaya met elkaar verbond. Het had eigen beige telefoons die gratis gebruikt konden worden. De huistelefoon rinkelde soms als de leerlingen hun huiswerk aan het maken waren. Dan belde een van de maiko of geiko met de vraag of wij iets konden komen brengen dat ze nodig had bij haar volgende afspraak in een ochaya, zoals een schoon paar tabi-sokjes of een nieuwe maiohgi omdat ze de hare weggegeven had. Ongeacht hoe moe de leerlingen waren, dit was altijd een belangrijk deel van hun dag. Het was de enige manier waarop ze konden zien hoe een ochaya echt werkte. En het gaf de mensen in de ochaya en de rest van Gion Kobu de kans vertrouwd te raken met de gezichten van de Iwasaki-leerlingen.

Ik ging op een redelijke tijd naar bed maar het was ver na middernacht als de geiko en maiko thuiskwamen van hun werk. Na het afleggen van hun werkkleding namen de maiko en geiko vaak nog een bad en iets te eten en ontspanden zich een beetje voor ze naar bed gingen. De twee dienstmeisjes die in de genkan sliepen stonden om de beurt op om voor de teruggekeerde geiko te zorgen. Het was meestal ver na twee uur voordat ze aan een ononderbroken slaap konden beginnen.

De danslessen waren voor mij het hoogtepunt van de dag. Ik wilde er heel graag naartoe en ik trok Kuniko aan haar mouw voort om op te schieten.

Als ik de studio inliep, ging ik een andere wereld binnen. Ik was verliefd op het gefluister van de kimonomouwen, de kwelende klanken van de snaren, de plechtige sfeer, de gratie en de volmaaktheid.

Aan weerszijden van de genkan waren de muren bedekt met houten vakjes. Ik had een voorkeur voor een speciaal vakje, waarvan ik hoopte dat het leeg was zodat ik mijn *geta* (traditionele houten sandalen) er in kon zetten. Dat vakje was op de tweede rij van boven, iets naar links. Ik had besloten dat dit mijn plekje was en ik was uit mijn doen als het niet vrij was.

Ik ging naar de oefenruimtes boven en bereidde me voor op mijn les. Eerst nam ik mijn maiohgi uit de houder met mijn rechterhand en stopte hem aan de linkerbinnenkant van mijn obi. Met mijn handen plat op mijn dijen, vingers naar binnen gericht, schreed ik geluidloos naar de *fusuma* (schuifdeur). De kokerachtige pasvorm van de kimono legt een bijzondere manier van lopen op, gecultiveerd in alle beschaafde vrouwen, overdreven in de danseres. De knieën licht gebogen en de tenen van de grond in een stille schuifelgang, ervoor zorgend dat de voorste vouw van de kimono niet opengaat en een onwelvoeglijke glimp van een enkel of been laat zien. De bovenste helft van het lichaam wordt stilgehouden.

Wij leren om de fusuma open te doen en de kamer binnen te gaan op deze manier:

Ga zo voor de deur zitten dat je billen rusten op je hielen, breng je rechterhand op borsthoogte en zet de vingertoppen van je open handpalm op de rand van het deurkozijn of in de holte als die er is. Duw de deur een paar centimeter open, er zorgvuldig voor wakend dat je hand niet voorbij het midden van je lichaam komt. Breng je linkerhand van je dij omhoog en plaats die voor je rechterhand. Laat vervolgens de rechterhand lichtjes op de bovenkant van je linkerpols rusten, schuif de deur voorbij het lichaam en maak een opening die net breed genoeg is om doorheen te gaan. Sta op en ga de kamer binnen. Draai je om en ga zitten met je gezicht naar de open deur. Gebruik je rechtervingertoppen om de deur tot net links van het midden te sluiten, gebruik dan je linkerhand ondersteund door de rechterhand om de deur helemaal dicht te doen. Sta op, draai je om en ga voor de lerares zitten. Neem de maiohgi uit de obi met de rechterhand, plaats die horizontaal op de vloer en buig.

Het plaatsen van de maiohgi tussen jezelf en de lerares is een hoogst rituele handeling, waarmee je aangeeft dat je de gewone wereld achter je laat en klaar bent om het rijk van de expertise van de lerares te betreden. Met de buiging verklaren we ons bereid om te ontvangen wat de lerares aan ons wil onthullen.

Kennis wordt overgedragen van de danslerares op de leerling via een proces van *mane*, vaak met imitatie vertaald. Maar leren dansen is meer een proces van totale identificatie dan van gewoon nadoen. We herhalen de bewegingen van onze leraressen totdat we die exact kunnen nadoen, totdat we als het ware de beheersing van de lerares in onszelf hebben geabsorbeerd. Artistieke techniek moet tot in onze lichaamscellen geïntegreerd zijn om uit te kunnen drukken wat er in ons hart leeft en dit kost jarenlange oefening.

De Inoue-school heeft honderden dansen op het repertoire, van eenvoudig tot ingewikkeld, die allemaal samengesteld zijn uit een vaste serie *kata* (vormen). We leren eerst de dansen en dan de vormen, in tegenstelling tot bijvoorbeeld ballet. En we leren de dansen door te kijken. Als we eenmaal de vormen hebben geleerd, zal de lerares een nieuwe dans introduceren als een serie kata.

Kabuki, u wellicht bekend, kent een enorme hoeveelheid bewegingen, houdingen, manieren, gebaren en gezichtsuitdrukkingen om de zeer gevarieerde reeks menselijke emoties weer te geven. In tegenstelling daarmee brengt de Inoue-stijl complexe emoties terug tot gewone, verfijnde bewegingen, benadrukt met dramatische pauzes.

Ik genoot het enorme voorrecht dat ik elke dag met de iemoto mocht leren. Eerst gaf ze me mondeling instructies, daarna bespeelde ze de shamisen en mocht ik het stuk uitvoeren. Ze corrigeerde me. Dan ging ik zelf oefenen. Als ik een stuk naar haar tevredenheid kon dansen, gaf ze me een ander. Op die manier leerden we allemaal in ons eigen tempo.

Er waren drie instructeurs die lesgaven in iemoto's studio, allen volleerde leerlingen van haar. Hun namen waren lerares Kazuko, lerares Masae en lerares Kazue. We noemden de iemoto 'Grote Mevrouw' en de anderen 'Kleine Mevrouw'. Mevrouw Kazuko was de kleindochter van Inoue Yachiyo III, de vorige iemoto.

Soms hadden we groepslessen en soms kreeg ik les van een andere lerares. Ik zat uren achtereen in de studio's en keek geboeid toe hoe andere danseressen les kregen. Kuniko moest me daar wegtrekken als het tijd was om naar huis te gaan. Vervolgens oefende ik urenlang in de woonkamer.

De Inoue-school is zonder twijfel de belangrijkste instelling in Gion Kobu en dus is de iemoto de machtigste persoon. Toch oefende Inoue Yachiyo IV haar macht met mildheid uit en al was ze streng, ik was nooit bang voor haar. De enige keer dat ik me geïntimideerd voelde, was toen ik met haar op het toneel een voorstelling moest doen.

De iemoto was opvallend onaantrekkelijk. Ze was heel klein, vrij gedrongen en had een gezicht als een orang-oetan. Toch werd ze uitermate lieflijk als ze danste. Ik herinner me dat ik bedacht dat deze transformatie, waarvan ik duizenden keren getuige was geweest, een sprekend bewijs was van hoe stijl schoonheid kon opwekken en uitbeelden.

De eigen naam van de iemoto was Aiko Okamoto. Ze was geboren in Gion Kobu en begon met haar dansopleiding toen ze vier jaar was. Haar eerste lerares zag de mogelijkheden van het kind en bracht haar naar het Inoue-hoofdkwartier. De vorige iemoto, Inou Yachiyo III, was behoorlijk onder de indruk van Aiko's talent en nodigde haar uit in de hoofdstudio te komen.

De school heeft twee gescheiden leerrichtingen. In de ene worden beroepsdanseressen opgeleid (maiko en geiko) en in de andere beroepsdansleraressen. En er is nog een leerrichting voor vrouwen die het op amateurniveau willen leren.

Aiko werd aangenomen voor de leraressenopleiding.

Ze voldeed aan de verwachtingen en ontwikkelde zich tot een fantastische danseres. Op vijfentwintigjarige leeftijd trouwde ze met Kuroemon Katayama, de kleinzoon van Inoue Yachiyo III. Kuroemon is de iemoto van de Kansai-tak van de Kanze-school voor no-toneel. Het stel kreeg drie zonen en woonde in het huis aan de Shinmonzenstraat waar ik les kreeg.

In het midden van de jaren veertig werd Aiko gekozen als opvolgster van Inoue Yachiyo III en kreeg ze de naam Inoue Yachiyo IV. (Moeder Sakaguchi zat in de bestuursraad die haar verkiezing bewerkstelligde.) Ze leidde de school tot mei 2000 en trok zich toen terug ten gunste van de huidige iemoto, Inoue Yachiyo V, haar kleindochter.

De Inoue-dansschool werd omstreeks 1800 opgericht door een vrouw die Sato Inoue heette. Zij was een hofdame in de binnenste woonruimtes van het keizerlijk paleis, een lerares van het adellijke huis Konoe, die onderricht gaf in de verschillende dansvormen van hofrituelen.

In 1869 werd de keizerlijke hoofdstad verplaatst naar Tokyo en was Kyoto niet langer het politieke centrum van Japan. Het bleef echter wel het hart van het culturele en religieuze leven van het land.

De gouverneur in die tijd, Nobuatsu Hase, en adviseur Masanao Makimura riepen de hulp in van Jiroemon Sugiura, de negende-generatie-eigenaar van het Ichirikitei, het beroemdste ochaya in Gion Kobu, bij zijn promotiecampagne van de stad. Samen besloten ze om de dansen van Gion Kobu tot het middelpunt van de festiviteiten te maken en ze benaderden het hoofd van de Inoue-school voor advies en hulp. Haruko Katayama, de derde iemoto van de school, stelde een dansprogramma samen, waarin de bij haar studerende getalenteerde maiko en geiko een hoofdrol speelden.

De voorstellingen waren zo'n groot succes dat de gouverneur, Sugiura, en Inoue besloten er een jaarlijkse gebeurtenis van te maken: de

Miyako Odori. In het Japans betekent dit 'dansen van de hoofdstad', maar buiten Japan noemt men deze vaak Kersendansen, omdat zij in het voorjaar plaatsvinden.

Andere karyukai hebben meer dan één dansschool, maar Gion Kobu heeft alleen de Inoue-school. De grootlerares van de Inoue-school bepaalt uiteindelijk de smaak binnen de gemeenschap en de dans. De maiko zijn wellicht ons meest krachtige symbool, maar de iemoto beslist hoe dat symbool eruit zal zien. Veel andere beroepslieden in Gion Kobu, van de muzikale begeleider tot de waaiermaker tot de toneelknecht van het Kaburenjo-theater, laten zich leiden door de artistieke richting van het hoofd van de Inoue-school. De iemoto is de enige persoon die veranderingen kan aanbrengen in het standaardrepertoire van de school en nieuwe dansen choreograferen.

Al snel wist iedereen bij ons in de buurt dat ik les kreeg van de iemoto. Een verwachtingsvol geroezemoes begon en groeide steeds meer tot het hoogtepunt: mijn debuut tien jaar later.

Mensen in Gion Kobu praten altijd met elkaar. Het is net een klein dorpje waar iedereen alles van iedereen weet. Ik ben van nature erg discreet en dit was een van de dingen die mij zeer tegenstonden in het leven daar. Maar het is een feit dat de mensen over mij praatten. Ik was pas vijf jaar maar ik was al een behoorlijke reputatie aan het opbouwen.

In mijn danslessen boekte ik zeer snel vooruitgang. Normaal gesproken kost het een leerling een week tot tien dagen om een nieuwe dans te leren, maar ik deed er gemiddeld zo'n drie dagen over. Ik ging met een sneltreinvaart door het repertoire. Behalve dat ik erg gedreven was en meer oefende dan de andere meisjes, leek het erop dat ik gezegend was met een aanzienlijke portie natuurtalent. In ieder geval was dansen een geschikte manier voor mij om mijn vastberadenheid en mijn trots vorm te geven. Ik miste mijn ouders nog steeds heel erg en het dansen werd een uitlaatklep voor mijn opgekropte emotionele energie.

Mijn eerste publieke optreden vond later die zomer plaats. De niet-professionele leerlingen van de iemoto voerden een jaarlijkse voordracht op, de *Bentenkai*. Een kind hoort pas bij de professionals als ze toegelaten is tot de *Nyokoba*, de speciale school waar we opgeleid worden tot geiko, na het afronden van de basisschool.

Het stuk heette *Shinobu Uri* ('varens verkopen'). We dansten met z'n zessen en ik stond in het midden. Op een bepaald moment hielden alle meisjes hun armen in dezelfde houding en ik had de mijne boven mijn hoofd in een driehoek. Vanuit de gordijnen fluisterde Grote Mevrouw: 'Je loopt voor, Mineko.' Ik verstond dat ze zei: 'Ga door, Mineko.' Dus ik ging verder en bewoog mijn armen naar de volgende positie. Ondertussen brachten alle andere meisjes hun armen boven het hoofd in een driehoek.

We waren het toneel nog niet af of ik keerde me naar de andere meisjes. 'Weten jullie niet dat we leerlingen van de iemoto zijn! We mogen geen fouten maken!'

'Waar heb je het over, Mineko? Jij bent degene die een fout maakte!'

'Probeer mij niet de schuld te geven van jullie fouten!' schoot ik uit. Het kwam niet in me op dat ik het verkeerd had gedaan.

Toen we achter de schermen waren hoorde ik hoe Grote Mevrouw op bedachtzame toon tegen Moeder Sakaguchi sprak. 'Wees alstublieft niet boos. Er is geen reden om iemand te straffen.' Ik nam aan dat ze het over die andere meisjes had.

Ik keek om me heen. Iedereen was weg.

'Waar is iedereen?'

'Ze zijn naar huis.'

'Waarom?'

'Omdat jij een fout maakte en daarna tegen hen tekeerging.'

'Ik heb geen fout gemaakt maar zij.'

'Nee, Mineko, je vergist je. Luister naar me. Heb je Grote Mevrouw niet met Moeder Sakaguchi horen praten? Hoorde je niet dat ze zei dat ze niet boos op je moest worden?'

'Nee, JE VERGIST JE. Ze had het over de andere meisjes. Niet over mij. Ze had het niet over mij.'

'Mineko! Wees niet zo ontzettend koppig.' Kuniko verhief bijna nooit haar stem. Als ze dat deed, wist ik dat ik op moest letten. 'Je hebt iets heel stouts gedaan en je moet je excuses aanbieden aan Grote Mevrouw. Dat is heel belangrijk.'

Ik was er nog steeds van overtuigd dat ik niets verkeerd had gedaan maar begreep de waarschuwing in Kuniko's stem. Daarom ging ik naar de kamer van Grote Mevrouw, gewoon om haar te groeten en haar te bedanken voor de voorstelling.

Voordat ik maar iets kon zeggen, zei ze: 'Mineko, ik wil niet dat je je zorgen maakt over wat er is gebeurd. Het is echt in orde.'

'U bedoelt, eh...'

'Ja, dat. Het is niet zo belangrijk. Vergeet het alsjeblieft.'

Op dat moment begreep ik het. Ik had een fout gemaakt. Haar vriendelijkheid maakte mijn schaamtegevoel alleen maar groter. Ik boog en verliet de kamer.

Kuniko kwam me achterna. 'Het is goed, Mine-chan, als je het maar begrijpt en het de volgende keer beter doet. Laten we het vergeten en dat lekkere toetje gaan eten.'

Kuniko had beloofd ons allemaal mee te nemen naar Pruniet voor een lekker toetje na de voordracht.

'Nee, dat wil ik niet meer.'

Grote Mevrouw kwam naar ons toe.

'Mine-chan, ben je nog niet naar huis?'

'Grote Mevrouw, ik kan niet naar huis.'

'Maak je er niet druk over. Ga nu naar huis.'

'Dat kan ik niet.'

'Ja, ja. Heb je me niet gehoord? Er is niets om je zorgen over te maken.'

'Ja.'

Het woord van Grote Mevrouw was wet.

'Laten we maar naar huis gaan,' zei Kuniko. 'We moeten toch ergens naartoe. Misschien kunnen we even een bezoekje brengen aan Moeder Sakaguchi.'

Moeder Sakaguchi wist al dat ik een fout had gemaakt. Dus dat was misschien niet zo erg.

Ik knikte.

We schoven de deur open en riepen: 'Goedemiddag.'

Moeder Sakaguchi kwam ons begroeten.

'Wat fijn om jullie te zien. Wat heb je het vandaag goed gedaan, Mineko!'

'Nee,' mompelde ik. 'Dat was niet zo. Ik was vreselijk.'

‘O ja? Waarom?’

‘Ik heb een fout gemaakt.’

‘Een fout? Wanneer dan? Ik heb geen fouten gezien. Ik vond dat je prachtig danste.’

‘Moeder, mag ik bij u blijven?’

‘Natuurlijk. Maar dan moet je eerst thuis tegen Tante Oima zeggen waar je bent, zodat ze niet ongerust is.’

Ik sleepte me naar huis.

Tante Oima zat aan de hibachi op me te wachten.

Het gezicht van Tante Oima lichtte op toen ze me zag. ‘Je was zo lang weg! Zijn jullie nog bij Pruniet geweest voor iets lekkers? Was het heerlijk?’

Kuniko antwoordde in mijn plaats: ‘We zijn bij Moeder Sakaguchi geweest voor een bezoekje.’

‘Wat lief van jullie! Ik weet zeker dat ze dat heel erg fijn vond.’

Hoe vriendelijker iedereen tegen mij deed, hoe slechter ik me vanbinnen voelde. Ik was woedend op mezelf en vervuld van zelfverachting.

Ik ging direct naar de kast.

De volgende dag nam Kuniko me mee naar het kleine tempeltje bij de Tatsumibrug waar ik op weg naar de studio altijd de meisjes ontmoette. Ze waren er allemaal. Ik ging naar ieder van hen toe en boog: ‘Neem me niet kwalijk dat ik gisteren een fout maakte. Vergeef me alsjeblieft.’

Ze reageerden heel aardig.

Er wordt van ons verwacht dat we de dag na een openbaar optreden een officieel bezoek brengen aan onze lerares om haar te bedanken. Daarom gingen we meteen naar de kamer van Grote Mevrouw toen we bij de studio kwamen. Ik verstopte me achter de meisjes.

Nadat we gezamenlijk gebogen hadden en onze dank geuit, complimenteerde de iemoto ons met de voorstelling van de dag ervoor.

‘Jullie hebben het prachtig gedaan. Ga vooral zo door in de toekomst. Oefen hard!’

‘Dank u, lerares,’ zei iedereen. ‘Dat zullen we doen.’

Iedereen behalve ik dan. Ik deed alsof ik onzichtbaar was.

Grote Mevrouw stuurde ons weg en net toen ik een grote zucht van verlichting wilde slaken, keek ze me recht aan en zei: 'Mineko, ik wil niet dat jij je zorgen maakt over wat er gisteren is gebeurd.'

Ik werd weer overspoeld door schaamte en rende naar buiten in de wachtende armen van Kuniko.

Het leek misschien of Grote Mevrouw me probeerde te troosten. Maar dat deed ze niet. Zo iemand was ze niet. Haar boodschap aan mij was luid en duidelijk. Ze zei dat het niet toegestaan was om fouten te maken. Als ik tenminste een groot danseres wilde worden.

11

Op zesjarige leeftijd ging ik naar de basisschool, een jaar nadat ik met danslessen begonnen was. Omdat de school in Gion Kobu was, kwamen veel leerlingen uit families die direct betrokken waren bij de karyukai.

Omdat Kuniko 's ochtends Aba hielp, werd ik door een van de twee dienstmeisjes, Kaachan of Suzu-chan, naar school gebracht. (Chan is een algemeen verkleinwoord in het Japans.) De school stond twee korte blokken ten noorden van het Iwasaki okiya, vlakbij Hanamikoji.

Op dat moment van de dag deed ik mijn 'boodschappen'. Het was eigenlijk heel makkelijk. Ik ging een winkel binnen en zocht uit wat ik wilde hebben of nodig had. Het dienstmeisje zei: 'Het is voor de Iwasaki's van Shinbashi' en de winkelier gaf het me. Een potlood. Een gum. Een lint voor mijn haar.

Ik wist niet wat geld was. Jarenlang verkeerde ik in de veronderstelling dat ik alleen maar ergens om hoefde te vragen om het te krijgen. En als je zei: 'Het is voor de Iwasaki's van Shinbashi', dan kreeg je alles.

Inmiddels was ik eraan gewend dat ik zo'n beetje een Iwasaki was. Maar toen werd het Ouderdag in dat eerste schooljaar en in plaats van mijn moeder en vader kwam Ouwe Gemenerik opdagen. Ze droeg een lichtpaarse kimono met een haaienvelpatroon en een elegante zwarte *haori* (een jasachtig kledingstuk dat over de kimono werd gedragen). Ze was zwaar opgemaakt en geparfumeerd. Iedere keer als ze haar waaier bewoog, dreef er een geurwolk de kamer in. Het was zeer irritant.

De volgende dag noemden mijn klasgenootjes mij 'Kleine juffrouw geiko' en zeiden dat ik geadopteerd was. Ik werd kwaad, omdat het niet waar was.

De keer erop dat de ouders op school werden verwacht, kon Ouwe Gemenerik niet komen en kwam Kuniko in haar plaats. Daar voelde ik me veel gelukkiger bij.

Ik vond het leuk om naar school te gaan en te leren. Ik was echter pijnlijk verlegen en heel erg op mezelf. De leraren deden erg hun best om met mij te spelen. Zelfs het schoolhoofd probeerde me uit mijn schulp te krijgen.

Er was een meisje dat ik aardig vond. Zij heette Hikari (Zonnestraal). Ze zag er heel bijzonder uit. Haar haar was goudblond. Ik vond haar heel mooi.

Hikari had ook geen vrienden. Ik ging naar haar toe en we begonnen samen te spelen. We brachten uren fluisterend en giechelend onder de ginkgoboom op het speelplein door. Ik had er alles voor overgehad om hetzelfde haar als zij te hebben.

Meestal rende ik de school uit als de bel ging, vol verlangen om naar mijn dansles te gaan. Dan liet ik het dienstmeisje mijn tafeltje opruimen en rende voor haar uit naar huis. Maar af en toe hadden de danslerarессen iets anders te doen en hadden wij de middag vrij.

Op zo'n vrije middag vroeg Hikari-chan of ik na school met haar mee naar haar huis ging. Eigenlijk moest ik meteen naar huis, maar ik besloot met haar mee te gaan.

Kaachan kwam me die dag ophalen. Zij was een roddeltante en had de gewoonte om dingen te stelen. Verdorie, dacht ik. Ik moet haar maar gewoon vertrouwen.

'Kaachan, ik moet nog iets doen. Ga jij alsjeblieft een kopje thee drinken en dan zie ik je hier weer over een uur. En beloof me dat je niets aan Tante Oima vertelt. Begrepen?'

Hikari-chan woonde alleen met haar moeder in een heel klein rijtjeshuisje omgeven door buren.

'Wat ontzettend makkelijk,' dacht ik toen. 'Iedereen en alles zo dicht in de buurt.'

Hikari's moeder was vriendelijk en warm. Ze gaf ons een tussendoortje. Doorgaans at ik geen tussendoortjes. Mijn oudere broers en zussen vochten altijd om te krijgen wat er te krijgen was, dus ik at nooit iets. Nu maakte ik een uitzondering.

De tijd vloog en algauw moest ik weg.

Ik ging terug naar Kaachan en die bracht me naar huis. Direct toen we daar kwamen werd me duidelijk dat het nieuwtje over waar ik geweest was me vooruit was gesneld.

Tante Oima wees me streng terecht: 'Ik verbied je om daar ooit nog te komen,' riep ze. 'Begrijp je dat, jongedame? Nooit, nooit meer!'

Het was niet mijn gewoonte om haar van repliek te dienen maar ik was in de war door haar woede en probeerde het uit te leggen. Ik vertelde haar alles over Hikari-chan, hoe lief haar moeder was, hoe ze woonden met al die aardige mensen en hoe leuk ik het daar gehad had. Maar ze weigerde te luisteren naar wat ik te zeggen had. Het was mijn eerste kennismaking met vooroordeel en ik begreep er helemaal niets van.

Er bestaat een groep mensen in Japan die de *burakumin* wordt genoemd. Men beschouwt hen als onrein en minderwaardig, ongeveer als de paria's in India. In vroeger tijden zorgden zij voor de doden en hanteerden zij 'giftige' zaken, zoals rundvlees en leer. Zij waren de begrafenisondernemers, de slagers, de schoenmakers. De burakumin leven niet meer zo gescheiden als vroeger, maar toen ik jong was zaten ze grotendeels in getto's.

Ik had onopzettelijk een grens overschreden. Hikari-chan was niet alleen een outcast, ze was ook een halfbloed, een buitenechtelijk kind van een Amerikaanse GI. Alles bij elkaar te veel voor Tante Oima, die haar angst dat ik besmet zou worden door met haar om te gaan niet kon beheersen. Het smetteloos houden van mijn reputatie was een van haar belangrijkste bezigheden. Vandaar de ophef over mijn onschuldige 'overtreding'.

Ik was erg teleurgesteld en koelde mijn woede op die arme Kaachan voor haar geroddel. Ik denk dat ik haar het leven een tijdlang erg moeilijk maakte. Maar toen kreeg ik medelijden met haar. Ze kwam uit een arme familie en had veel broers en zussen. Ik betrapte haar op diefstal van kleine dingetjes in huis die ze dan aan hen stuurde. In plaats van haar te verraden gaf ik haar kleine cadeautjes zodat ze niet meer hoefde te stelen.

Hikari-chan en haar moeder verhuisden kort na het incident. Ik heb me vaak afgevraagd wat er van hen geworden is.

Maar mijn leven was te vol om ergens lang bij stil te staan. Toen ik zeven was, werd ik mezelf er zeer van bewust dat ik een 'heel druk iemand' was. Ik moest altijd ergens naar toe, iets doen, iemand ontmoeten. Ik had het gevoel dat ik de dingen zo snel mogelijk moest afmaken en leerde mezelf doortastend en efficiënt te zijn. Ik had altijd haast.

Mijn langste sprint van de dag was tussen het uitgaan van school en het begin van dansles. Om half drie was de school afgelopen. De danslessen begonnen om drie uur en ik wilde er als eerste zijn, het liefst om kwart voor drie. Dus rende ik naar het okiya. Kuniko stond klaar met mijn danskleren en hielp me omkleden van mijn westerse kleding in kimono. Dan schoot ik de deur uit. Kuniko kwam achter me aan met mijn danstas.

Inmiddels was ik erg gehecht aan Kuniko en ik beschermde haar net zoals zij dat bij mij deed. Ik vond het vreselijk als mensen haar minderwaardig behandelden. Yaeko was de ergste zondaar. Ze schold Kuniko uit met 'pompoengezicht' en 'bergaap'. Hierover werd ik woedend maar ik had geen idee wat ik ertegen kon doen.

Het was Kuniko's verantwoordelijkheid me naar dansles te brengen en terug. Ze sloeg geen dag over, hoe druk ze ook was in het okiya. Ik had een heel werkschema bedacht van dagelijkse rituelen die ik uitvoerde op mijn weg naar en van de dansschool. Kuniko verdroeg mijn routine geduldig. Drie dingen moest ik doen op weg naar dansles.

Als eerste moest ik een stuk kandij aan Moeder Sakaguchi brengen. (Ik had dit zelf bedacht en uitgevoerd.) Moeder Sakaguchi gaf me dan een tussendoortje, dat ik in mijn tas deed voor later.

Vervolgens moest ik bij de tempel een gebed opzeggen.

Als derde rende ik dan naar Draak, de grote witte hond die in de bloemenwinkel woonde, om hem te aaien.

En dan kon ik naar dansles.

Kuniko stond altijd na dansles op me te wachten om me terug te brengen naar het okiya. Ik genoot ontzettend van de route naar huis.

Eerst gingen we naar de bloemenwinkel waar ik het tussendoortje dat Moeder Sakaguchi me gegeven had aan Draak voerde. Dan keek ik de winkel rond. Ik hield van bloemen, omdat ze mij aan mijn moeder herinnerden. Het meisje in de winkel liet me een bloem uitzoeken in ruil voor het lekkers dat ik aan Draak had gegeven. Ik bedankte haar en bracht de bloem naar de eigenares van het gourmetwinkeltje aan het eind van de straat. In ruil sneed zij dan twee plakken *dashimaki* af, een zoete omelet in de vorm van een jamrol, die ze mij gaf om mee naar huis te nemen.

Dashimaki was het lievelingstussendoortje van Tante Oima. Als ik haar vol trots het pakketje overhandigde, grinnikte ze altijd verrukt en verrast. Iedere dag weer. Dan barstte ze in zingen uit. Altijd als ze gelukkig was, zong ze een bepaald lied, een beroemd wijsje, dat als volgt gaat: *su-isu-isu-daradattasurasurasuisuisui*. Om mij voor de gek te houden zong ze ergens een verkeerde letter en ik moest haar verbeteren voordat ze de plak dashimaki opat. Dan ging ik zitten en vertelde haar alles wat ik die dag gedaan had.

De eerste keer dat ik voor de rechtbank moest verschijnen was ik acht jaar en zat in de tweede klas. Ouwe Gemenerik bracht me erheen. Mijn moeder en vader waren er ook. Voordat ik geadopteerd kon worden, moest de rechtbank vaststellen dat ik uit vrije wil een Iwasaki wilde worden.

Ik werd vanbinnen verscheurd en kon geen beslissing nemen. De spanning was zo groot dat ik in de rechtszaal erg moest overgeven waar iedereen bij was. Ik was er nog niet aan toe mijn ouders te verlaten.

De rechter zei: 'Dit kind is duidelijk nog te jong om te weten wat ze wil doen. We moeten wachten tot ze oud genoeg is om te weten wat ze wil.'

Ouwe Gemenerik nam me mee terug naar het okiya.

12

Mijn leven begon steeds meer om Shinmonzen te draaien en ik probeerde zoveel mogelijk tijd op school door te brengen. Met de dag raakte ik meer gepassioneerd van het dansen en steeds vastbeslotener om een echt goede danseres te worden.

Eens kwam ik bij Shinmonzen aan en hoorde Grote Mevrouw in haar studio met iemand praten. Ik was teleurgesteld omdat ik graag de eerste les wilde hebben. Toen ik de ruimte binnenkwam zag ik dat de vrouw, alhoewel wat ouder, verbluffend mooi was. Er was iets in haar houding dat mij onmiddellijk boeide.

Grote Mevrouw zei dat ik mocht meedoen aan de les. De oudere vrouw boog en heette me welkom. Grote Mevrouw leerde ons de dans 'Haar zwart als ebbenhout'. We oefenden een groot aantal keren. De vrouw was een fantastische danseres. In het begin voelde ik me wat onzeker om naast haar te dansen maar ik ging algauw op in de stroom van bewegingen.

Grote Mevrouw bekritiseerde mijn werk, zoals ze altijd deed. 'Dat gaat te langzaam, Mine-chan. Verhoog je tempo.' 'Je armen hangen slordig. Houd ze wat strakker.' Ze zei geen woord tegen de andere vrouw.

Toen we klaar waren, stelde Grote Mevrouw me aan de gast voor. Haar naam was Han Takehara.

Madame Takehara werd als een van de grootste danseressen van haar generatie beschouwd. Ze was een meesteres in verschillende methoden en drong door tot de kern van het medium door een vernieuwende eigen stijl te presenteren. Ik was bevoorrecht dat ik naast haar had mogen dansen.

Vanaf heel klein vond ik het heerlijk om volleerde danseressen te observeren en ik was altijd op zoek naar mogelijkheden om samen met hen te oefenen. Dat was een van de redenen waarom ik zoveel tijd doorbracht in Shinmonzen, want dansers uit heel Japan kwamen daar om bij de iemoto te studeren. Sommige vrouwen die ik toen ontmoette, zijn nu iemoto van hun eigen scholen. Natuurlijk besteedde ik ook vele uren aan het gadeslaan van de lessen die de Inoue-leraressen aan hun leerlingen gaven.

Een paar maanden na mijn (mislukte) eerste voordracht werd ik gekozen om een kinderrol te dansen in de Onshukai-dansen die in de herfst plaatsvinden. Dat was de eerste keer dat ik op een openbaar podium optrad. De volgende lente danste ik in de Miyako Odori: ik bleef kinderrollen dansen tot mijn elfde jaar. Die optredens waren heel educatief, want ik kreeg de kans om de danseressen van dichtbij te voelen en te ervaren.

Buiten mijn medeweten nodigde Tante Oima mijn ouders voor al mijn optredens uit en voorzover ik weet kwamen ze altijd. Ik zag zo slecht dat ik geen gezichten in een publiek kon onderscheiden maar op de een of andere manier wist ik altijd dat ze er waren. Net als alle kleine kinderen riep ook mijn hart naar hen: 'Kijk naar mij, papa en mama! Kijk eens hoe ik dans! Vinden jullie het niet goed?'

Op zaterdag moeten we in Japan ook naar school, dus zondag was mijn enige vrije dag.

In plaats van uit te slapen stond ik vroeg op en rende naar Shinmonzen, omdat ik het zo leuk vond om te zien wat de iemoto en de Kleine Mevrouwen 's ochtends deden. Soms was ik daar al voor zes uur! (Ik zei mijn gebeden en maakte de wc's schoon als ik terugkwam van de studio.) De kinderlessen begonnen om acht uur op zondag en ik had voldoende tijd om de Kleine Mevrouwen te volgen en te kijken wat zij aan het doen waren.

Het eerste wat Grote Mevrouw deed was haar gebeden opzeggen, net als Tante Oima. Terwijl zij in de altaarkamer was, maakten de Kleine Mevrouwen de school schoon. Ze veegden de houten toneelvloer en de lange gangen met doeken en schrobden de wc's. Ik was onder de indruk. Ook al waren zij mijn leraressen, ze moesten

Als klein kind met vader, moeder, broer en zussen.

De betonnen voetbrug over het kanaal voor ons huis.
Dit is hetzelfde kanaal waarin Masayuki verdronk.

Op zesjarige leeftijd.

In Gion Kobu, 1956, zeven jaar.

In de rol van giftige paddestoel, acht jaar (rechts).

Kuniko op dertigjarige leeftijd.

In een vlinderrol, tien jaar.

Tante Oima (links), Aba (midden), Aba's echtgenoot (rechts).

Yaeko (links), Moeder Sakaguchi (rechts).

Als minerai, voor de verzameling poppen waardoor ik afgeleid werd tijdens mijn eerste ozashiki.

dezelfde taken doen als ik omdat ze nog steeds volgelingen van Grote Mevrouw waren.

Grote Mevrouw en de Kleine Mevrouwen gebruikten gezamenlijk het ontbijt. Daarna gaf Grote Mevrouw les aan de Kleine Mevrouwen en dan kon ik kijken. Voor mij was dat het hoogtepunt van de week.

Ik genoot ook van de zomers, die in Kyoto heet en vochtig zijn. Als onderdeel van mijn opleiding moest ik achter Grote Mevrouw zitten en haar koelte toewuiven met een grote, ronde, papieren waaier. Dat vond ik een heerlijk werkje. Het was dé gelegenheid om haar te zien lesgeven, ononderbroken, lange tijd achter elkaar. De andere meisjes vonden het niet fijn om te doen, maar ik kon er uren zitten. Uiteindelijk liet Grote Mevrouw me dan een pauze nemen. De andere meisjes deden een spelletje om te bepalen wie als volgende aan de beurt was. Tien minuten later was ik terug om te waaieren.

Tegelijk met het dansen werkte ik ook heel hard aan mijn muziek. Op tienjarige leeftijd stopte ik met de koto en begon de shamisen te bestuderen, een vierkant snaarinstrument met een lange hals dat met een plectrum bespeeld wordt. Shamisenmuziek is de gebruikelijke begeleiding bij dansen in Kyoto-stijl, zo ook op de Inoue-school. Het instuderen van de muziek hielp me de subtiele ritmes in de beweging beter te begrijpen.

Het Japans kent twee woorden voor dans: *mai* en *odori*.

Mai wordt beschouwd als gewijde beweging en stamt af van de heilige dansen van de tempelmaagden die al eeuwenlang werden opgevoerd als offerande aan de goden. Zij kan alleen opgevoerd worden door mensen die er specifiek voor opgeleid zijn en speciale toestemming hebben om het te doen. Odori daarentegen is de dans ter viering van de wisselvalligheid van het menselijk leven; zij behelst herinneringen aan vreugdevolle gebeurtenissen en het plechtig vieren van verdrietige momenten. Deze dans ziet men over het algemeen bij Japanse festiviteiten en kan door iedereen uitgevoerd worden.

Er zijn maar drie dansvormen die mai genoemd worden: *mikomai*, dansen van de shinto-tempelmaagden, *bugaku*, dansen van het keizerlijk hof, en *noh mai*, dansen in het no-toneel. Dansen in Kyoto-stijl is mai en niet odori. De Inoue-school is met name verbonden met noh mai en in stijl gelijkwaardig.

Tegen de tijd dat ik tien jaar was, was ik me bewust van deze verschillen. Ik was er trots op dat ik een mai-danseres was en een leerling van de Inoue-school. Misschien was ik een beetje te trots. Ik werd een echt Pietje Precies.

Op een koude winterdag kwam ik ijskoud bij de studio aan en ging naar de hibachi om warm te worden. In de kamer zat een tienermeisje dat ik nog niet eerder had gezien. Aan haar kapsel en kleding kon ik zien dat ze een shikomisan was.

Shikomisan is de term die gebruikt wordt voor iemand in de eerste leerlingfase om geiko te worden, met name iemand die onder contract staat bij een okiya. Ik werd bijvoorbeeld nooit shikomisan genoemd omdat ik een atotori was.

De shikomisan zat in het koudste deel van de kamer, vlak bij de deur.

'Kom bij het vuur zitten,' zei ik tegen haar. 'Hoe heet je?'

'Tazuko Mekuta.'

'Ik zal je Meku-chan noemen.'

Ik schatte dat ze zo'n vijf of zes jaar ouder was dan ik. In de Inoueschool wordt senioriteit bepaald door de datum van inschrijving en geldt niet de biologische leeftijd. Dus zij was mijn 'junior'.

Ik deed mijn tabi uit.

'Meku-chan, mijn kleine teen jeukt.'

Ik stak mijn voet naar haar uit en zij aaide die respectvol.

Meku-chan was lief en zachtaardig en had heel opvallende ogen. Ze herinnerde me aan mijn oudere zus Yukiko. Ik werd ter plekke verliefd op haar.

Helaas bleef ze niet erg lang op school. Ik miste haar en hoopte dat ik een andere vriendin zoals zij zou vinden. Dus ik was opgewonden toen ik later die winter naar de hibachi ging en daar een nieuw meisje van Meku-chans leeftijd zag zitten. Maar dit meisje had zich al op een plekje bij de hibachi genesteld en negeerde mij toen ik de kamer inkwam. Ze zei niet eens hallo. Aangezien zij de nieuwkomer was, was dat onvergeeflijk onbeleefd.

'Je mag niet zo dicht bij de hibachi zitten,' zei ik.

'En waarom niet?' vroeg ze onverschillig.

'Hoe heet je eigenlijk?' vroeg ik.

'Mijn naam is Toshimi Suganuma.' Ze zei niet: 'Hoe maak je het?'

Ik was geïrriteerd maar achtte het ook mijn verantwoordelijkheid als haar 'senior' om haar te verblijden met het geschenk van mijn superieure kennis en haar uit te leggen hoe wij in de Inoue-school de dingen deden.

Ik probeerde iets duidelijk te maken.

'Wanneer ben jij met je lessen begonnen?'

Ik wilde dat ze zich realiseerde dat ik er langer was dan zij en dat ze verondersteld werd mij met respect te behandelen.

Maar ze begreep me niet. 'O, weet ik niet. Een tijdje geleden, denk ik.'

Ik probeerde te bedenken hoe ik haar bewust kon maken van haar tekortkomingen maar ze werd weggeroepen voor haar les.

Dit was een echt probleem. Ik zou het met Tante Oima moeten bespreken.

Ik ging na mijn les zo snel mogelijk naar huis, kweet me zo vlug als ik kon van mijn hond-bloem-dashimaki-routine en rende de rest van de weg naar huis.

Ik gaf Tante Oima de dashimaki. Ze wilde in zingen uitbarsten maar ik hield haar tegen. 'Doe vandaag maar geen *suisui*. Ik heb een probleem en ik moet met u praten.' Ik legde zo goed mogelijk uit in wat voor hachelijke situatie ik me bevond.

'Mineko, Toshimi gaat haar debuut eerder maken dan jij en dus zal zij op een goede dag een van je Grotere Zusters zijn. Dat betekent dat jij haar moet respecteren. En aardig tegen haar moet zijn. Jij hoeft haar niet te vertellen wat ze moet doen. Ik weet zeker dat Grote Mevrouw Toshimi alles zal leren wat ze moet weten. Dat is niet jouw verantwoordelijkheid.'

Ik vergat dit voorval tot vele jaren later. Vlak nadat ik mijn debuut als maiko had gemaakt, werd ik gevraagd om tijdens een feestmaal op te treden. Yuriko (Meku-chan) en Toshimi, die beiden topgeiko waren geworden, waren er ook. Ze grapten goedmoedig over hoe verwaand ik als klein meisje was geweest. Ik kreeg een vuurrode kleur van verlegenheid. Ze verweten me echter niets. Beiden werden belangrijke mentoren voor mij in de jaren daarna. Yuriko werd een van mijn weinige vriendinnen.

Relaties in Gion Kobu duren een lange tijd en harmonie wordt meer dan enige andere sociale waarde op prijs gesteld. Hoewel het karakteristiek is voor de Japanse samenleving in het algemeen, ligt binnen de karyukai de nadruk nog eens extra op vreedzame coëxistentie. Volgens mij zijn daar twee redenen voor. De eerste is dat onze levens erg met elkaar verweven zijn. Mensen hebben geen andere keuze dan goed met elkaar om te gaan.

De andere reden is de aard van de onderneming. Maiko en geiko gaan om met machtige mensen uit alle geledingen van de maatschappij en de hele wereld. Wij zijn eigenlijk diplomaten die in staat moeten zijn met iedereen te communiceren. Maar dat houdt niet in dat wij deurmatten zijn. Er wordt van ons verwacht dat we scherpzinnig zijn en inzicht hebben. Mettertijd leerde ik uitdrukking te geven aan mijn gedachten en meningen zonder anderen te beledigen.

13

Toen ik in november 1959 tien jaar werd, moest ik weer voor de rechtbank verschijnen. Ouwe Gemenerik bracht me erheen. Mijn ouders waren er al toen ik aankwam. Ik had een advocaat die Kikkawa heette. Hij had vettig haar maar was de beste advocaat in Kyoto.

Ik moest de rechter vertellen waar ik wilde wonen.

De spanning die keuze te moeten maken was ondraaglijk. Elke keer als ik aan mijn ouders dacht, deed mijn hart zeer. Mijn vader boog zich naar me toe en zei: 'Je hoeft het niet te doen, Masako. Je hoeft niet bij hen te blijven als je dat niet wilt.' Ik knikte. En toen gebeurde het weer. Ik gaf over in de rechtszaal.

Deze keer legde de rechter de procedure niet stil.

In plaats daarvan keek hij me in de ogen en stelde rechtstreeks de vraag.

'Bij welke familie wil je horen, de Tanaka's of de Iwasaki's?'

Ik stond op, haalde diep adem en zei met heldere stem: 'Ik ga bij de Iwasaki's horen.'

'Weet je absoluut zeker dat je dat wilt?'

'Ja, dat weet ik zeker.'

Ik had al besloten wat ik zou zeggen, maar het voelde verschrikkelijk toen de woorden uit mijn mond klonken. Ik vond het vreselijk om mijn ouders pijn te doen. Maar ik zei het omdat ik zoveel van dansen hield. Daarom koos ik voor de Iwasaki's. Dansen was mijn leven geworden en ik kon me niet voorstellen dat ik het voor iets of iemand ter wereld zou opgeven. De reden waarom ik besloten had een Iwasaki te worden was dat ik dan kon doorgaan met mijn danslessen.

Tussen mijn ouders in liep ik de rechtszaal uit, hun handen vast omklemd. Ik voelde me zo schuldig over mijn verraad dat ik het niet kon opbrengen hen aan te kijken. Ik huilde. Uit mijn ooghoeken zag ik dat bij mijn ouders ook de tranen over hun wangen liepen.

Ouwe Gemenerik hield een taxi aan en met z'n vieren gingen we terug naar het okiya.

Mijn vader probeerde me te troosten. 'Misschien is het zo het beste, Ma-chan,' zei hij. 'Ik weet zeker dat het voor jou veel leuker is om in het Iwasaki okiya te wonen dan thuis. Er zijn daar zoveel interessantere dingen voor je te doen. Als je ooit naar huis wilt, laat het me dan weten en ik kom je halen. Maakt niet uit wanneer. Dag of nacht. Bel me gewoon.'

Ik keek hem aan en zei: 'Ik ben doodgegaan.'

Mijn ouders draaiden zich om en vertrokken. Ze droegen allebei kimono. Toen hun obi in de verte verdwenen kreet mijn hart: 'Papa! Mama!' Maar de woorden kwamen niet over mijn lippen.

Mijn vader draaide zich nog een keer om. Ik weerstond de neiging achter hem aan te rennen en lachend door mijn tranen wuifde ik triest naar hem. Ik had mijn keuze gemaakt.

Die avond was Tante Oima buiten zichzelf. Het was officieel. Ik was nu de Iwasaki-opvolger. Als het papierwerk in orde was, werd ik de gekozen erfgenaam. We hadden een uitgebreid diner met feestelijke schotels zeebrasem, rodebonenrijst en dure kost als biefstuk. Veel mensen feliciteerden me en brachten geschenken.

Het feest ging uren door. Ik kon er niet langer tegen en ging in de kast. Tante Oima bleef maar *su-isu-isu-dararattasurasurasuisuisui* zingen. Zelfs Ouwe Gemenerik lachte uit volle borst. Iedereen was in de wolken: Aba, Moeder Sakaguchi, de Okasan van de dochterhuizen. Zelfs Kuniko.

Ik had net afscheid genomen van mijn moeder en vader. Voorgoed. Ik kon niet geloven dat iedereen dit een aanleiding vond om feest te vieren. Ik was uitgeput en mijn geest was volkomen leeg. Zonder erbij na te denken nam ik een van de zwartfluwelen linten uit mijn haar, wikkelde het om mijn nek, trok eraan zo hard ik kon en probeerde mezelf te doden. Het lukte niet. Ontmoedigd gaf ik het op en zonk weg in een poel van tranen.

De volgende morgen maskeerde ik de blauwe plek in mijn hals en sleepte me naar school. Ik voelde me totaal leeg. Op de een of andere manier hield ik het de ochtend vol en dwong mezelf naar dansles te gaan.

Toen ik daar aankwam, vroeg Grote Mevrouw aan welke dans ik had gewerkt.

'*Yozakura* [Kersenbloesem bij nacht],' antwoordde ik.

'Goed, laat me maar zien wat jij je ervan herinnert.'

Ik begon te dansen.

Ze begon me heel streng te berispen. 'Nee, dat is verkeerd, Mineko. En dat! En dat! Hou maar op, Mineko. Wat is er vandaag met je aan de hand? Hou op! Hou nu op, hoor je me? En heb niet het lef te huilen. Ik kan niet tegen huilende meisjes. Je kunt gaan!'

Ik kon het niet geloven. Ik had geen idee wat ik fout had gedaan. Ik huilde niet maar was helemaal in de war. Ik bleef me verontschuldigen maar ze gaf me geen antwoord en uiteindelijk vertrok ik.

Ik had zojuist mijn eerste, gevreesde *otome* gekregen, en ik had geen idee waarom.

Otome, wat 'Stop!' betekent, is een straf die alleen maar op de Inoue-school gegeven wordt. Als de lerares je een otome geeft, dan moet je onmiddellijk stoppen en de studio verlaten. En ze vertelt je niet wanneer je terug mag komen, waardoor er een onzekere spanning ontstaat. De gedachte dat mij misschien werd verboden om met dansen door te gaan was ondraaglijk zwaar.

Ik wachtte niet op Kuniko, liep zelf naar huis en ging direct in de kast zonder iets tegen iemand te zeggen. Ik voelde me ellendig. Eerst die rechtszaal en nu dit. Waarom was Grote Mevrouw zo boos?

Tante Oima kwam naar de kastdeur.

'Wat is er gebeurd, Mine-chan? Waarom ben je alleen naar huis gekomen?'

'Mine-chan, kom je eten?'

'Mine-chan, wil je misschien in bad?'

Ik weigerde te antwoorden.

Ik hoorde een van de Sakaguchi-dienstmeisjes de kamer binnenkomen. Ze zei dat Moeder Sakaguchi meteen Tante Oima wilde spreken. Tante Oima vertrok direct.

Moeder Sakaguchi kwam terstond terzake. 'We hebben een soort crisis. Juffrouw Aiko belde net. Kennelijk heeft haar assistente de titels van twee stukken door elkaar gehaald, van eentje die Mineko net geleerd had en een die ze aan het leren is. Juffrouw Kawabata heeft tegen Mineko gezegd dat *Sakuramiyotote* ['Kersenbloesembezichtiging'] *Yozakura* ['Kersenbloesem bij nacht'] was en omgekeerd. Dus Mineko danste vandaag de verkeerde dans en Aiko heeft haar een otome gegeven. Gaat het goed met Mineko?'

'Dus dat is er gebeurd. Nee, het gaat niet goed met haar. Ze zit in de kast en wil niet met me praten. Volgens mij is ze heel erg overstuur.'

'Wat doen we als ze dreigt weg te gaan?'

'We moeten haar overtuigen dat niet te doen.'

'Ga naar huis en doe je best om haar uit die kast te krijgen.'

Ik was tot de conclusie gekomen dat ik de otome had gekregen omdat ik niet goed genoeg mijn best had gedaan en het gewoon beter moest doen. En ik begon, daar in die kast, de dans te oefenen die ik aan het leren was en de dans waarmee ik al klaar was. Ik oefende urenlang. Ik zei steeds tegen mezelf dat ik me moest concentreren. Als ik ze morgen perfect kan dansen, zal Grote Mevrouw zo verbaasd zijn dat ze de otome misschien vergeet.

Maar, net als veel dingen in Gion Kobu, zo eenvoudig was het niet. Ik kon niet teruggaan naar de lessen alsof er niets gebeurd was. Het maakte niet uit wiens schuld het was. Ik had de otome gekregen en mijn verzorgers moesten een petitie indienen om mijn inschrijving te handhaven. Dus we gingen op pad naar Shinmonzen. Moeder Sakaguchi, Tante Oima, Mevrouw Kazama, Ouwe Gemenerik, Yaeko, Kun-chan en ik.

Moeder Sakaguchi boog en richtte zich tot de Grote Mevrouw. 'Het spijt me zo dat zich gisteren zo'n nare situatie heeft voorgedaan. Wij smeken u dat onze Mineko een leerlinge van uw geëerde school kan blijven.'

Niemand zei een woord over wat er eigenlijk gebeurd was. De reden was niet belangrijk. Belangrijk was dat niemand gezichtsverlies leed en ik toestemming kreeg mijn opleiding voort te zetten.

'Goed, Moeder Sakaguchi, ik zal doen wat u vraagt. Mineko, laat ons alsjeblieft zien waar je aan werkt.'

Ik danste 'Kersenbloesembezichtiging'. En toen, zonder dat het me gevraagd werd, danste ik 'Kersenbloesem bij nacht'. Ik deed het goed. Het bleef stil toen ik klaar was. Ik keek om mij heen naar de emoties op de vrouwengezichten.

Met verbazing stelde ik vast dat de wereld van volwassenen erg ingewikkeld was.

Inmiddels begrijp ik dat Grote Mevrouw de otome als een machtig leermiddel hanteerde. Ze gaf mij een otome op momenten dat ze me wilde dwingen door te stoten naar het volgende artistieke niveau; ze maakte bewust gebruik van de angst voor de otome om mijn geest aan te sporen. Het was een proef. Ik geloof niet dat het een bijzonder verlichte pedagogische filosofie is, maar het had, bij mij althans, steeds het gewenste effect.

Grote Mevrouw gaf nooit otome aan middelmatige danseressen, alleen aan degenen die zij aan het voorbereiden was op grootse rollen. De enige persoon die nadelige gevolgen ondervond van mijn eerste otome was de lerares die mij de verkeerde informatie had gegeven. Zij mocht mij nooit meer lesgeven.

Mijn adoptie werd op 15 april 1960 gelegaliseerd. Aangezien ik de vijf jaren daarvoor al in het Iwasaki okiya had gewoond, had deze statusverandering niet veel effect op mijn dagelijkse routine. Behalve dat ik nu boven bij Ouwe Gemenerik op haar kamer moest slapen.

Ik was de brug helemaal overgestoken. Mijn kindertijd lag achter me. De wereld van de dans lag voor me.

十四 14

Het enige leuke aan Yaeko's aanwezigheid in het Iwasaki okiya was dat haar zoon Masayuki soms op bezoek kwam. Ouwe Gemenerik vroeg Masayuki wat hij voor zijn dertiende verjaardag wilde hebben. Hij was een heel goede leerling en hij bekende dat hij ontzettend graag een encyclopedie wilde hebben.

Op zijn verjaardag, 9 januari, kwam hij naar het Iwasaki okiya zodat Ouwe Gemenerik hem haar cadeau kon geven. Masayuki was verrukt. We zaten urenlang in het gastenverblijf, samen bladerend door de met feiten gevulde pagina's.

De *tokonoma*, een alkoof die gebruikt wordt om gekoesterde curiosa uit te stallen, is een belangrijk onderdeel van conventionele Japanse ontvangstkamers. Meestal hangt er een rol waarop een seizoenmotief is afgebeeld en staan er kunstig geschikte bloemen in een passende vaas. Ik herinner me nog steeds de rol die er die dag hing. Het was een nieuwjaarsafbeelding, een schildering van de zon die opkomt boven de bergen. Een kraanvogel vloog voor de zon langs. De kussens waarop we zaten, waren van warme bruine zijde. Als het zomer was geweest, waren ze bedekt met koel blauw linnen.

Zes dagen later ging omstreeks elf uur 's morgens de telefoon. Op het moment dat ik hem hoorde rinkelen, had ik een afschuwelijk voorgevoel. Ik wist dat er iets vreselijks gebeurd was. Mijn vader was aan de telefoon. Hij vertelde dat Masayuki vermist werd.

Die ochtend was hij naar de winkel gegaan om tofu voor het ontbijt te kopen maar niet meer thuisgekomen. Ze konden hem nergens vinden.

Yaeko woonde een lunch bij voor een of andere buitenlandse ambassadeur in Hyotei, een exclusief restaurant met een vierhonderd jaar oude geschiedenis, vlakbij Nanzenji. Nadat we mijn vader hadden verteld waar ze was, gingen Kuniko, Tomiko en ik zo snel als we konden naar huis.

In onze buurt werden we opgewacht door een grote menigte politie- en brandweermannen die de rand van het kanaal afzocht. De agenten hadden sporen van krassende nagels op de steile oevers gevonden. De steentjes op de kant waren weggetrapt. De ambtenaren kwamen tot de conclusie dat Masayuki was gestruikeld en gevallen en al konden ze zijn lichaam niet vinden, ze gingen ervan uit dat hij verdronken was. Het was onmogelijk dat iemand het langer dan een paar minuten in dat ijskoude water zou uithouden.

Mijn hersens en hart bevroren. Ik kon het niet geloven. Het kanaal. Hetzelfde kanaal dat ons kleine schaaldiertjes gaf voor in de mizosoep. Het kanaal met de prachtige kersenbloesem. Het kanaal dat ons huis beschermde tegen de rest van de wereld. Dat kanaal had mijn vriend opgeslokt. Meer dan mijn vriend. Mijn neef. Ik was verstijfd van schrik.

Mijn ouders waren er duidelijk kapot van. Mijn vader aanbad zijn kleinzoon en ik kon de pijn op zijn gezicht niet verdragen. Ik wilde hem troosten, maar ik was zijn dochter niet meer. Ik had mijn ouders niet meer gezien na de dag dat ik in de rechtszaal had verklaard dat ik een Iwasaki en niet een Tanaka was, twee jaar geleden. Ik voelde me opgelaten. Ik wist niet hoe ik moest handelen. Ik wilde dat ik was doodgegaan in plaats van Masayuki. Yaeko wachtte tot de lunch voorbij was voordat ze naar het huis kwam.

Tot op de dag van vandaag begrijp ik niet waarom ze in dat restaurant bleef eten en een verstandig gesprek voeren, terwijl ze wist dat haar zoon vermist werd. Ik ken de kamer waarin ze zat. Die keek uit op een tuin met een vijver. Die vijver werd gevoed door een klein stroompje. Het water van dat stroompje kwam uit hetzelfde kanaal dat haar zoon het leven had benomen.

Yaeko kwam ongeveer om drie uur. Ze wees naar mij en krijste als een duivelin. 'Jij had het moeten zijn! Jij had dood moeten gaan, jij waardeloos stuk niets! Niet mijn Masayuki.'

Op dat moment kon ik het alleen maar met haar eens zijn. Ik zou er alles voor over hebben gehad om mijn leven voor dat van hem te geven. Zij gaf mijn ouders de schuld. Zij gaven zichzelf de schuld. Het was een verschrikkelijke toestand.

Ik probeerde stoïcijns te blijven. Ik dacht dat mijn vader dat van mij verwachtte. Hij wilde vast niet dat ik mezelf te schande maakte met tranen. En Tante Oima. Zij zou willen dat ik mijn zelfbeheersing bewaarde. Ik besloot dat het verbergen van mijn emoties een manier was om beide families tegelijkertijd te eren.

Ik moest sterk zijn.

Toen ik terugkwam in het okiya weigerde ik mezelf de veiligheid van de kast toe te staan. Masayuki's lichaam werd pas een week later gevonden. Het was door het kanaal meegevoerd naar het stroomgebied van de rivieren rondom Kyoto, helemaal naar Fushimi. We hielden een traditionele nachtwake bij het lichaam. Daarna was de begrafenis. De gemeente zette een groene afrastering langs het kanaal.

Het was mijn eerste ervaring met de dood. En een van de laatste keren dat ik het huis van mijn ouders bezocht.

Yaeko's haat jegens mij werd nog sterker. Elke keer als ze me nu voorbijliep, fluisterde ze: 'Ik wou dat je dood was.' Ik hield de encyclopedie. Masayuki's vingerafdrukken zaten op iedere pagina. Ik raakte geobsedeerd door de dood. Wat gebeurt er met je als je doodgaat? Waar was Masayuki? Kon ik daar op de een of andere manier ook komen? Ik dacht er de hele tijd aan. Het hield me zo bezig dat ik, voor één keer, mijn studie en lessen verwaarloosde. Uiteindelijk besloot ik alle oude mannen in de buurt te ondervragen. Zij waren dichter bij de dood dan ik. Misschien wist een van hen iets.

Ik vroeg het meneer de groenteman, Oom Hori, mijn kalligrafieleraar, meneer Nohmura de vergulder, meneer Sugane de wasman en de kopersmid. Ik vroeg het aan iedereen die ik kon bedenken, maar niemand had een duidelijk antwoord. Ik wist niet tot wie ik me nog meer kon wenden.

Ondertussen kwam de lente naderbij en dus de tijd voor de toelatingsexamens voor de middelbare school. Ouwe Gemenerik wilde dat ik me aanmeldde bij de invloedrijke school die verbonden was aan het Kyoto Vrouwencollege. Maar ik was niet in staat me te concentreren. Uiteindelijk werd ik ingeschreven op de plaatselijke openbare middelbare school vlakbij huis.

Yaeko was zo woedend op mijn ouders dat ze haar zoon Mamoru niet nog langer bij hen wilde laten wonen. Maar ze was te egoïstisch en onverantwoordelijk om zelf op zoek te gaan naar een goed thuis, bijvoorbeeld een flatje, waar ze samen konden wonen. Ze stond erop dat hij in het okiya kwam wonen.

Dit was niet de eerste keer dat Yaeko de regels aan haar laars lapte. Ze paste de regels altijd aan zoals het haar uitkwam. Haar hele aanwezigheid was een dwaling. De enige geiko die eigenlijk in het okiya mogen wonen, zijn de atotori en de jonge geiko die nog onder contract staan. Yaeko was geen van beide. Ze dacht zeker dat ze nog steeds een Iwasaki was, maar haar scheiding was nog niet definitief en ze heette nog steeds Uehara. Ze had haar contract met het okiya verbroken toen ze vertrok om te trouwen. Ze had geen enkel recht daar te wonen. En alsof dat nog niet genoeg was: het is niet toegestaan om opnieuw tot het okiya toe te treden als je er eenmaal bent weggegaan.

Yaeko ging voorbij aan de tegenwerpingen van Tante Oima en Ouwe Gemenerik. Ze liet Mamuro bij ons intrekken en bleef de regels breken. Ze smokkelde 's nachts zelfs haar minnaars naar haar kamer. Op een ochtend liep ik slaapdronken de badkamer in en botste tegen een man aan die ze de vorige nacht mee naar huis had genomen. Ik gilde. Het hele huis was in rep en roer.

Typisch Yaeko.

Het was heel onbehoorlijk om een man, welke man dan ook, de nacht in het okiya te laten doorbrengen omdat het een verdenking op de kuisheid van de bewoonsters legt. Niets gaat onopgemerkt of onbesproken in Gion Kobu. Tante Oima vond het nooit fijn als er een man in huis was. Als een man om welke reden dan ook moest overnachten, zelfs als hij een bloedverwant was, liet ze hem tot na de lunch wachten voordat hij weg mocht gaan, zodat niet iemand hem in de ochtend zou zien vertrekken en de verkeerde gedachte kunnen krijgen.

Ik was twaalf jaar. Mamoru was vijftien. Hij was nog wel geen volwassen man maar zijn aanwezigheid veranderde de sfeer in het okiya. Het voelde er niet meer zo veilig. Hij plaagde me op een manier dat ik me uitermate ongemakkelijk ging voelen.

Op een keer was hij met twee vrienden in zijn kamer boven. Ik ging thee brengen en ze pakten me vast en duwden me in het rond. Bang rende ik weg, naar beneden, terwijl zij lachten. Een andere keer zat ik alleen in bad toen ik iemand in de verkleedruimte hoorde. Ik riep: 'Wie is daar?' Suzu-chan was aan het werk in de tuin en haar stem kwam door het raam. 'Juffrouw Mineko, is alles goed?'

'Alles is goed,' antwoordde ik.

Ik hoorde de deur dichtslaan en iemand de trap oprennen naar de eerste verdieping. Dat moest Mamoru zijn.

Ik wist bijna niets van seks. Er werd nooit over gesproken en ik was niet bepaald nieuwsgierig. De enige man die ik ooit naakt had gezien, was mijn vader en dat was al zoveel jaar geleden dat ik me nauwelijks kon herinneren hoe hij eruitzag.

Het was dan ook een enorme schok toen ik me op een avond aan het uitkleden was in de verkleedruimte en Mamoru me stilletjes van achteren besloop, me vastgreep, me hardhandig op de grond gooide en me probeerde te verkrachten.

Het was een hete zomeravond maar ik bevroor. Mijn geest schakelde zich volkomen uit en mijn hele wezen werd koud van angst. Ik was zo doodsbang dat ik niet kon schreeuwen en me nauwelijks verweren. Juist op dat moment kwam, daarmee mijn eeuwige dankbaarheid verwervend, Kun-chan binnenlopen om me een schone handdoek en nieuwe kleren te brengen.

Ze trok Mamoru van me af en gooide hem hardhandig opzij. Ik dacht dat ze hem zou vermoorden. 'Jij vuile schoft!' schreeuwde ze. Ze veranderde van haar normale kalme zelf in een soort woeste beschermgod. 'Jij smerig, verrot varken! Hoe durf je met je handen aan Mineko te zitten? Maak dat je hier als de bliksem wegkomt. Nu! Ik vermoord je als je er alleen maar aan denkt om haar nog eens aan te raken. BEGREPEN?'

Hij nam razendsnel de benen, als een dief in de nacht. Kuniko probeerde me op te tillen. Ik trilde zo erg dat ik niet kon staan. Mijn lichaam was bedekt met kneuzingen.

Ze legde me in bed. Tante Oima en Ouwe Gemenerik waren heel vriendelijk. Maar ik was helemaal getraumatiseerd, gevangen in een beklemmende bankschroef van paniek en angst.

Tante Oima riep Yaeko en Mamoru bij zich en, zonder een inleiding, gebood hen te vertrekken: 'Ik wil dat jullie hier onmiddellijk weggaan. Nu. Geen smoesjes. Zonder een woord te zeggen.' Later vertelde Tante Oima me dat ze nog nooit in haar leven zo kwaad was geweest.

Yaeko weigerde te vertrekken. Ze hield vol dat ze nergens heen kon, wat achteraf gezien waarschijnlijk waar was. Niemand mocht haar. Ouwe Gemenerik kwam tussenbeiden en zei dat ze een plek zou helpen zoeken voor Yaeko.

Tante Oima wilde niet dat Mamoru een minuut langer dan strikt noodzakelijk was in hetzelfde huis als ik zou zijn. Ze belde Moeder Sakaguchi om hulp. Moeder Sakaguchi wilde ook niet dat we onder hetzelfde dak verbleven. Dus bedacht ze een plan.

De volgende dag riep Tante Oima mij bij zich. 'Mine-chan, ik wil je om een grote gunst vragen. Moeder Sakaguchi heeft hulp nodig bij haar thuis en ze wil graag dat jij een tijdje bij haar komt logeren om haar te helpen. Zou je dat willen? Dat zouden we heel erg op prijs stellen.'

Ik had mijn antwoord meteen klaar. 'Ik help haar graag.'

'Dank je, lieverd. Ik zal je kleren inpakken en ik denk dat jij je schoolspullen beter zelf bij elkaar kunt zoeken.'

Eerlijk gezegd was ik heimelijk opgelucht.

Die middag trok ik bij Moeder Sakaguchi in.

Het kostte Ouwe Gemenerik twee weken om een huis voor Yaeko te vinden. Het lag ten zuiden van Shijo aan de Nishihanamikohistraat. Ze leende haar 35.000 dollar om het te kopen. Yaeko betrok het met Mamoru. Ik probeerde hem zoveel mogelijk te mijden, maar hij had altijd iets gemeens te zeggen als we elkaar op straat tegenkwamen. Tante Oima bleef toezien op de carrière van Yaeko. Het voordeel van deze strategie was dat het Iwasaki okiya door dit voorval geen gezichtsverlies binnen de gemeenschap leed. Yaeko werd gestraft maar niemand hoefde dat te weten.

Ik maakte een verschrikkelijke tijd door. Ik leed aan helse nachtmerries en had voortdurend het gevoel op het randje van hysterie te leven. Ik bleef maar overgeven. Ik wist dat iedereen zich vreselijk zorgen over mij maakte maar ik was niet in staat om te doen alsof alles goed was. Moeder Sakaguchi liet een van haar dienstmeisjes vierentwintig uur per dag op me letten. En dat maandenlang.

十五 15

Vaak heb ik me afgevraagd waarom Tante Oima het gedrag van Yaeko zo lang duldde, terwijl ze altijd zo streng was. Was het simpelweg een kwestie van harmonie en gezichtsverlies boven onenigheid en ontering? Voor een deel wel, denk ik. En ik vermoed dat ze zich uit eergevoel gedwongen voelde om netjes met Yaeko om te gaan uit respect dat Yaeko mijn zuster was en ik de atotori. En, welke fouten zij ook maakte, Yaeko was nog steeds lid van de familile Iwasaki.

Moeder Sakaguchi vond echter dat de straf van Tante Oima voor Yaeko niet zwaar genoeg was. Zij riep Yaeko bij zich en deelde een veel hardvochtiger straf uit: 'Ik verbied je om de komende drie jaar in het openbaar te dansen. Ik heb lerares Aiko al op de hoogte gebracht van mijn beslissing, dus het is definitief. Tot nader bericht ben je ook verbannen uit onze binnenste cirkel. Je mag geen voet over de drempel van dit huishouden of enig ander huis van onze familie zetten. We willen geen contact met jou. Stuur me geen geschenken. Vermoei je niet met de gebruikelijke begroetingen of beleefdheidsbezoekjes, zelfs niet met nieuwjaar.'

'En er is nog iets: ik verbied je om zelfs maar in de buurt van Mineko te komen. Begrijp je me? Je hebt niets meer met haar te maken. Ik onthef je van de verplichtingen als haar Onesan in daad maar niet in naam. Je zult haar debuut meemaken maar vanaf een ondergeschikte plaats. De heer in het Suehiroya zal je zeggen waar je bij die gelegenheid mag zitten. Ga nu. En kom niet meer terug.'

Niemand zou Moeder Sakaguchi bekritiseerd hebben als ze Yaeko om haar handelwijzen uit Gion Kobu zou hebben verbannen. Ze koos echter een minder drastische straf die op een effectieve manier

Yaeko's activiteiten een aantal jaar zou beperken en niemands naam aantasten, met name niet de mijne.

Door bij Moeder Sakaguchi te wonen leerde ik ontzettend veel over hoe de geikowereld werkte. Ze was een fantastische zakenvrouw en echt machtig. Ik zie haar voor me als de 'peetmoeder' van de buurt. Mensen deden voortdurend een beroep op haar, haar invloed, haar bemiddeling en haar advies.

Kanoko Sakaguchi was een ware dochter van Gion Kobu. Ze was niet geadopteerd, maar geboren bij de eigenaresse van het vooraanstaande Sakaguchi okiya. Het Sakaguchi okiya was bekend om zijn musici en Kanoko werd een meesteres in *ohayashi*, Japanse percussie. Ze debuteerde als tiener en werd een bijzonder geliefde geiko.

Kanoko's moeder wees Kanoko aan als haar atotori. Het Sakaguchi okiya was groot en welvarend, en Kanoko had vele Jongere Zusters. Ze wilde zich echter concentreren op haar muziek, liever dan het okiya te bestieren. Ze moedigde de jongere geiko, voor wie zij de verantwoordelijkheid had, aan om onafhankelijk te worden.

Vrij om zich op haar muziek te concentreren rees Kanoko's ster snel binnen de hiërarchie van Gion Kobu. Ze kreeg de bevoegdheden die haar het exclusieve recht gaven bepaalde dansen aan anderen te leren. In het Gion Kobu-systeem betekende dit dat iedereen die ohayashi wilde uitvoeren daarvoor speciale toestemming van Moeder Sakaguchi moest hebben.

Er is een functie in de organisatie van de Inoue-school die *koken* heet. De koken zijn een soort bestuurders of wachters. Er zijn vijf families die deze eretitel dragen en de familie Sakaguchi is daar een van.

Een van de redenen waarom koken belangrijk zijn, is dat ze de leiding hebben bij het kiezen van de iemoto. Deze opvolging komt slechts eenmaal in de twee of drie generaties voor en heeft een uitgesproken effect op de richting van de school. Als koken speelde Moeder Sakaguchi een rol in de verkiezing van Inoue Yachio IV in haar huidige positie. De iemoto was verplicht aan Moeder Sakaguchi voor haar steun.

De invloed van Moeder Sakaguchi ging verder dan Grote Mevrouw. Door geboorte of omstandigheden. Zij was een autoriteit voor vele belangrijke spelers in Gion Kobu, onder wie danslerares

Kazama, shamisenspeler Kotei Yoshizumi, verschillende ochaya-eigenaren, ambtenaren van de Kabukai en natuurlijk de Okasan van alle onderdelen van het Sakaguchi okiya.

Moeder Sakaguchi was tien jaar jonger dan Tante Oima, dus ze moet ongeveer tachtig jaar zijn geweest toen ik bij haar kwam wonen. Ze was nog steeds krachtig en actief betrokken bij zaken in Gion Kobu. Bezie alleen al alle zorg en aandacht waarmee ze mijn carrière en welzijn overspoelde. Ik bleef de rest van de zevende en de hele achtste klas bij Moeder Sakaguchi wonen.

De verhuizing veranderde mijn slaapplaats, maar niet wat ik deed. Ik ging nog steeds 's morgens naar school en 's middags naar mijn lessen. Ik studeerde hard en oefende nog harder. Inmiddels was ik zo verstrengeld met de grotere gemeenschap van Gion Kobu dat ik het verschil nauwelijks merkte, behalve dat ik eindelijk mijn levenslange gewoonte moest opgeven om mezelf aan de borst van Kuniko of Tante Oima in slaap te sabbelen.

Ik bleef het goed doen op school en was erg gesteld op de leraar van de achtste klas. Op een dag werd hij ziek en hij moest naar het ziekenhuis. Ik was nog steeds verwond door Masayuki's dood en doodsbang dat hem hetzelfde lot wachtte. De directeur wilde me niet vertellen waar hij was, maar ik bleef hem achtervolgen tot hij zijn adres opschreef en mij het stukje papier gaf.

Ik ging over tot actie en mobiliseerde de klas. Het protest van de vervangende leraar negerend vouwden wij 999 origami kraanvogels in slechts drie dagen. We bonden ze allemaal bij elkaar in een mobiel dat bedoeld was om het herstel van onze leraar te bespoedigen. Daarna vouwden we de laatste kraanvogel, de duizendste. Die mocht de leraar aan de mobiel bevestigen als hij beter was. Ik mocht de Shijostraat niet oversteken, zodat mijn klasgenoten de mobiel zonder mij moesten afgeven.

Twee maanden later kwam onze leraar terug op school. Hij gaf ons allemaal een potlood als bedankje. Ik was enorm opgelucht dat hij niet was doodgegaan.

Aan het begin van de negende klas verhuisde ik terug naar het Iwasaki okiya.

Tijdens mijn afwezigheid was Tomiko's diensttermijn afgelopen. Tomiko had bij haar komst in het okiya een contract voor een periode van zes jaar getekend. Dit betekende dat ze eigenlijk een werknemer van het okiya was. Omdat haar contract was afgelopen was ze vrij om te blijven werken als geiko, buiten het okiya te wonen maar wel onder het toezicht van het okiya of anders te doen. En zij wilde trouwen.

Omdat ze een contractgeiko was, bleef Tomiko haar hele verblijf in het okiya een Tanaka. Ze werd daarom, en ik niet, aangemoedigd een actieve band met mijn ouders en broers en zussen te onderhouden. Dat deed ze ook en ze bezocht hen regelmatig. Mijn zus Yoshio verloofde zich en haar verloofde stelde Tomiko voor aan de man met wie ze uiteindelijk trouwde.

Ik miste haar, maar het was fijn om weer thuis te zijn. Ik verlangde naar mijn schoolreisje, een hoogtepunt in het leven van iedere Japanse puber. We zouden naar Tokyo gaan. Een week ervoor kreeg ik pijn in mijn buik en ik ging naar de wc. Er was iets helemaal verkeerd. Ik bloedde. Waarschijnlijk had ik aambeien, een familiaire aandoening.

Ik wist niet wat ik moest doen. Na een tijdje kwam Fusae-chan, een van onze leerlingen, kijken of alles met mij in orde was. Ik vroeg haar Tante Oima te roepen die door de deur heen met me praatte.

'Mine-chan, wat is er er aan de hand?'

'Ehh, er is iets vreselijks gebeurd. Ik bloed.'

'Dat is niet vreselijk, Mineko. Je bent in orde. Dit is goed.'

'Zijn aambeien goed?'

'Het zijn geen aambeien. Je bent ongesteld.'

'Wat?'

'Ongesteld. Je menstrueert. Dat is absoluut normaal. Heb je dat niet op school geleerd?'

'Ze hebben ons wel iets verteld. Maar dat is al heel lang geleden.'

Men zou denken dat het wonen in een gemeenschap van enkel vrouwen me wel op deze gebeurtenis zou hebben voorbereid. Maar het tegenovergestelde was waar. Niemand besprak ooit intieme zaken. Ik had geen flauw idee wat er met me gebeurde.

'Ik haal Kun-chan wel om je te helpen. Ik heb de zaken die jij nodig hebt allang niet meer.'

Het huishouden maakte een grote toestand van mijn 'verworvenheid'. Deze gebeurtenis wordt in Japan doorgaans met een speciaal diner thuis gevierd maar omdat ik de Iwasaki-atotori was, maakte Tante Oima er een bijzondere gebeurtenis van. Die avond hadden we een uitgebreid feestdiner in het okiya en mensen uit heel Gion Kobu kwamen hun opwachting maken en me feliciteren. We deelden doosjes met een speciale lekkernij uit, *ochobo*, een klein rond bonbonnetje met een rode punt erop om het op een ontluikende borst te laten lijken.

Ik voelde me behoorlijk opgelaten en, net als veel meisjes van mijn leeftijd, vond ik het een verschrikkelijk idee dat iedereen wist wat er met mij gebeurd was. Waarom moesten we toch altijd dingen vieren waar ik me ongelukkig door voelde?

Yaeko betaalde haar leningen dat jaar af. Ze betaalde Tante Oima het geld terug dat ze in 1952 geleend had om haar schulden te betalen en ze betaalde Ouwe Gemenerik het geld terug dat ze geleend had in 1962 om een huis te kopen. Tante Oima gaf de geleende bedragen terug aan Moeder Sakaguchi.

In plaats van rente schonk Yaeko Ouwe Gemenerik een amethisten obi-gesp. Ouwe Gemenerik was ontzettend beledigd door dat gebaar. Yaeko had de gesp aangeschaft bij een van de juweliers met wie wij altijd zaken deden. Ze wist dat wij precies zouden weten wat die gekost had. Het opzichtige geschenk droeg niet bij aan een verbetering van de relatie, integendeel, het was weer een bewijs van Yaeko's gemene gedrag en gebrek aan begrip voor de manier waarop de karyukai zouden moeten werken.

Ik begon me te verzetten tegen de beperking door de regels die elk aspect van het leven in de karyukai dicteerden. Dat was vrij normaal, ik was immers veertien. Zonder het aan mijn familie te vertellen deed ik iets heel ondeugends. Ik werd lid van een basketbalteam.

Dat was geen kleine prestatie. Het was me strikt verboden me bezig te houden met elke activiteit die lichamelijk letsel zou kunnen veroorzaken. Tegen Ouwe Gemenerik zei ik, dat ik bij de bloemschikclub ging. Ze vond het prachtig dat ik interesse had in zo'n verfijnde hobby.

Ik was dol op de sport. Door het jarenlange dansen waren mijn concentratie en gevoel voor evenwicht uitermate goed ontwikkeld. Ik was een getalenteerd speler. Mijn team werd dat jaar tweede in het regionale toernooi.

Ouwe Gemenerik is er nooit achtergekomen.

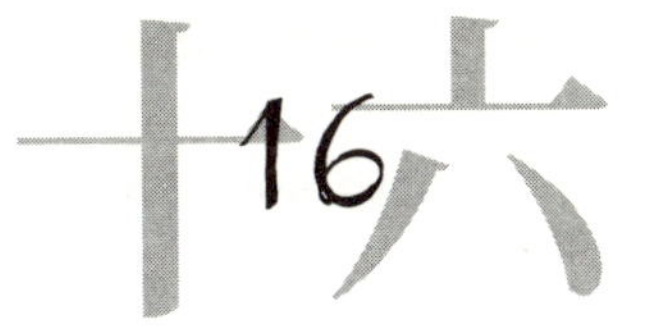

In november 1964, toen ze tweeënnegentig jaar was, werd Tante Oima plotseling ziek waardoor ze veroordeeld was tot haar futon. Mijn vijftiende verjaardag kwam en ging voorbij. Ik bleef zoveel mogelijk aan haar zijde, praatte met haar, masseerde haar oude en vermoeide spieren. Ze wilde niet dat iemand anders dan Kuniko of ik haar baadde of haar ondersteek verschoonde.

In Gion Kobu beginnen we half december met de voorbereidingen voor het nieuwe jaar, voordat de rest van het land ermee begint. Wij beginnen op 13 december, een dag die we *Kotohajime* noemen.

Het eerste op Kotohajime is een bezoek aan de iemoto voor een rituele uitwisseling van begroetingen en geschenken. De iemoto geeft ieder van ons een nieuwe waaier voor het nieuwe jaar. De kleur van de waaier correspondeert met de status die we op dat moment hebben. In ruil daarvoor overhandigen wij haar, uit naam van onze familie, twee dingen: *okagamisam*, twee gestampte, plakkerige rijstwafels op elkaar, en een roodwitte envelop waarin geld zit. De envelop is dichtgebonden met een ingewikkelde versiering van goud- en zilverkoord. De hoeveelheid geld heeft te maken met de 'prijs' van de waaier die we ontvangen hebben, met andere woorden: de status die we binnen de schoolhiërarchie hebben: minder voor kinderen, meer voor senior geiko. Na Kotohajime schenkt de iemoto het snoep en het geld aan een school voor lichamelijk en/of geestelijk gehandicapte kinderen.

Op 13 december kleedde ik me aan en ging plichtsgetrouw op weg voor mijn Kotohajime-bezoek. Ik weet nog dat ik me wat weemoedig voelde. Dit was mijn laatste jaar als amateur. Volgens de planning zou ik de volgende herfst, als ik zestien jaar was, mijn maiko-examen afleggen en als ik daarvoor zou slagen, zou mijn beroepscarrière beginnen.

Ik raakte dan ook in de war toen Grote Mevrouw naar me knikte en zei: 'Mine-chan, overmorgen is er een examen bij de Nyokoba en ik wil dat jij eraan meedoet. Het begint om tien uur, dus zorg dat je er precies om half tien bent.'

Ik kon niet anders dan het ermee eens zijn, al zag ik het niet zo zitten om naast Tante Oima's ziekte nog iets aan mijn hoofd te hebben. Ik ging naar huis en vertelde Tante Oima het nieuws. De verandering die er bij haar plaatsvond was verbazend. Ze leek weer helemaal de oude. Ze glimlachte en begon zelfs het *suisui* te zingen. Voor het eerst begreep ik hoe belangrijk het voor Tante Oima was dat ik een maiko werd. Dat was een krachtige bewustwording. Ik had werkelijk niet goed opgelet.

Ouwe Gemenerik kwam tijdens een feestmaal even naar huis. Tante Oima vertelde haar over het examen. Ouwe Gemenerik raakte zo mogelijk nog opgewondener dan tante Oima.

'O, mijn hemel! Dan hebben we niet veel tijd meer. Kuniko, zeg al mijn verdere afspraken voor vandaag af. Zeg ze eigenlijk voor morgen en overmorgen ook maar allemaal af. Goed, Mineko, we gaan aan het werk. Bel eerst twee meisjes van je groep en vraag of ze hier willen komen. Het is beter als je in een groepje oefent. Schiet op, we moeten aan de slag.'

Ik probeerde niet te lachen om haar bemoeizuchtige houding.

'Ik hoef volgend jaar pas het echte examen te doen. Dit stelt niet zoveel voor. Ik ken de dansen wel zo'n beetje.'

'Praat geen onzin. We moeten aan de slag en we hebben niet veel tijd. Ga nu je vriendinnen bellen. En doe het snel.'

Ik zag nog steeds de reden niet maar deed wat me gezegd werd.

De meisjes waren blij met de extra aandacht.

We hadden opdracht gekregen zeven stukken in te studeren. Ouwe Gemenerik haalde haar shamisen tevoorschijn en begon te spelen. We oefenden elk stuk honderden keren. We werkten dag en nacht met slechts korte eet- en slaappauzes. Aan het eind van de twee dagen kende ik ieder beweginkje van alle zeven dansen tot in de kleinste details uit mijn hoofd. Ouwe Gemenerik versaagde geen moment. Ze was ongelooflijk.

Op 15 december maakte Ouwe Gemenerik me extra vroeg wakker, zodat we in ieder geval op tijd bij de Nyokoba waren. Er zaten dertien meisjes te wachten in Studio 2. Iedereen was zenuwachtig, behalve ik. Het belang van dit moment was nog steeds niet tot me doorgedrongen.

Voor sommigen van hen was vandaag de laatste kans. Als ze dit keer niet slaagden moesten ze hun droom om maiko te worden opgeven.

Om de beurt werden we voor ons examen naar binnen geroepen. De deur was dicht, dus we konden niet zien wat zich daarachter afspeelde. Dit verhoogde de angstige spanning die in de hal voelbaar was.

We kregen niet te horen welk stuk we moesten uitvoeren tot we binnen waren en, alleen, op het podium stonden. Op dat moment vertelde Grote Mevrouw wat we moesten doen.

Twee van mijn vriendinnen waren voor mij aan de beurt.

'Wat moesten jullie doen?' vroeg ik toen ze naar buiten kwamen.

'*Torioi* [Verhaal van de wandelende shamisenspeler],' antwoordden beiden.

'Echt makkelijk,' dacht ik. 'Die kan ik wel.' Ik begon *Torioi* in gedachten te dansen en voerde nauwgezet iedere beweging uit. Ik begreep echt niet waar iedereen zo ongerust over was.

Toen was ik aan de beurt.

Het eerste deel van het examen bestond uit het openen van de deur. Ik deed het exact zoals ik het geleerd had. De bewegingen waren inmiddels een tweede natuur geworden en voelden vloeiend en sierlijk aan.

Ik schoof de deur open, boog en vroeg toestemming om binnen te komen. Ik begreep nu waarom de andere meisjes zo zenuwachtig waren. Grote Mevrouw zat daar niet alleen. Alle Kleine Mevrouwen waren er. En de eigenaar van het Ichirikitei. En leden van de Kabukai. En afgevaardigden van de ochaya en de geikoverenigingen. En mensen die ik niet kende. Er zaten rijen mensen voor het podium. Klaar om te oordelen.

Ik probeerde mijn kalmte te bewaren en besteeg het podium zo rustig mogelijk.

Grote Mevrouw richtte zich tot mij en zei één woord: '*Nanoha* [Verhaal van een vlinder en een koolzaadbloem].'

Oeps, dacht ik. Geen Torioi. Goed dan, dit is het. Doe wat je kunt.

Ik wachtte een moment, zei 'dank u wel', groette de jurycommissie en begon te dansen. Het eerste deel van het stuk voerde ik vlekkeloos uit. Maar toen, net voor het eind, maakte ik een minuscuul foutje. Ik stopte meteen, midden in een pose.

Ik wendde me tot de begeleider en zei: 'Ik heb een fout gemaakt. Wilt u alstublieft weer aan het begin beginnen.'

Grote Mevrouw onderbrak me. 'Als je niets gezegd had, zou het niemand opgevallen zijn. Neem me niet kwalijk, iedereen, hebben jullie, aangezien Mineko al bijna klaar was met het stuk, er bezwaar tegen als ze alleen het laatste stuk opnieuw doet?'

'Natuurlijk niet,' antwoordde iedereen.

'Mine-chan, dan alleen het laatste stuk alsjeblieft.'

'Ja,' zei ik en ik maakte het stuk verder af.

Ik bedankte de jury opnieuw en verliet het podium.

Ouwe Gemenerik liep als een getergde tijger door de hal. Ze sprong op me af zodra ze me zag. 'Hoe ging het?'

'Ik heb een fout gemaakt.'

'Een fout? Wat voor fout? Was het erg? Denk je dat je gezakt bent?'

'Vast.'

'O, hemeltjelief, ik hoop het niet.'

'Hoezo?' Ik nam het hele gebeuren nog steeds niet erg serieus.

'Omdat Tante Oima gebroken zal zijn. Ze ligt daar met ingehouden adem op de uitslag te wachten. Ik had zo gehoopt dat ik haar goed nieuws kon brengen.'

Nu voelde ik me echt vreselijk. Ik had helemaal niet meer aan Tante Oima gedacht. Ik was niet alleen een slechte danseres, ik was ook egoïstisch en ontrouw. Hoe langer we wachtten, hoe slechter ik me voelde. Eindelijk ontbood een Kabukai-lid ons naar de ingang van de Nyokoba.

'Hier volgt de uitslag van de examens van vandaag. Het doet me genoegen aan te kondigen dat juffrouw Mineko Iwasaki eerste is geworden met 97 punten. Gefeliciteerd, Mineko.'

Vervolgens hing hij een lijst op de muur. 'Dit zijn de andere resultaten. Het spijt me voor degenen die het niet gehaald hebben.'

Ik kon het niet geloven. Ik dacht dat er een fout gemaakt moest zijn. Maar daar stond het, zwart op wit.

'Het kan niet mooier,' Ouwe Gemenerik was dolblij. 'Tante Oima zal buiten zichzelf zijn van vreugde! Echt waar, Mineko, ik ben zo trots op je. Wat een prestatie! Laten we het vieren voor we naar huis gaan, goed? Laten we je vriendinnen uitnodigen om met ons mee te gaan. Waar zullen we naartoe gaan? Alles wat je wilt, is goed. Ik trakteer.' Ze kakelde maar door.

We gingen met de hele groep naar Takarabune om steak te eten. Het duurde uren voordat we er waren. Ouwe Gemenerik boog namelijk voor praktisch iedereen die we onderweg tegenkwamen en verkondigde: 'Mineko is eerste geworden! Dank u hartelijk!'

Ze bedankte iedereen omdat ze, net als vele Japanners, geloofde dat er een dorp nodig is om een kind op te voeden. Ik was meer het product van een groepsinspanning dan van een enkel individu. En die groep was Gion Kobu.

De eigenaren van het restaurant waren oude vrienden en zij overlaadden ons met eten en felicitaties. Iedereen vermaakte zich uitstekend maar ik was niet erg gelukkig. Een van de meisjes vroeg wat er met me aan de hand was.

'Hou gewoon je mond en eet je steak,' zei ik.

Ik was niet in een slecht humeur. Er spookten veel gedachten en emoties door mijn hoofd. Ik was blij dat ik voor mijn examen geslaagd was, maar had te doen met degenen die gezakt waren. Ik was dodelijk ongerust over Tante Oima. En ik dacht na over mijn band met Ouwe Gemenerik.

Ik woonde nu tien jaar in het Iwasaki okiya. Masako had me vijf jaar geleden in de familie geadopteerd. Ik dacht er over na dat ik mezelf nooit had toegestaan haar 'Moeder' te noemen.

Op een keer, nadat de adoptiepapieren al binnen waren, was ik aan het spelen met een waterpistool en, in een kinderlijke poging om aandacht te krijgen, spoot haar nat. Ze kwam achter me aan en zei: 'Als jij mijn echte kind was, zou ik je een pak slaag geven.' Het was als een klap in mijn gezicht. Ik dacht dat ik haar kind was. In ieder geval op een bepaalde manier. Ik hoorde niet langer bij mijn eigen moeder. Bij wie hoorde ik dan wel?

Toen Masako jonger was, had Tante Oima haar aangeraden om te proberen een kind te krijgen. Het is de taak van de karyukai om de zelfstandigheid van vrouwen te bevorderen en er rust geen stigma op alleenstaande moeders. Zoals ik eerder genoemd heb, is het makkelijker meisjes dan jongens op te voeden in de karyukai, maar toch hebben veel vrouwen er ook hun zonen opgevoed. Tante Oima hoopte natuurlijk dat Masako een dochter zou krijgen die de familienaam verder kon dragen, een atotori.

Maar Masako weigerde haar raad in overweging te nemen. Ze had haar problemen met haar buitenechtelijke staat nooit echt overwonnen en wilde niet iemand in een zelfde situatie brengen. Daarbij was ze lichamelijk verzwakt door de tuberculose. Ze wist niet of ze sterk genoeg was om een kind te dragen.

Toen ik geadopteerd werd, nam ik me voor Ouwe Gemenerik nooit 'Moeder' te noemen. En nu wist ik het niet meer zo zeker. Ik dacht aan de afgelopen twee dagen. Aan hoe hard ze voor me gewerkt had. Aan hoe graag ze gewild had dat ik slaagde. Een echte moeder zou niet meer hebben kunnen doen...

Misschien is het tijd om van mening te veranderen, dacht ik.

Na de maaltijd sprong ik in het diepe. Ik keek haar recht aan en zei: 'Mama, laten we naar huis gaan.'

De uitdrukking van verrassing die over haar gezicht flitste, duurde één ogenblik maar ik zal die nooit vergeten. 'Ja, laten we dat doen,' glimlachte ze. 'Dank jullie allemaal hartelijk voor je komst. Ik vond het fijn dat jullie erbij waren.'

We liepen terug naar het Iwasaki okiya. 'Dit was een van de mooiste dagen van mijn leven,' zei ze.

We spoedden ons naar Tante Oima's kamer om haar het goede nieuws te vertellen. Ik had zelfs de tegenwoordigheid van geest om haar te bedanken voor alle inspanningen die ze zich voor mij getroost had.

Tante Oima was dolblij maar probeerde nuchter te blijven: 'Ik heb er nooit aan getwijfeld dat je zou slagen. Helemaal nooit. Nu moeten we gaan nadenken over je garderobe. Daar zullen we morgen mee beginnen. Masako, we moeten Eriman, Saito en een aantal anderen bellen. Laten we een lijst maken. We hebben veel te doen!'

Tante Oima was stervende maar niets ontging haar. Hier had ze voor geleefd. En ze zwoer een plechtige eed dat mijn debuut opzienbarend zou zijn. Ik was blij dat zij gelukkig was, maar ik had gemengde gevoelens over maiko worden. Ik dacht nog steeds dat het niet was wat ik wilde. Ja, ik wilde doorgaan met dansen. Maar ik wilde ook naar de middelbare school.

Na het examen ging alles zo snel dat ik weinig tijd had om na te denken. Het was al 15 december. Moeder Sakaguchi, Tante Oima en Mama Masako besloten dat ik op 15 februari een *minarai*, leerling-maiko, zou worden en dat ik mijn officiële debuut of *misedashi* op 26 maart zou maken.

Doordat ik een jaar eerder maiko werd, zou ik met de lessen aan de Nyokoba beginnen voordat ik op 15 maart mijn toelatingsexamen voor de basisschool had gedaan. En als ik moest deelnemen aan de Miyako Odori in de volgende lente, dan zou ik vanaf volgende maand beschikbaar moeten zijn voor persafspraken.

Het was een drukte van belang in het Iwasaki okiya voor mijn debuut en ook de komst van het nieuwe jaar. Onze hulpbronnen werden tot het uiterste aangesproken. Tante Oima was bedlegerig en moest verzorgd worden. Het okiya moest van onder tot boven grondig schoongemaakt worden. Het was een voortdurend komen en gaan van leveranciers, die geraadpleegd moesten worden over verschillende onderdelen van mijn garderobe. Kun-chan, Aba en Mama Masako hadden hun handen vol en ik bracht elke vrije seconde door bij Tante Oima. Tomiko kwam regelmatig langs om in de gekte te helpen. Ze was in verwachting van de eerste van haar twee zonen maar was toch zo vriendelijk om te helpen bij de voorbereidingen voor mijn debuut.

Ik was me ervan bewust dat de tijd die ik met Tante Oima doorbracht kostbaar was. Ze vertelde me duidelijk hoe blij ze was dat ik had besloten om Masako Moeder te noemen. 'Mineko, ik weet dat Masako een moeilijk iemand is, maar ze is een heel goed mens. Ze heeft zo'n zuiver hart dat ze soms te serieus en te direct overkomt. Maar je kunt haar altijd vertrouwen. Dus wees alsjeblieft aardig tegen haar. Er zit geen greintje slechtheid in haar. Ze is anders dan Yaeko.'

Ik deed mijn best om haar gerust te stellen. 'Ik begrijp het, Tante Oima. Maakt u zich alstublieft geen zorgen over ons. We redden het prima. Kom, ik zal u lekker masseren.'

Minarai ben je maar voor een korte periode, een maand of twee. Minarai betekent leren door observeren. Het is een kans voor een aankomende maiko om ervaring uit de eerste hand in de ochaya op te doen. Ze draagt beroepskleding en woont late feestmalen bij. Ze observeert de ingewikkelde nuances in gedrag, etiquette, houding en gespreksvaardigheid, die zij binnenkort ook zelf moet kunnen laten zien.

De minarai wordt door een ochaya gesteund (haar *minaraijaya*), maar het staat haar vrij om ook feestmalen in andere gelegenheden bij te wonen. Iedere avond kleedt zij zich en meldt zich voor werk in haar ochaya. De eigenaar regelt haar afspraken. Dat is handig, omdat de eigenaar in haar of zijn rol als mentor ter plekke is om vragen te beantwoorden die zich kunnen voordoen. Het is niet ongebruikelijk dat er tussen eigenaar en minarai een band ontstaat die jaren kan duren.

Een van de eerste beslissingen die mijn opvoeders moesten nemen nadat ik geslaagd was voor dat onverwachte examen, was welk ochaya ze de zorg voor mij zouden toevertrouwen. Ze hadden meerdere opties. Sakaguchi-vrouwen werden doorgaans leerling bij de Tomiyo, de Iwasaki's bij de Mankiku en Yaeko had haar minarai bij de Minomatsu ondergebracht. Om de een of andere reden kozen mijn verzorgers de Fusanoya. Dat had vast te maken met de politieke situatie in Gion Kobu op dat moment.

Op 9 januari kwam de Kabukai met een verzegeld document waarin de namen van de geiko stonden die aan de Miyako Odori van dat jaar zouden meedoen. Mijn naam stond ertussen. Het was nu officieel.

Ik kreeg te horen dat de fotosessie voor de reclamebrochure op 26 januari plaats zou vinden. Dat betekende dat het Iwasaki okiya voor die datum moest zorgen voor een traditioneel ensemble voor mij. Het reeds hoge voorbereidingstempo werd nu een wervelwind.

Op 21 januari ging ik na mijn dansles naar Tante Oima om mijn verdere dag met haar door te brengen. Het was alsof ze gewacht had tot ik thuiskwam, want toen ik naast haar ging zitten, blies ze haar laatste adem uit. Kun-chan was er ook bij. We waren zo van slag dat we geen van beiden konden huilen. Ik weigerde te geloven dat ze er echt niet meer was.

Ik herinner me Tante Oima's begrafenis in tonen zwart en wit, als een oude film. Het was een ijskoude ochtend. Het sneeuwde. De grond was bedekt met een wit tapijt. Honderden rouwenden verzamelden zich in het Iwasaki okiya. Ze droegen allemaal sombere, zwarte rouwkimono.

Er lag van de genkan naar de altaarkamer een loper die helemaal bedekt was met een acht centimeter dikke laag zout. Het was een pad van zout, puur wit zout.

Mama Masako zat vooraan. Ik zat naast haar. Kuniko zat naast mij. De doodskist stond voor het altaar. De boeddhistische priesters zaten voor de kist en zongen soetra's.

Na de begrafenisdienst vergezelden we de kist naar het crematorium. Daar wachtten we twee uur terwijl zij gecremeerd werd. Vervolgens pakten we met speciale stokjes wat van haar verkoolde botten en deden dat in een urn. De as was wit. We brachten de urn naar het Iwasaki okiya en zetten hem op het altaar. De priesters kwamen weer en wij, de familie, woonden een besloten dienst bij.

De sterke contrasten van de dag leken de intense helderheid en waardigheid van Tante Oima's leven te weerspiegelen.

Mama Masako was nu eigenaresse van het Iwasaki okiya.

We gingen door met de voorbereidingen voor mijn debuut. Ik moest me klaarmaken om deel te nemen aan de afgesproken fotosessie op 26 januari. Dat was op de zevende dag na het overlijden van Tante Oima, de dag waarop de eerste herdenkingsdienst voor haar werd gehouden.

Die ochtend ging ik naar een topkapper en liet mijn haar doen. Daarna kwam Moeder Sakaguchi naar het okiya om mijn hals en gezicht op te maken. Ik zat voor haar en voelde me koninklijk en volwassen met mijn eerste officiële kapsel. Ze keek me aan met een pijnlijk tedere uitdrukking van trots. Op dat moment realiseerde ik me dat Tante Oima dood was. Ik barstte in huilen uit. Eindelijk. De genezing was begonnen. Ik huilde twee uur en liet iedereen wachten; pas daarna kon Moeder Sakaguchi met het aanbrengen van mijn make-up beginnen.

Negenenveertig dagen na haar overlijden zetten we de urn van Tante Oima bij in het Iwasaki-graf op de Otani-begraafplaats.

17

De esthetica van het okiya komt voort uit de traditionele Japanse theeceremonie, een veeleisende artistieke discipline die wellicht beter vertaald zou zijn met 'de gewoontes rondom thee'.

Theeceremonies zijn nauwkeurig omschreven rituelen, die bedoeld zijn om de simpele daad van het theedrinken met een groepje vrienden te vieren, een plezierige onderbreking van de zorgen van alledag. Er is een enorme mate van handigheid nodig om de volmaakte eenvoud van de theeceremonie te scheppen. Het theehuis en ieder handgemaakt voorwerp dat gebruikt wordt, zijn kunststukken die met uiterste zorg vervaardigd zijn. De gastheer of -vrouw bereidt ieder van zijn of haar gasten een kop thee met een reeks minutieus gechoreografeerde en eindeloos geoefende gebaren. Niets wordt aan het toeval overgelaten.

Dat geldt ook voor de ochaya. Al het mogelijke wordt gedaan om te zorgen dat de gasten een prachtige ervaring hebben. Geen detail wordt overgeslagen. Een viering in een ochaya wordt *ozashiki* genoemd. Dit kan ruwweg vertaald worden met banket of feestmaal én het is de naam van de besloten ruimte waarin de viering plaatsvindt.

Een ozashiki is een gelegenheid voor een gastheer of -vrouw en gasten om te genieten van het allerbeste dat een ochaya te bieden heeft op het gebied van eten, ontspanning, stimulerende gesprekken en verfijnd vermaak. Een ozashiki duurt enkele uren en vindt plaats in een geheel besloten, ongerepte ruimte en is, net als een theeceremonie, een prettige onderbreking van de dagelijkse beslommeringen. De ochaya leveren de omgeving, de maiko en geiko werken als katalysatoren, maar uiteindelijk is het de subtiliteit van de gasten die bepalend is voor de sfeer van de avond.

Men kan alleen via recommandatie cliënt bij een ochaya worden. Het is niet mogelijk er zomaar binnen te lopen. Nieuwe cliënten kunnen met het systeem kennismaken via cliënten die al een goede positie in de karyukai hebben. Dit leidt tot een intrinsiek proces van zelfselectie, waardoor iedere gast die de middelen heeft om een feestmaal te geven in een ochaya in Gion Kobu bijna per definitie een betrouwbaar, goed opgeleid en welgemanierd iemand is. Het is niet ongebruikelijk dat ouders hun jongvolwassen kinderen meenemen naar een feestmaal als onderdeel van hun opvoeding. Het komt voor dat een familie al generaties lang met een bepaald ochaya verbonden is.

Een regelmatige bezoeker van Gion Kobu gaat een vaste relatie aan met een ochaya. Soms bezoekt een cliënt twee gelegenheden, een voor zaken en een voor ontspannen gezelligheid, maar meestal gebruikt men één ochaya voor beide doelen.

Er ontwikkelt zich een grote trouw tussen een ochaya en de geregelde cliënten, die vaak minimaal een en soms verscheidene ozashiki per week geven. Tegelijkertijd krijgen cliënten vaak echte relaties met de geiko die zij het aardigst vinden. Wij leren onze vaste cliënten erg goed kennen. Enkele van de meest waardevolle relaties in mijn leven zijn tijdens ozashiki begonnen. Mijn favoriete cliënten waren de deskundigen op een bepaald kennisgebied.

Sommige cliënten vond ik zo aardig dat ik altijd wel tijd vond om hun ozashiki bij te wonen, ongeacht hoe vol mijn agenda was. Anderen trachtte ik te vermijden. Het belangrijkste is echter dat de geiko wordt ingehuurd om de gastheer of -vrouw van de ozashiki en zijn/haar gasten te vermaken. Zij moet ervoor zorgen dat de mensen zich goed voelen. Als een geiko een ozashiki binnengaat, dient zij naar degene toe te gaan die op de ereplaats zit voor een gesprek. Ongeacht wat ze denkt, moet haar gelaatsuitdrukking zijn: 'Ik wilde ontzettend graag naar u toekomen en met u praten.' Als haar gezicht uitdrukt: 'Ik kan u niet uitstaan', dan verdient ze het niet een geiko te zijn. Het is haar taak om bij iedereen iets aantrekkelijks te vinden.

Soms moest ik aardig zijn tegen mensen die ik fysiek afstotelijk vond. Dat was het zwaarst, want het is moeilijk een reactie hierop te verbergen. Maar de cliënten hadden betaald voor mijn gezelschap. Het minste dat ik kon doen, was iedereen hoffelijk behandelen. Het bedekken van persoonlijke voor- en afkeuren onder een laagje welopgevoedheid is een van de belangrijkste uitdagingen van het beroep.

Vroeger waren cliënten meestal kunstliefhebbers en mensen die de shamisen, traditionele kunst of Japanse dans bestudeerden. Zij waren dus geschoold in wat ze zagen en wilden graag de levendige, artistieke dialoog aangaan waarin maiko en geiko zo goed zijn. Helaas hebben bemiddelde mensen tegenwoordig niet meer de tijd en de interesse er zulke hobby's op na te houden. De schoonheid en kennis van maiko en geiko staan echter op zichzelf en kunnen door iedereen gewaardeerd worden.

De onderwerpen van gesprek tijdens een feestmaal zijn zeer verschillend en geiko worden verondersteld op de hoogte te zijn van de actualiteit en hedendaagse literatuur en ze moeten goed thuis zijn in traditionele kunstvormen, zoals de theeceremonie, bloemschikken, poëzie, kalligrafie, schilderen. De eerste veertig of vijftig minuten van een feestmaal worden doorgaans gewijd aan een plezierig gesprek over deze onderwerpen.

Serveersters (*nakai*) dienen het eten op, geholpen door dienstmeisjes, maar de geiko schenken de sake in. Het behoeft geen betoog dat de keuken voortreffelijk moet zijn. Ochaya bereiden meestal niet zelf het voedsel maar verlaten zich op de vele gourmetrestaurants en cateringdiensten (*shidashi*) in dit gebied voor het leveren van feestmaaltijden in overeenstemming met de smaak en de portemonnee van de gastheer.

De kosten voor een feestmaal in een ochaya zijn niet gering. Een ozashiki kost zo'n vijfhonderd dollar per uur. Dat is inclusief het gebruik van de ruimte en de diensten van het ochaya-personeel, maar exclusief het voedsel, de drank en de beloning voor de diensten van de geiko. Een feest van twee uur met een volledig diner voor een aantal gasten en de aanwezigheid van drie of vier geiko kost algauw tweeduizend dollar.

De ochaya moeten voldoen aan de kritische eisen van cliënten uit de hoogste regionen van de Japanse en internationale samenleving. Historisch geworteld in de verfijnde esthetica van de theeceremonie, belichamen de ochaya het beste uit de traditionele Japanse architectuur en interieurontwerpen. Elke ruimte dient een tatami-vloer en een tokonoma (alkoof) te hebben, compleet met de voor die maand juiste wandrol en een mooie bloemschikking in een gepaste vaas. Deze voorzieningen worden per gast aangepast.

Op een bepaald tijdstip verzorgen de geiko een voorstelling. Er zijn eigenlijk twee soorten geiko, *tachikata* en *jikata*. Een tachikata is een belangrijke artiest. Zij is opgeleid om te dansen en een ander instrument dan de shamisen te bespelen, bijvoorbeeld fluit of handtrom. Een jikata is een begeleidster die opgeleid is om de shamisen te bespelen en te zingen. Tachikata beginnen hun opleiding jong en debuteren als maiko in hun vroege tienerjaren, terwijl jikata, die als gewone geiko debuteren, meestal een kortere opleiding hebben en debuteren als ze al wat ouder zijn (zoals mijn zus Tomiko).

Fysieke schoonheid is een vereiste om tachikata te worden, maar is dit niet voor jikata. Tachikata die zich niet tot vaardige danseressen ontwikkelen, leggen zich toe op het volledig beheersen van hun instrument.

Het Iwasaki okiya stond bekend om het drummen en ik had les op de *tsutsumi* handtrom vanaf heel jonge leeftijd. Door mijn roem als danseres werd ik tijdens ozashiki zelden gevraagd de tsutsumi te bespelen, maar deed dat ieder jaar op het podium tijdens de Miyako Odori.

Tijdens een feestmaal zal een tachikata dansen. Een jikata-geiko bespeelt de shamisen en zingt. Na de voorstelling gaat het gesprek meestal over artistieke aangelegenheden. De geiko kan een amusant verhaal vertellen of een drinkspel met de groep doen.

De beloning van een geiko wordt berekend aan de hand van tijdseenheden, *hanadai* of 'bloemkosten', meestal in lengtes van vijftien minuten, en aan de cliënt in rekening gebracht. Als aanvulling hierop geven cliënten de geiko ook fooien (*goshugi*), die in kleine witte envelopjes in haar obi of mouw kunnen worden gestoken. Die mag ze zelf houden.

Aan het eind van de avond berekent het ochaya de hanadai voor alle maiko en geiko die aanwezig zijn geweest bij de feestmalen van die avond. Ze schrijven de uitkomsten op briefjes die in een doos bij de ingang van het ochaya worden gelegd. De volgende ochtend maakt een vertegenwoordiger van de *kenban*, een kantoor voor financiële zaken, de ronde langs de ochaya om alle briefjes van de avond tevoren op te halen. De bedragen worden opgeteld en dan doorgegeven aan de Kabukai. De kenban is een onafhankelijke organisatie die deze dienst uitvoert namens de geiko-organisatie.

De kenban controleert bij de okiya of de rekeningen met elkaar kloppen en als er geen fouten gemaakt zijn, berekent de kenban de verdeling van de inkomsten. Zij vertellen het ochaya hoeveel belasting en maandelijkse lasten er betaald moeten worden. Vervolgens specificeren zij het bedrag dat het ochaya aan het okiya moet betalen.

De ochaya doen hun eigen boekhouding en factureren hun cliënten regelmatig. Vroeger gebeurde dat eenmaal per jaar, nu eens per maand. Als de ochaya betaald zijn, rekenen ze af met de okiya.

De Okasan van het okiya noteert het ontvangen bedrag in het grootboek van de geiko, trekt kosten en uitgaven eraf en maakt de rest over naar de rekening van de geiko.

Door dit transparante boekhoudsysteem weten we welke geiko op een willekeurige dag het meest verdiend heeft. Het is altijd duidelijk wie nummer één is.

De 15de februari was een grote dag. Ik begon met de repetities voor de Miyako Odori, met een volledig leerprogramma aan de Nyokoba (de laatste maand van de basisschool nam ik vrij) en mijn stageperiode van ongeveer een maand als minarai bij het Fusanoya ochaya.

Moeder Sakaguchi kwam naar het okiya om toezicht te houden op het proces van aankleden en zijzelf zou mijn make-up aanbrengen.

Een maiko in vol kostuum benadert vrij nauwkeurig het Japanse ideaal van vrouwelijk schoon. Ze heeft het klassieke uiterlijk van een Heian-prinses, alsof ze zo van een elfde-eeuwse rolschildering is gestapt. Haar gezicht is perfect ovaal. Haar huid is wit en gaaf, haar haar zwart als een raaf. Haar wenkbrauwen zijn halve manen, haar mond een delicate rozenknop. Haar hals is lang en zinnelijk, haar figuur heeft zachte rondingen.

Ik ging naar de kapper om mijn haar te laten opmaken in *wareshinobu*-stijl, het eerste kapsel dat een maiko draagt. Het haar wordt bij elkaar gepakt en tot een massa op het hoofd gevormd, vastgezet met rode zijden linten (*kanoko*) voor en achter en versierd met *kanzashi*, de decoratieve pinnen die zo typisch zijn voor de karyukai-stijl. Men zegt dat deze simpele, elegante stijl de halslijn van het jonge meisje en de frisheid van haar gelaatstrekken optimaal onder de aandacht brengt.

Nadat ik klaar was bij de kapper ging ik naar de barbier om mijn gezicht te laten scheren, een algemeen gebruik bij Japanse vrouwen. Mijn gezicht was voor het eerst door mijn vader geschoren nadat hij voor de eerste keer mijn haren had geknipt, op de dag dat ik één jaar werd. Daarna heb ik het elke maand laten doen.

Toen ik eenmaal een maiko was, ging ik eens in de vijf dagen naar de kapper. Om het kapsel in vorm te houden sliep ik op een rechthoekig, gelakt houten hoofdkussen waar een smal kussentje op lag. In het begin kon ik zo niet slapen, maar ik raakte er gauw aan gewend. Andere meisjes vonden het moeilijker. Het okiya had een foefje om ervoor te zorgen dat wij het kussen 's nachts niet weghaalden. De dienstmeisjes strooiden rijstzemelen rondom het kussen. Als een van de meisjes het kussen weghaalde, plakten er stukjes rijst op haar haarpommade en moest zij de volgende ochtend een niet zo leuk uitstapje naar de kapper maken.

Ik droeg twee haarpinnen met zijden pruimenbloesem (omdat het februari was) aan de zijkanten achter op de haarwrong, een paar zilveren vleugeltjes (*bira*) aan de zijkanten op de voorkant, een oranjebloesemspeld (*tachibana*) bovenop en een lange pin met aan het uiteinde balletjes van rode koraal (*akadama*) en jade, die horizontaal door de onderkant was gestoken.

Moeder Sakaguchi bracht de voor maiko zo typische witte make-up aan op mijn gezicht en hals. Deze make-up heeft een interessante geschiedenis. Oorspronkelijk werd hij gedragen door mannelijke aristocraten als ze op audiëntie gingen bij de keizer. In vroeger tijden werd de keizer, die beschouwd werd als een heilige verschijning, bij de ontvangst van zijn onderdanen aan hun oog onttrokken door een dunne doek. De audiëntieruimte werd verlicht door kaarsen. De witte make-up reflecteerde het weinige licht dat er was, waardoor de keizer makkelijker kon zien wie wie was.

Dansers en acteurs namen deze gewoonte later over. De witte make-up ziet er niet alleen beter op het toneel uit, hij geeft ook de waarde aan die er aan een lichte huid gehecht wordt. Vroeger bevatte de make-up zink, wat heel slecht was voor de huid, maar dat zit er nu niet meer in.

Moeder Sakaguchi bracht vervolgens roze poeder op mijn wangen en wenkbrauwen aan. En een stip rode lippenstift op mijn onderlip. (Een jaar later ging ik ook op mijn bovenlip lippenstift dragen.) En dan was het tijd om te worden aangekleed.

De kimono van een maiko wordt een *hikizuri* genoemd. Deze verschilt van een gewone kimono door de lange mouwen en een brede omslag, die laag om de nek geslingerd wordt gedragen. De zoom van de omslag is verzwaard en waaiert in een prachtige boog uit. De hikizuri wordt op z'n plek gehouden door een uitzonderlijk lange obi (bijna zeven meter lang) die achterop samengebonden is, met naar beneden hangende slippen. De kimono van een mirarai lijkt op die van een maiko, alleen zijn de omslag en de obi niet zo lang; het naar beneden hangende deel van de obi is half zo lang als bij een maiko.

Mijn kimono was gemaakt van met patronen bedrukte satijn in vele schakeringen turkoois. De zware zoom van de omslag was in tinten dieporanje geverfd, met daar tegenaan vlagen dennennaalden, esdoornbladeren, kersenbloesem en chrysantenbloemen. Mijn obi was gemaakt van zwart damast, versierd met zilveren zwaluwstaartvlindertjes.

Ik droeg een traditionele handtas, een *kago*. Deze heeft een gevlochten onderkant met daarbovenop een buidel van kleurige, geknoopverfde zijde, *shibori*, die gemaakt wordt door in de zijde met draadjes talloze knoopjes te maken voordat het geverfd wordt. Het geeft een prachtig gevlekt resultaat. Kyoto is beroemd om deze techniek, die ook door mijn moeder beoefend werd.

De shibori voor mijn handtas was een lichte perzikkleur en vertoonde een patroon van koolvlinders. De tas bevatte mijn danswaaier (versierd met de drie rode diamanten van de familie Konoe – persoonlijke adviseurs van de keizer – tegen een gouden achtergrond), een rood-wit handdoekje met bijpassend patroon, een houten kam en verschillende andere benodigdheden. Al deze voorwerpen waren verpakt in zakjes van dezelfde zijde als de tas en alles droeg mijn monogram.

Uiteindelijk was ik aangekleed en klaar om te gaan. Ik stapte in mijn okobo en het dienstmeisje schoof de voordeur voor me open. Ik wilde over de drempel stappen maar bleef verrast staan. De straat was vol mensen die schouder aan schouder stonden. Er was geen sprake van dat ik naar buiten ging.

Verward draaide ik me om.

'Kun-chan, ik weet niet wat er buiten aan de hand is, maar er staan wel één miljoen mensen in de straat. Mag ik wachten tot ze weg zijn?'

'Doe niet zo raar, Mineko. Die mensen willen jou zien.'

Ik wist dat de mensen uitkeken naar mijn debuut als maiko, maar ik had er geen idee van in welke mate. Veel mensen hadden jarenlang naar dit moment toegeleefd.

Stemmen klonken van buiten:

'Kom naar buiten, Mineko! Laat ons zien hoe mooi je bent!'

'Ik kan al die mensen niet onder ogen komen. Ik wacht wel tot er minder zijn.'

'Mineko, die mensen gaan nergens heen. Negeer hen als het moet, maar het is de hoogste tijd om te gaan. Je kunt op je eerste dag niet te laat komen.'

Ik bleef weigeren. Ik wilde niet dat al die mensen naar me keken. Kuniko werd wanhopig. De loper van de Fusanoya wachtte buiten om me te vergezellen. Zij raakte geïrriteerd. Kuniko probeerde haar te bedaren en tegelijkertijd mij in beweging te krijgen.

Uiteindelijk las ze me de les. 'Je moet het doen voor Tante Oima. Dit heeft ze altijd gewild. Waag het niet haar teleur te stellen.'

Ik wist dat ze gelijk had. Ik had geen keuze.

Ik keerde me weer naar de deur. Ik haalde diep adem en dacht: Goed dan papa, mama. Tante Oima. Daar ga ik! Ik slaakte een zacht vastberaden gromgeluidje en zette mijn voet over de drempel.

Weer een brug. Weer een overgang.

De menigte barstte los in een oorverdovend applaus. Mensen riepen felicitaties en complimenten maar ik was te verstard om er iets van te horen. Ik hield de hele weg naar de Fusanoya mijn gezicht naar beneden en mijn ogen verborgen. Langs de hele route stonden veel sympathisanten en het was al tamelijk laat nadat we ons een weg daardoor hadden gebaand. Ik zag hen niet, maar ik weet zeker dat mijn ouders er waren.

De meester (*otosan* of vader) van het ochaya berispte me onmiddellijk omdat ik te laat was. 'Er is geen excuus voor te laat komen, jongedame, vooral niet op je eerste dag. Het toont een gebrek aan toewijding en aandacht. Je bent nu een minarai. Gedraag je ernaar.'

Het was duidelijk dat hij zijn verantwoordelijkheden tegenover mij serieus nam.

'Ja, meneer,' antwoordde ik helder.

'En hou op met algemeen Japans te spreken. Spreek onze taal. Zeg *hei* in plaats van *hae*.'

'*Hae*, neem me alstublieft niet kwalijk.'

'Je bedoelt "*hei, eraisunmahen*". Blijf hieraan werken totdat je klinkt als een echte geiko.'

'*Hae*.'

Misschien herinnert u zich dat ik dezelfde kritiek als vijfjarige van Grote Mevrouw kreeg. Het duurde jaren voordat ik het honingzoete, poëtisch vage en voor mij moeilijke idioom van het district werkelijk vloeiend sprak. En nu is het moeilijk voor me om iets anders te spreken.

De Okasan van de Fusanoya was iets bemoedigender. 'Maak je geen zorgen, liefje. Het duurt misschien even, maar ik weet zeker dat je het snel leert spreken. Doe gewoon je best.'

Ik reageerde goed op haar vriendelijkheid. Zij werd mijn leidende ster, een loods die me hielp te navigeren door de verraderlijke waters die voor me lagen.

Die avond woonde ik mijn eerste ozashiki bij. De eregast was een heer uit het Westen. De tolk legde hem uit dat ik een leerling-maiko was en dit mijn eerste openbare optreden bij een feestmaal.

De gast wendde zich tot mij met een vraag en ik deed mijn best hem zo goed mogelijk in mijn schoolmeisjes-Engels te antwoorden.

'Ga je wel eens naar Amerikaanse films?'

'Jazeker.'

'Ken je Amerikaanse acteurs bij naam?'

'Ik ken James Dean.'

'En regisseurs, ken je die?'

'Ik ken de naam van één regisseur, Elia Kazan.'

'Kijk eens aan, dankjewel. Dat ben ik. Ik ben Elia Kazan.'

'U maakt zeker een grapje! Werkelijk? Dat wist ik echt niet,' riep ik uit in het Japans. De titelsong van *East of Eden* was in die tijd populair. Iedereen neuriede die. Dit leek een gunstige start van mijn carrière.

Maar er dreigde al een wolk aan de horizon. De tolk vertelde Elia Kazan dat ik danseres wilde worden en hij vroeg of hij mij mocht zien dansen. Dit werd doorgaans niet toegestaan (omdat ik mijn officiële debuut nog niet gemaakt had), maar ik stemde toe en vroeg om een begeleidster (*jikata*).

Ik ontmoette haar in de aangrenzende kamer bij de voorbereiding.

'Welk nummer wil je dat ik speel?' fluisterde ze.

Ik sloeg helemaal dicht.

'O, ehhh,' hakkelde ik.

'Wat dacht je van *Gionkouta* [de ballade van Gion]?'

'Dat ken ik niet.'

'En *De seizoenen van Kyoto*?'

'Dat heb ik nog niet geleerd.'

'*Akebono* [dageraad]?'

'Ken ik ook niet.'

'Jij bent toch de dochter van Fumichiyo? Dan kan je toch wel iets dansen?'

Er werd van ons verwacht dat we zachtjes praatten maar haar stem werd steeds luider. Ik was bang dat de gasten ons konden horen.

'Dit is mijn eerste feestmaal en ik weet niet wat ik moet doen. Beslis jij alsjeblieft voor mij.'

'Bedoel je dat je nog niet met de maikodansen bent begonnen?'

Ik schudde mijn hoofd.

'Nou, dan moeten we het doen met wat je kan. Wat ben je nu aan het leren?'

Ik noemde een hele lijst op. *Shakkyou* [over een leeuwin en haar welpen], *Matsuzukushi* [over een dennenboom], *Shisha* [over een wedstrijd tussen vier metgezellen van de keizer, rijdend in vier ossenkarren], *Nanoha* [over de vlinder en de koolbloesem]...' Geen van deze dansen komen voor in het standaardrepertoire van een maiko.

'Ik heb mijn boek vandaag niet bij me en ik weet niet of ik me genoeg herinner om ze uit mijn hoofd te spelen. Ken je de *Keizerlijke paardenkoets*?'

'Ja, die ken ik. Laten we die proberen.'

Ik had niet veel vertrouwen in haar vermogen het lied te onthouden en ze maakte ook een paar fouten. Ik vond het verschrikkelijk maar de gasten leek het niet op te vallen. Ze waren verheugd over de voorstelling. Ik was uitgeput.

Mijn tweede dag in de geikowereld was niet zo moeilijk als de eerste. Ik kon mijn hoofd wat hoger houden en was op tijd bij Fusanoya.

Het ochaya had mij geboekt voor een diner in restaurant Tsuruya in Okazaki. Geiko onderhouden publiek niet alleen in ochaya maar geven ook voorstellingen bij besloten diners in exclusieve restaurants, balzalen van hotels en dergelijke. De Okasan van Fusanoya vergezelde me.

Het is gebruikelijk dat de jongste geiko een feestzaal als eerste binnengaat. De Okasan van Fusanoya vertelde me wat ik moest doen.

'Doe de deur open, draag de sakekruik naar binnen en buig voor de gasten.'

Meteen nadat ik de deur had geopend, trok de verzameling poppen die op een plateau vlak bij de verste muur was uitgestald mijn aandacht. Deze miniaturen van het keizerlijk hof spelen een rol in de Meisjesdagviering die in het begin van de lente plaatsvindt. Zonder na te denken stevende ik recht op de poppen af, zo voor de tien gasten langs. 'Wat zijn die prachtig,' bracht ik uit.

De hierdoor overvallen Okasan van Fusanoya fluisterde met schorre stem: 'Mineko! Bedien de gasten!'

'Oeps. Natuurlijk.' Ik had de kruik niet in mijn hand. Ik keek om me heen en daar stond hij, door mij achtergelaten bij de deur. Gelukkig waren de gasten gecharmeerd en niet beledigd door mijn dwaasheid. Ik heb begrepen dat sommige mensen die er toen waren er nog steeds om kunnen grinniken.

Iedere avond kleedde ik me en ging naar Fusanoya. Als ik geen andere verplichtingen had, gebruikte ik het avondeten met de Okasan en Otosan en hun dochter Chi-chan in de woonkamer van het ochaya. Dan kaartten we tot tien uur, de tijd waarop ik terug moest naar het okiya.

Op een avond kregen we een telefoontje van de Okasan van het ochaya Tomiyo, die vroeg of ik wilde komen. Toen ik aankwam, leidde de Okasan me een feestzaal binnen. Er was een podium en daarop stonden op z'n minst vijftien maiko in een rij naast elkaar. Mij werd gevraagd erbij te gaan staan. Verlegen probeerde ik me in de schaduw van een pilaar te verbergen.

In het midden van de zaal zaten tien mensen. Een van hen zei: 'Zeg jij, daar bij de pilaar. Kom eens naar voren. Ga zitten. Sta nu op. Draai je om.' Ik had geen idee wat er allemaal aan de hand was, maar deed wat me gezegd werd.

'Fantastisch,' zei hij. 'Ze is volmaakt. Ik ga haar als model gebruiken voor de poster van dit jaar.'

De man was de directeur van het Verbond van Kimonohandelaren. Hij besliste wie er gekozen zou worden als model voor hun jaarlijkse poster. Deze grote afbeeldingen van één bij drie meter werden in elke kimono- en accessoireswinkel in Japan opgehangen. Het is de droom van iedere jonge maiko om voor deze eervolle opdracht uitgekozen te worden. Het model voor de poster van dat jaar was al gekozen, dus ik wist niet waar hij het over had.

Ik ging terug naar Fusanoya.

'Moeder, ik ben het model voor een of andere foto.'

'Welke?'

'Weet ik niet goed. Iets.'

'Mine-chan, ik denk dat wij eventjes moeten praten. Vader vertelde me dat je uitgekozen bent voor de middenpagina in het programma voor de Miyako Odori. Dat is heel bijzonder, weet je. En nu ben je weer voor iets uitgekozen. Ik wil geen domper op al dit goede nieuws plaatsen maar ik maak me zorgen dat mensen jaloers op je zullen worden. Ik wil dat je voorzichtig bent. Meisjes kunnen heel gemeen zijn.'

'Laat een van hen het dan doen, als het zo bijzonder is. Het maakt mij niet uit.'

'Ik ben bang dat het niet zo werkt.'

'Maar ik wil niet dat ze gemeen tegen me zijn.'

'Dat weet ik, Mineko. Je kunt niet veel doen om dit te voorkomen maar ik wil dat je je bewust bent van de jaloezie die je oproept. Ik wil niet dat je erdoor verrast wordt.'

'Ik begrijp het niet.'

'Hoe moet ik je dat nu uitleggen.'

'Ik haat dit soort moeilijkheden. Ik hou ervan als alles duidelijk en simpel is.'

Had ik het maar geweten.

De woorden van de Okasan waren slechts een zachte voorbode van de martelende kwellingen die in de daaropvolgende vijf jaar voor mij bestemd waren.

Ze begonnen de volgende ochtend toen ik in de klas kwam. Iedereen negeerde me. Echt iedereen.

Het bleek dat de directeur van het Verbond van Kimonohandelaren de eerder uitgekozen maiko had laten vallen voor mij. Men was woedend over wat men zag als mijn voorbarige sprong naar een toppositie. Ik was nog niet eens een maiko. Ik was nog een minarai. Zelfs meisjes van wie ik dacht dat het vriendinnen waren, wilden niet met me praten. Ik was gekwetst en boos. Ik had niets fout gedaan!

En ik leerde snel dat dat niets uitmaakte. Net als in vele vrouwengemeenschappen was ook Gion Kobu vergeven van roddel en achterklap en wrede concurrentieverhoudingen. De starheid van het systeem heeft me wellicht jaren van frustratie gebracht, de jaren van rivaliteit brachten me werkelijk verdriet.

Ik begreep nog steeds niet waarom iemand een ander pijn wilde doen. Vooral als die persoon niets gedaan had om die andere persoon kwaad te doen. Ik probeerde pragmatisch te zijn en bedacht een plan. Ik werkte er dagenlang aan en probeerde iedere invalshoek te bekijken.

Wat zouden die gemene meisjes kunnen doen? Hoe zou ik daarop reageren? Als iemand mijn voet probeerde te pakken, moest ik die dan zo hoog houden dat zij er niet bij kon?

Ik had een paar ideeën. In plaats van te zwichten voor hun jaloezie en mijn vaardigheden te beperken, besloot ik om de beste danseres te worden. Ik zou hun jaloezie tot bewondering gaan omvormen. Dan zouden ze net als ik willen zijn en mijn vriendinnen willen worden. Ik bezwoer mezelf dat ik nog harder ging oefenen! Nog meer uren! Ik zou niet opgeven tot ik nummer één was!

Ik moest er gewoon voor zorgen dat iedereen mij aardig vond.

Goed, als ik wilde dat iedereen mij aardig vond, dan moest ik allereerst mijn zwakheden onderzoeken en die corrigeren.

Ik nam dit zo serieus als alleen een puber kan.

Mijn dagen en nachten waren goed gevuld maar ik probeerde zoveel mogelijk tijd te besteden aan mijn intellectuele huishouding. Ik zat in het donker in de kast of in de stilte in de altaarkamer en dacht na. Ik praatte met Tante Oima.

Mijn fouten die in me opkwamen, waren:

Ik ben opvliegend.

Als ik een moeilijke beslissing moet nemen, doe ik vaak het tegenovergestelde van wat ik wil doen.

Ik ben te snel, ik wil alles meteen afhebben.

Ik heb geen geduld.

Mijn oplossingen waren:

Ik moet rustig blijven.

Ik moet standvastig zijn.

Ik moet net als Tante Oima steeds een vriendelijke en rustige uitdrukking op mijn gezicht hebben.

Ik moet meer glimlachen.

Ik moet professioneel worden. Dat betekent dat ik meer ozashiki moet bijwonen dan iemand anders. Ik moet nooit een boeking weigeren. Ik moet mijn werk serieus nemen en het goed doen.

Ik moet nummer één zijn.

Dit werd zo'n beetje mijn credo.

Ik was vijftien jaar.

十九 19

Mama Masako kreeg eindelijk wat haar toekwam toen ze het okiya ging beheren. Het afhandelen van de dagelijkse zaken schonk haar enorme voldoening: de grootboeken bijhouden, de werkschema's opstellen, het geld tellen. Ze was uitermate goedgeorganiseerd en leidde het okiya als een efficiënte machine.

Mama Masako was ook een zuinige bankier die in de gaten hield hoe iedere verdiende cent werd uitgegeven. De enige luxe die ze zich permitteerde waren huishoudapparaten. We hadden altijd de nieuwste stofzuiger, de ruimste koelkast, de grootste kleurentelevisie. Wij waren de eersten in Gion Kobu die een airconditioning lieten installeren.

Helaas verdween haar scherpzinnige gezonde verstand als sneeuw voor de zon in het bijzijn van mannen. Ze koos niet alleen lelijkerds uit maar werd ook steeds verliefd op mannen die niet verliefd op haar waren.

Mama Masako droeg het hart op de tong. Als ze verliefd was, straalde ze. Als de relatie was stukgelopen, nam ze niet de moeite haar haar te verzorgen en ze huilde veel. Ik klopte haar dan op haar schouder: 'Ik weet zeker dat u op een goede dag de juiste man tegenkomt.' Ze heeft de hoop nooit opgegeven maar hem nimmer gevonden.

Een van de eerste taken van Mama Masako als eigenaresse van het okiya was het voorbereiden van mijn debuut.

Misedashi, zoals het debuut van een maiko genoemd wordt, betekent 'open voor zaken' en geeft aan dat de maiko eraan toe is om als beroeps te gaan werken. Mijn misedashi vond plaats op 26 maart 1965. Op dat moment werkten er drieënzestig andere maiko. Ik was nummer vierenzestig.

Ik werd om zes uur 's ochtends wakker, nam een bad en ging naar de kapper om mijn haar in de wareshinobu-stijl te laten opmaken. Na mijn terugkeer kregen we een speciaal ontbijt met rodebonenrijst en zeebrasem. Ik dronk zo weinig mogelijk thee en water, want het is heel lastig om naar de wc te gaan als je aangekleed bent.

Moeder Sakaguchi kwam om negen uur om mijn make-up aan te brengen. Het protocol schrijft voor dat je Onesan deze taak moet verrichten, maar Moeder Sakaguchi bleef trouw aan haar woord en weigerde Yaeko bij mij in de buurt te laten. Ze deed het zelf. Eerst beschilderde ze mijn hals, bovenrug en gezicht met *binsuke*-oliepasta, een soort pommade die als basis dient. Daarna bedekte ze die met witte make-up, behalve drie verticale lijnen in mijn nek om de lengte en kwetsbaarheid ervan te accentueren. Maiko en geiko krijgen twee lijnen in hun nek als ze 'gewone' kostuums dragen en drie als ze de traditionele kimono aanhebben.

Moeder Sakaguchi beschilderde mijn kin, de brug van mijn neus en het bovenste deel van mijn borst. Ze bracht een perzikrode glanspoeder aan op mijn wangen en rondom mijn ogen en bracht daarna opnieuw het witte poeder aan. Ze tekende mijn wenkbrauwen na in rood en penseelde ze daarna in met zwart. Op mijn onderlip bracht ze een stip roze lippenstift aan.

Vervolgens deed ze mijn haarversieringen in. Ik had een roodzijden band, een *arimachikanoko*, in de haarwrong op mijn achterhoofd en op mijn kruin een *kanokodome*-band en pinnen van koraal, jade en zilver, twee zilveren vleugeltjes met het familiewapen van het okiya erin en de *chirikan*, versieringen van schildpad. De chirikan zijn heel bijzonder. Een maiko draagt ze slechts eenmaal in haar leven op de eerste drie dagen van haar debuut.

Dan kreeg ik de standaardonderkleding aan. Als eerste twee rechthoekige lappen van gebleekte witte katoen, waarvan er eentje strak om de heupen en de andere om de borst wordt gedragen. De laatste maakt de lijn van de kimono plat en glad. Daarover komt een lange katoenen heupomslag, eigenlijk een soort korte onderrok, en dan een lange kuitbroek om de kuisheid te bewaren als de kimono van voren open zou vallen.

Vervolgens komt de *hadajuban*, een los bloesachtig kledingstuk dat de lijn van de kimono volgt. Een hadajuban van een maiko heeft een rode kraag. Daaroverheen droeg ik een lange onderjurk, de *nagajuban*. De mijne was gemaakt van geknoopverfde zijde met een patroon van waaierachtige figuurtjes en geborduurd met een verscheidenheid van bloemen.

Een prominent deel van het ensemble van een maiko is de opvallende kraag (*eri*), die elke keer met de hand op de nagajuban wordt genaaid. Deze rode kragen vertellen hun eigen verhaal. Ze zijn gemaakt van zijde, die met zeer fijne witte, zilveren en gouden draden zijn geborduurd. Hoe jonger de maiko is, hoe minder dicht het borduursel is en men dus meer van de rode zijde ziet. Naarmate de maiko ouder wordt, wordt het borduursel steeds voller totdat nog maar weinig rood (symbool van jeugd) over is. Dit gaat zo door tot de dag dat de maiko 'haar kraag keert', zij geiko wordt en dan een witte kraag gaat dragen.

Elk jaar liet ik vijf kragen maken, twee voor de zomer van zijdegaas en drie van crêpe voor de winter. Elke kraag kostte minstens tweeduizend dollar. Ik bewaarde ze en heb de collectie nog steeds bij mij thuis. De eerste kraag, die ik op mijn misedashi droeg, was versierd met een 'rijtuig van prins Genti'-motief in zilver- en gouddraad.

Na de nagajuban trok mijn kleedster de conventionele *hikizuri*, kimono met familie-emblemen over mijn schouders. Het gewaad was gemaakt van zwarte gedessineerde zijde, bedekt met een gebloemd 'keizerlijk paleis'-motief. En vijf familie-emblemen: een op de achterkant, twee op de revers en twee op de buitenzijde van de mouwen. Elke Japanse familie heeft een *mon*, familiewapen, dat bij officiële gelegenheden wordt gebruikt. Het Iwasaki-embleem is een gestileerde klokjesbloem met vijf bloembladen.

Mijn obi was een kunststuk waaraan men drie jaar had gewerkt. Hij was gemaakt van handgeweven damast, geborduurd met mat- en glanzend gouden esdoornbladeren en bijna zeven meter lang. Hij kostte tienduizenden dollars. De obi werd zodanig geknoopt dat beide uiteinden bijna op de grond hingen. De obi werd op zijn plaats gehouden door een *obiage*, een band van crêpe die naar buiten wordt gedragen. Volgens gebruik was de mijne van rode zijde met het embleem van het okiya erop geborduurd. (Een obi-gesp wordt niet gedragen op een traditionele met emblemen geborduurde kimono.)

De handtas leek op de tas die ik als minarai had gedragen. Er zaten mijn waaier, een handdoekje, lippenstift, een kam en een kussentje in. Ieder voorwerp had een eigen opbergzakje van Eriman rode zijde met in het wit een monogram van de karakters voor *Mineko*.

Enkele zaken die ik toen droeg, waren al generaties lang in het Iwasaki okiya, maar vele, zeker wel twintig, waren speciaal voor die dag besteld. Ik ken de juiste cijfers niet maar ik weet zeker dat men van de totale kosten een huis had kunnen bouwen. Ik schat het bedrag op ruim honderdduizend dollar.

Toen ik klaar was, werd ik door een afvaardiging van het okiya vergezeld op mijn ronde beleefdheidsbezoekjes. De kleder ging zoals vaak bij rituele plechtigheden mee als een soort ceremoniemeester. Mijn eerste verplichting was bij de iemoto mijn opwachting te maken. Bij onze aankomst in Shinmonzen sprak de kleder met diepe stem:

'Mag ik u voorstellen aan juffrouw Mineko, Jongere Zuster van juffrouw Yaechiyo, ter gelegenheid van haar misedashi. Wij vragen uw erkenning en goede wensen.'

'Ik bied haar mijn hartelijkste gelijkwensen aan,' sprak Grote Mevrouw vanuit de foyer, gevolgd door de felicitaties van de rest van het personeel.

'Wij vragen je dringend om hard te werken en je best te doen,' spraken ze in koor.

'Dank jullie wel, dat zal ik doen,' zei ik in het Japans van mijn familie.

'Je doet het weer!' Grote Mevrouw had het meteen in de gaten. 'Een geiko zegt *hei* en *ookini*.'

Na deze terechtwijzing ging ik verder op mijn ronde. We maakten onze opwachting bij de eigenaren van ochaya, senior geiko en belangrijke cliënten. Ik boog en vroeg iedereen om steun. Alleen al op die eerste dag bezochten wij zevenendertig adressen.

Op een gegeven moment gingen we een zaal binnen om het *osakazuki*-ritueel uit te voeren, waardoor de verbintenis tussen Yaeko en mij officieel zou worden. Bij binnenkomst vroeg de kleder Suehiroya aan Moeder Sakaguchi om de ereplaats voor de tokonoma in te nemen. Hij wees mij naast haar plaats te nemen, dan Moeder Masako naast mij en vervolgens de hoofden van de andere huizen van de familie. Yaeko, die officieel naast mij had moeten zitten kreeg een ondergeschikte plaats toegewezen. We gingen verder met het uitwisselen van kopjes. Ik weet zeker dat de aanwezigen verbijsterd waren over de plaatsschikking. Ze begrepen niet dat het een voorrecht was dat Yaeko erbij mocht zijn.

Ik droeg het conventionele misedashi-ensemble drie dagen en verruilde het toen voor een nieuwe uitrusting, die de tweede fase van mijn debuut inluidde. Deze kleding was niet zwart en niet bezet met familie-emblemen. De kimono was van zijde, blauw als de maagdenpalmbloesem, en heette *pijnbomenwind*. De zoom van de omslag was beige als het zanderige strand, met geknoopverfde pijnbomen en geborduurde zeeschelpen erop. De obi was van dieporanje satijnen damast met een patroon van gouden kraanvogels.

Ik heb doorgaans een scherp geheugen maar de eerste zes dagen van mijn misedashi zijn één duizelingwekkend waas. Ik heb zeker een paar honderd bezoekjes afgelegd en optredens gedaan. De Miyako Odori begon zeven dagen na mijn debuut. Ik moest voor mijn eerste beroepsrol het podium op. Ik voelde me overweldigd en herinner me dat ik bij Kuniko klaagde.

'Kun-chan, wanneer heb ik wat vrije tijd?'

'Ik heb geen idee,' antwoordde ze.

'Wanneer moet ik dan alles leren wat ik nog moet leren? Ik ben nog steeds niet goed genoeg. Ik ken de *Gionkouta* [de ballade van Gion] nog niet eens. Moet ik voor altijd iedereen blijven volgen? Hoe kom ik dan ooit aan een solo toe? Het gaat allemaal te snel.'

Het was niet mogelijk het tij te keren. Het bleef me voortduwen. Nu ik officieel een maiko was, ging ik niet meer naar Fusanoya om mijn opdrachten te krijgen. Verzoeken voor optredens kwamen rechtstreeks naar het okiya en Mama Masako regelde mijn afspraken.

Mijn eerste verzoek om als maiko een ozashiki bij te wonen, kwam van het Ichirikitei, het allerberoemdste ochaya in Gion Kobu. Er hebben zoveel belangrijke historische ontmoetingen en voorvallen in de privé-ruimtes van het Ichirikitei plaatsgevonden, dat het een legendarische status heeft verworven. Het Ichirikitei wordt ook vaak gebruikt als decor in romans en toneelstukken.

Dit is niet altijd gunstig geweest voor Gion Kobu. Sommige verhalen hebben de gedachte versterkt dat courtisanes hier hun zaken doen en geiko de nacht met hun cliënten doorbrengen. Als zo'n idee eenmaal in de cultuur is doorgedrongen, dan gaat het een eigen leven leiden. Ik weet dat er mensen in het buitenland zijn die Japan bestuderen en zelfs deze misvattingen voor waar aannemen.

Maar hiervan was ik me allemaal niet bewust toen ik die avond mijn entree maakte in de feestzaal. De gastheer was de zakenmagnaat Sazo Idemistsu. Zijn gasten waren filmregisseur Zenzo Matsuyama en zijn vrouw, de actrice Hideko Takamine. Yaeko was er al toen ik aankwam.

'Is dit je Jongere Zuster?' vroeg mevrouw Takamine. 'Ziet ze er niet schattig uit?'

Yaeko kneep haar lippen samen tot dat dunne glimlachje van haar.

'Werkelijk? Vindt u haar schattig? Welk deel van haar vindt u schattig?'

'Wat bedoel je? Alles aan haar is schitterend.'

'O, daar ben ik niet zo zeker van. Ik denk dat het zo lijkt omdat ze zo jong is. En om u de waarheid te zeggen, ze is geen aardig iemand. Laat ze u niet voor de gek houden.'

Ik kon mijn oren niet geloven. Ik had nog nooit gehoord dat een Oudere Zuster haar Jongere Zuster zo kleineerde in het bijzijn van cliënten. Een vlam van spijt schoot door me heen omdat Satoharu niet mijn Onesan was. Zij zou zoiets nooit doen.

Mijn oude vluchtmechanisme trad in werking en ik verontschuldigde me. Ik was te oud om me in een kast te verbergen en daarom ging ik naar het damestoilet. Ik kon er niet tegen om in het bijzijn van vreemden zo in verlegenheid gebracht te worden. Zodra ik alleen was, begon ik te huilen maar dwong mezelf ermee op te houden. Dat zou nooit helpen. Ik hernam me, ging terug naar de feestzaal en deed alsof er niets aan de hand was.

Na een paar minuten viel Yaeko weer aan.

'Mineko is alleen hier omdat enkele zeer machtige mensen achter haar staan, ' zei ze. 'Ze heeft er niets voor gedaan om dit geluk te verdienen en ik verwacht dat ze het niet lang zal volhouden. Het zou mij niets verbazen als zij sterft op de wijnstok.'

'Dan dient u haar te beschermen,' zei mevrouw Takamine vriendelijk.

'Weinig kans,' zei Yaeko.

Op dat punt in het gesprek riep de hoofd-naikai van het ochaya, een vriendelijke vrouw genaamd Bu-chan, de kamer in: 'Neem me niet kwalijk, Mineko-san, het is tijd voor uw volgende afspraak.'

Direct toen ik buiten was, keek ze me aan en vroeg: 'Wat is er in hemelsnaam met Yaeko aan de hand? Zij is toch jouw Onesan? Waarom is ze zo gemeen tegen je?'

'Ik wou dat ik het wist,' antwoordde ik. Ik had geen idee hoe ik het haar moest uitleggen.

'Goed dan, de volgende gast is een vaste bezoeker hier, dus ik denk dat je het wat rustiger aan kunt doen...'

'Dank u. Ik bedoel, *ookini*,' corrigeerde ik mezelf.

Bu-chan leidde me een andere kamer binnen.

'Mag ik u voorstellen aan Mineko-chan. Zij is net maiko geworden.'

'Zo, Mineko-chan, welkom. Laat me je eens goed bekijken. Wat ben je mooi! Wil je wat sake hebben?'

'Nee, dank u. Volgens de wet mag ik niet drinken voor mijn twintigste.'

'Ook niet een klein beetje?'

'Nee, dat kan ik niet doen. Maar ik zal graag doen alsof. Mag ik een kopje hebben, alstublieft?'

Ik was als een kind op een kinderfeestje.

'Alsjeblieft.'

'Dankuw... oeps, *ookini*.'

Ik voelde mezelf ontspannen. En door de ontspanning dreigden de tranen.

'Maar liefje toch, wat is er? Heb ik iets gedaan waardoor je van streek bent?'

'Nee, het spijt me heel erg. Het is niets, echt waar.'

Ik kon hem niet vertellen dat het door mijn eigen zuster kwam dat ik mij zo voelde.

Hij probeerde me te troosten door van onderwerp te veranderen.

'Wat doe je het allerliefst, Mine-chan?'

'Ik ben dol op dansen.'

'Mooi. En waar kom je vandaan?'

'Van daarginds.'

'Van waar?'

'Uit die andere kamer.'

Hij vond dit heel grappig.

'Nee, ik bedoel waar je geboren bent.'

'Kyoto.'

'En je spreekt zulk algemeen Japans.'

'Ik ben mijn accent nog niet helemaal kwijt.'

Hij glimlachte om mijn ongemakkelijkheid. 'Ik weet het, het Kyoto-dialect is moeilijk de baas te worden. Praat met mij zoals je zelf wilt.'

Ik raakte in de war van de twee dialecten en antwoordde hem in een mengeling van beide. Hij bleef glimlachen.

'Mine-chan, ik denk dat je vandaag een nieuwe verovering hebt gedaan. Ik hoop dat je mij als een vriend wilt beschouwen... en een fan!'

Wat een aardige man. Later kwam ik erachter dat hij Jiro Ushio was, de president-directeur van Ushio Electric. Ushio-san gaf me mijn goede humeur en zelfvertrouwen terug die avond, maar ik kon de naargeestige sluier niet afwerpen die Yaeko's negatieve schaduw over me had geworpen. Onze verbintenis als maiko en Onesan was veel losser dan de meeste maar ik moest voldoen aan de basisbeleefdheden.

Het is bijvoorbeeld een van de taken van een maiko om regelmatig de kaptafel van haar Onesan op te ruimen. Daarom ging ik op een dag vlak na mijn misedashi naar haar huis aan de Nishihanamikojistraat, op weg van school naar huis. Ik was daar nog nooit geweest.

Ik ging het huis binnen en zag een dienstmeisje voorovergebogen iets schoonmaken. Ze kwam me vaag bekend voor. Het was mijn moeder! Ze riep: 'Ma-chan!' en op dat moment kwam Yaeko de kamer inlopen en gilde: 'Dit is het gemene wijf dat ons verkocht heeft en Masayuki vermoord!'

Ik voelde een felle steek in mijn borst. Ik wilde net schreeuwen: 'Ik ga je doodmaken!' toen mijn blik die van mijn moeder ving en ik wist dat ik moest ophouden voordat het erger zou worden. Ik begon te huilen en rende meteen het huis uit.

Ik ging er nooit meer heen. Sommige beleefdheden zijn de moeite niet waard.

20

Jarenlang had ik mezelf als een drukbezet persoon beschouwd, maar nu leken de dingen uit de hand te lopen. Naast het bijwonen van de lessen aan de Nyokoba, oefenen voor openbare dansuitvoeringen en iedere avond de ozashiki bijwonen, had ik nauwelijks tijd om adem te halen. Mijn dagen begonnen met zonsopgang en eindigden niet voor twee of drie uur de volgende ochtend.

Ik stelde mijn wekkerradio zo in dat die om zes uur 's ochtends begon met wat klassieke muziek of gesproken tekst. Ik luisterde even voor ik opstond. Als eerste ging ik de dans oefenen waar ik op dat moment mee bezig was om mijn gedachten te concentreren op de taken die voor me lagen. Geen doorsneeleven voor een vijftienjarige. Ik was niet geïnteresseerd in jongens. Mamoru had dat voor me verpest. Ik had geen vrienden of vriendinnen, behalve Grote John. Ik vertrouwde geen van de meisjes genoeg om intiem met hen te worden. Eerlijk gezegd dacht ik aan niets anders dan mijn carrière.

Ik gebruikte nooit een ontbijt, want dat verminderde mijn concentratievermogen. Ik vertrok om tien over acht naar de Nyokoba. Laat ik u vertellen hoe de Nyokoba is onstaan.

In 1872 meerde het Peruviaans schip *Maria Luz* in de haven van Yokohama. Aan boord was een aantal Chinese slaven die erin slaagden uit hun gevangenschap te ontsnappen en hun toevlucht te zoeken bij de Meiji-regering. Met als verklaring dat zij slavernij niet erkende, liet de regering de mannen vrij en stuurde hen terug naar China. Dit veroorzaakte een storm van protest van de Peruviaanse regering, die beweerde dat Japan in feite zijn eigen slavernijsysteem had door vrouwen in wijken van plezier te laten werken.

De Meiji-regering, die ernaar streefde het wereldtoneel als een moderne natie te betreden, was uiterst gevoelig voor de internationale opinie. Om de Peruvianen te kalmeren werd er een Emancipatiewet uitgevaardigd, die een einde maakte aan de verplichte dienstvoorwaarden (*nenki-boko*) die voor vele vrouwen golden. Hierdoor werd het beeld van de rol van de *oiran* (courtisane) verwisseld en verward met dat van de *geisha* (entertainer). En dat is nog steeds zo.

Drie jaar later, in 1875, werd deze zaak officieel vastgelegd op een internationaal tribunaal onder voorzitterschap van de tsaar van Rusland. Het was de eerste keer dat Japan betrokken raakte in een mensenrechtenzaak. Japan won de zaak maar het was te laat om nog iets te doen aan de misvatting dat geiko slaven waren.

In reactie op de Emancipatiewet stichtten Jiroemon Sugiura, negende generatie van het ochaya Ichirikitei, Inoue Yachiyo III, iemoto van de Inoue-school, Nobuatsu Hase, bestuurder van Kyoto, en Masanao Uemura, raadslid, een genootschap onder de naam Gion Kobu Gezelschap voor de Beroepsopleiding van Vrouwen. De naam werd afgekort tot Kabukai, oftewel Vereniging voor Artiesten. Het doel van de organisatie was het bevorderen van de onafhankelijkheid (ook economisch) en de sociale positie van vrouwen die als artiesten en entertainers werkten. Het motto luidde: 'Wij verkopen kunst, geen lichamen.'

De Gion Kobu wordt geleid door een consortium van drie groepen: de Kabukai (artiestenstichting), de ochaya-vereniging en de geikovereniging.

Het consortium stichtte een vakschool om de geiko op te leiden. Voor de oorlog mochten meisjes van zes jaar (vijf volgens de huidige berekening) na de vierde klas met hun beroepsopleiding beginnen op die school. In die tijd kon een meisje al op elf- of twaalfjarige leeftijd maiko of geiko worden. In 1952 veranderde de stichting in een opleidingsstichting en de naam in Yasaka Nyokoba Academie. Als gevolg van educatieve hervormingen moesten meisjes voortaan eerst klaar zijn met de basisschool voordat ze naar de Nyokoba mochten en konden pas vanaf hun vijftiende maiko worden.

De Nyokoba onderwijst de disciplines die een geiko moet beheersen: dans, muziek, gedrag, kalligrafie, theeceremonie en bloemschikken en is verbonden met het Kaburenjo-theater. De leerkrachten behoren tot de grootste artiesten in Japan. Vele stafleden werden benoemd tot 'Levende nationale rijkdom' (zoals de iemoto) of 'Belangrijke culturele aanwinst'. Helaas worden er geen academische vakken onderwezen.

Ik vertrok om tien over acht van huis, zodat ik om twintig over acht bij de Nyokoba kon zijn, net voordat Grote Mevrouw aankwam om half negen. Zo had ik tien minuten de tijd om haar lesspullen en een kopje thee klaar te zetten voordat zij kwam. Ik deed dat niet uit beleefdheid of vleierij. Ik wilde alles voor haar klaar hebben om de eerste les te krijgen.

Ik moest twee danslessen per dag volgen, een van Grote Mevrouw en een tweede van een van de Kleine Mevrouwen. Als ik niet een vroege les van Grote Mevrouw had, was het moeilijk tijd te vinden voor alle andere dingen. Behalve de andere dansles moest ik ook muziek, theeceremonie en no-dans inpassen. En ik moest voldoende tijd hebben om de verplichte bezoekjes af te leggen voordat ik naar het okiya kon gaan voor de lunch.

Die bezoekjes waren onderdeel van mijn werk. In die tijd waren er zo'n honderdvijftig ochaya in Gion Kobu en hoewel ik voornamelijk in tien daarvan optrad, deed ik geregeld zaken met veertig of vijftig andere. Elke dag probeerde ik er zoveel mogelijk te bezoeken. Ik bedankte de eigenaren van de ochaya waar ik de avond tevoren was geweest en controleerde nogmaals de afspraken voor de komende avond. Ik wilde geen loze tijd als ik werkte en in de spaarzame gevallen dat ik een paar minuten vrij had, probeerde ik die tijd zelf op te vullen.

We lunchten altijd om half een. Onder het eten verdeelden Mama Masako en Tante Taji de afspraken voor die avond en vertelden ons wat ze wisten van de cliënten die we gingen vermaken.

Elke dag was anders. Soms moest ik al om drie uur klaar zijn voor vertrek, andere dagen pas om vijf of zes uur. Soms ook moest ik me kleden voor een fotosessie 's ochtends (dan droeg ik mijn kostuum naar school) of reizen naar een evenement in een verre stad. En zelfs als ik de stad uit moest, probeerde ik op tijd in Kyoto terug te zijn om 's avonds te werken.

Ik voelde me verplicht om zoveel te werken als menselijk maar mogelijk was. Het was de enige manier om nummer één te worden. Ik vloog zo vaak het huis in en uit dat de familie me de bijnaam 'postduif' gaf. Elke avond woonde ik zoveel ozashiki bij als de tijd me toestond. Ik was nooit voor een of twee uur in de ochtend thuis. Mijn werktijd was veel langer dan in de Wet op de kinderarbeid was vastgelegd, maar ik wilde werken en het maakte mij niets uit.

Als ik eindelijk thuiskwam, verkleedde ik me in een makkelijke kimono, verwijderde mijn make-up en oefende de dansles voor de volgende ochtend, zodat ik die niet vergeten zou. Dan nam ik een heerlijk warm bad en las nog een tijdje om me te ontspannen. Ik ging zelden voor drie uur in de ochtend slapen.

Het was moeilijk om dit tempo vol te houden op drie uur slaap per nacht, maar op de een of andere manier lukte het. Ik vond het onbehoorlijk voor een maiko om in het openbaar een dutje te doen, dus ik sliep nooit in kostuum, zelfs niet als ik in een vliegtuig of per sneltrein reisde. Dat was een van de moeilijke dingen.

Op een dag woonde ik in een groot warenhuis een kimonomodeshow bij. Ik was niet als maiko gekleed dus ik kon me net even meer ontspannen. Ik was zo uitgeput dat ik staande in slaap viel. Maar mijn ogen waren niet dicht, ze bleven wijdopen.

21

Ik heb het altijd jammer gevonden dat ik met mijn schoolopleiding moest ophouden toen ik vijftien jaar was. Ik begreep niet waarom de Nyokoba geen schoolvakken onderwees. Ik vond het heel vreemd dat de school ons niet in het Engels of Frans onderrichtte. We werden voorbereid om wereldleiders te onderhouden maar kregen niet de gereedschappen met hen te communiceren. Dat leek me heel onlogisch.

Vlak nadat ik maiko was geworden, diende ik bij de Kabukai een klacht in over het ontbreken van een opleiding in buitenlandse talen. Ik kreeg het advies een privé-leraar te nemen en dat deed ik ook, maar men snapte duidelijk niet wat ik bedoelde. Doordat ik een nieuw lid van de karyukai was, kreeg ik wel een bijzondere opleiding die ik volgens mij nergens anders zou hebben gehad. Ik ontmoette allerlei knappe een geslaagde mensen en sommigen van hen werden zeer goede vrienden.

Ondertussen breidden mijn geografische grenzen zich niet zo snel uit als mijn intellectuele horizon. Ik waagde me nauwelijks de buurt uit. Mama Masako was net zo beschermend naar mij als Tante Oima was geweest. Gion Kobu ligt ten oosten van de Kamo-rivier, Kyoto's hoofdslagader. Het zakencentrum ligt aan de andere kant. Tot mijn achttiende jaar mocht ik niet alleen de rivier over of zonder chaperonne de wijk uit.

Mijn cliënten waren mijn toegangsbewijzen tot de buitenwereld. Zij waren mijn echte leraren. Op een avond werd ik ontboden naar een ozashiki in het ochaya Tomiyo dat werd gegeven door een van de vaste bezoekers, de ontwerper van no-kostuums, Kayoh Wakamatsu.

De heer Wakamatsu stond bekend als een bewonderaar van geiko en hun wereld.

Ik maakte me gereed voor mijn entree. Ik zette de fles met sake op het blad, schoof de deur open en zei: '*Ookini*,' wat eigenlijk 'dank u wel' betekent. Wij gebruiken het als 'neemt u mij niet kwalijk'. Er was een groot feest aan de gang. Er waren al zeven of acht Onesan van mij.

Een van hen zei: 'Je hebt de deur verkeerd opengeschoven.'

'Neem me niet kwalijk,' antwoordde ik.

Ik schoof de deur dicht en probeerde het opnieuw.

Niemand klaagde.

Ik zei weer '*ookini*' en ging de kamer binnen.

'Je komt de kamer verkeerd binnen.'

En daarna: 'Je houdt het blad helemaal verkeerd vast.'

En daarna: 'Zo houd je een fles met sake niet vast.'

Ik raakte geïrriteerd, maar probeerde me te beheersen. Ik ging terug naar de hal om het opnieuw te proberen.

De Okasan van Tomiyo nam me terzijde.

'Mine-chan, wat is er aan de hand?'

'Mijn Onesan zijn zo vriendelijk mij te leren hoe ik alles correct moet doen,' antwoordde ik.

Ik wist dat ze uiterst gemeen waren. Ik wilde uitproberen hoe ver zij zouden komen voordat de Okasan zou ingrijpen.

'O, alsjeblieft,' zei ze. 'Ze plagen je alleen maar. Ga naar binnen en let niet op hen.'

Dit keer werd er door niemand iets gezegd.

De heer Wakamatsu vroeg me vriendelijk hem een groot schrijfpenseel te brengen, een inktstok en een inktsteen. Ik deed wat hij me vroeg. Hij vroeg me de inkt te maken. Ik maakte de stok in de steen fijn en voegde voorzichtig de juiste hoeveelheid water toe. Toen de inkt de juiste dikte had, doopte ik het penseel erin en overhandigde dat aan hem.

Hij vroeg de aanvoerster van de groep, juffrouw S., om bij hem te komen.

Juffrouw S. droeg een witte kimono, versierd met een dennenmotief. De heer Wakamatsu hief het penseel en keek haar in de ogen.

'Jullie allemaal hebben Mineko schandelijk behandeld, maar ik houd u persoonlijk verantwoordelijk.'

Vervolgens ging hij met het penseel over de voorzijde van haar kimono, waardoor er dikke zwarte strepen op kwamen.

'Ga weg, jullie allemaal. Ik wil geen van jullie ooit nog zien. Vertrek alstublieft.'

De geiko schuifelden allemaal de kamer uit.

De Okasan hoorde het rumoer en kwam aanrennen.

'Wa-san [zijn bijnaam], wat is er in hemelsnaam aan de hand?'

'Ik tolereer dit soort gemeenheid niet. Boek alstublieft nooit voor mij meer iemand van die groep.'

'Natuurlijk, Wa-san. Zoals u wenst.'

Deze ervaring maakte een diepe indruk op mij, ik was zowel verdrietig als blij. Ik was verdrietig omdat mijn Onesan mij zo behandelden. En ik maakte me zorgen dat mij nog meer van dit soort dingen te wachten stond. Maar ik was bemoedigd door Wa-sans vriendelijkheid. Ik had het gevoel dat ik niet alleen stond. Hij had mijn ongemak opgemerkt en hij was duidelijk voor me opgekomen. Wa-san was een buitengewoon aardige man. De volgende dag stuurde hij het ochaya drie kimono en brokaten obi voor juffrouw S. Met deze actie won hij mij helemaal voor zich. Hij werd een van mijn geliefde cliënten (*gohiiki*) en ik werd een van zijn favoriete maiko.

Enige tijd later had ik een gesprek met twee andere meisjes die hem ook regelmatig begeleidden.

'Wa-san is zo aardig voor ons drieën, waarom doen we niet eens iets voor hem? Misschien kunnen we hem een cadeautje geven.'

'Dat is een leuk idee. Maar wat kunnen we hem geven?'

'Hmmmm.' We dachten allemaal diep na. En toen glimlachte ik. 'Ik weet het!'

'Wat?'

'Laten we de Beatles doen.'

Ze staarden me niet-begrijpend aan.

'Wat is dat?'

'Dat zie je wel. Vertrouw me maar, goed?'

De volgende dag na school stapten we met z'n drieën in een taxi en ik zond de chauffeur naar een winkel op de hoek van Higashiuji Nijo. Mijn vriendinnen begonnen te giechelen toen we bij de winkel stopten. Het was een pruikenwinkel. Wa-san was helemaal kaal, dus ik dacht dat een pruik een fantastisch cadeau zou zijn. We kozen voor een blonde pruik, terwijl we de hele tijd moesten lachen. We konden niet bedenken waar hij de haarpen moest steken.

Algauw liet hij ons naar een ozashiki komen. We namen het cadeautje opgewonden met ons mee naar binnen en legden het voor hem neer. We bogen plechtig en ik liet een van mijn vriendinnen een toespraakje houden.

'Wa-san, hartelijk dank voor al uw vriendelijkheid. We hebben iets speciaals voor u meegenomen om uitdrukking te geven aan onze dankbaarheid. Neem het alstublieft aan als een bewijs van onze genegenheid en achting.'

'Lieve hemel! Dat hadden jullie niet hoeven doen!'

Hij pakte de forse harige massa uit. Eerst had hij geen idee van wat het was, maar het kreeg model toen hij het omhooghield. Hij zette de pruik op zijn hoofd en vroeg grinnikend: 'Nou, wat denken jullie ervan?'

'Het ziet er prachtig uit!' riepen we in koor. 'Echt fantastisch!'

We overhandigden hem een spiegel.

Een van Wa-sans gasten kwam midden in deze opschudding aan.

'Wat is er aan de hand?' vroeg hij. 'Het is hier vanavond wel heel erg levendig.'

'Welkom, meneer O.,' zei Wa-san. 'Kom binnen en doe met ons mee.'

'Hoe zie ik eruit?' vroeg Wa-san. Wij keken naar meneer O. Die was zijn toupet kwijt! We konden geen van allen ophouden met naar zijn hoofd te kijken. De heer O. legde zijn hand op zijn hoofd, bedekte instinctief zijn hoofd met de krant die hij bij zich had en rende snel de trappen weer af. Twintig minuten later was hij terug. 'Dat was een verrassing,' zei hij. 'Ik was hem bij de ingang van hotel Miyako verloren.' Zijn toupet was er weer, nu achterstevoren.

De volgende avond boekte Wa-san me weer. Zijn vrouw en kinderen waren er ook. Zijn vrouw was uitbundig.

'Dank u zeer voor het prachtige geschenk dat u mijn man heeft gegeven. Hij is jaren niet in zo'n goed humeur geweest,' vertelde mevrouw Wakamatsu me opgewekt. 'Ik zou het heel prettig vinden als je eens bij ons thuis wilt komen. Waarom kom je niet eens een avond om glimwormen te vangen?'

Ik werd er verlegen van dat ons cadeautje zo'n forse reactie opriep.

Een van de misvattingen over de karyukai is dat ze zich alleen maar op mannen richten. Dat is simpelweg niet waar. Vrouwen geven ook ozashiki en wonen die vaak als gast bij.

Het is waar dat de meerderheid van onze cliënten mannen zijn, maar we leren vaak hun gezinnen kennen. Mijn cliënten namen vaak naar het ochaya hun vrouwen en kinderen mee om mij te zien optreden. Echtgenotes leken vooral van de Miyako Odori te houden en vroegen mij vaak bij hen thuis voor speciale gelegenheden, zoals nieuwjaarsdag. Een echtgenoot treedt soms op als gastheer bij een saaie ozashiki met belangrijke zakenlui in de ene kamer en zijn vrouw en haar vriendinnen hebben plezier in een andere. Ik probeerde zo snel als de beleefdheid toeliet bij de mannen klaar te zijn om opgewekt de hal over te steken en de dames gezelschap te houden.

Het was voor mij niet ongewoon dat ik iemands hele familie kende. Soms boekten cliënten ozashiki voor familiebijeenkomsten, met name rondom nieuwjaar. Of een grootvader hield een ozashiki voor zijn pasgeboren kleinkind en terwijl de trotse ouders zich vermaakten, wedijverden wij geiko om de baby vast te houden. Soms grapten we dat de ochaya net chique 'familierestaurants' waren.

Zoals ik al eerder opmerkte zijn de karyukai voedingsbodems voor langdurige relaties die gebaseerd zijn op vertrouwen. De band die in de loop der tijden wordt gevormd tussen een ochaya, een vaste cliënt en zijn of haar favoriete geiko, kan heel sterk zijn.

Wat er wordt gezegd en gedaan in de beslotenheid van een ozashiki kan wellicht losstaan van de werkelijkheid van de buitenwereld, maar de relaties die zich ontwikkelen zijn heel echt. Ik was zo jong toen ik begon, dat ik in de loop der jaren nauwe relaties kreeg met velen van mijn vaste cliënten en hun gezinnen.

Ik heb een goed geheugen voor data en ik stond erom bekend dat ik behalve de verjaardagen van mijn cliënten en hun echtgenotes ook hun trouwdata onthield. Op een bepaald moment had ik deze informatie van meer dan honderd van mijn beste cliënten. Ik zorgde altijd voor kleine cadeautjes die ik aan mijn mannelijke cliënten kon geven om mee te nemen voor hun vrouwen als ze per ongeluk een belangrijke datum vergeten waren.

22

Voordat ik u vertel over enkele moeilijke ervaringen die ik als maiko had, begin ik graag met een paar prachtige. Ik heb veel fantastische mensen ontmoet in die jaren maar twee mannen steken er met kop en schouders bovenuit.

Allereerst is dat de beroemde filosoof en estheticus dr. Tetsuzo Tanigawa. Vlak na mijn debuut had ik het geluk aanwezig te zijn bij een ozashiki waar dr. Tanigawa te gast was.

'Het is meer dan vijftig jaar geleden dat ik een bezoek bracht aan Gion Kobu,' zei dr. Tanigawa als begroeting tegen me.

Ik dacht dat hij een grapje maakte. Hij zag er niet oud genoeg uit om dat waar te laten zijn. Maar toen ik met hem en zijn gastheer, de president-directeur van een grote uitgeverij, zat te praten, realiseerde ik me dat dr. Tanigawa dik in de zeventig moest zijn.

Bij onze eerste ontmoeting had ik er geen idee van dat dr. Tanigawa een belangrijke man was. Hij was zeer erudiet, maar geen snob. Hij had een open houding die uitnodigde tot een gesprek. Ik vroeg hem en hij luisterde met werkelijke belangstelling en dacht even na voor hij antwoordde: duidelijk, ad rem en precies. Enthousiast vroeg ik hem nog iets. Weer gaf hij mij een serieus en weloverwogen antwoord. Dat vond ik prachtig.

Het was bijna tijd voor mijn volgende afspraak maar ik wilde niet weg. Ik glipte even de kamer uit en vroeg de Okasan of ze alsjeblieft wilde zeggen dat ik me niet lekker voelde en mijn afspraken afzeggen. Zoiets had ik nog nooit eerder gedaan.

Ik ging terug naar de ozashiki en we zetten ons gesprek voort. Toen dr. Tanigawa opstond om te vertrekken, vertelde ik hem hoe ik genoten had van onze ontmoeting en hoopte dat ik hem nog eens zou zien.

'Ik heb ook bijzonder van ons gesprek genoten,' antwoordde hij. 'En ik vind dat u een verrukkelijke jonge vrouw bent. Beschouw me alstublieft als een *fan*. Ik moet een reeks maandelijkse symposia in de stad bijwonen en ik zal proberen u weer te bezoeken. Bedenk nog wat vragen voor me!'

'Dat zal makkelijk zijn. Kom alstublieft zo snel mogelijk terug!'

'Dat ga ik zeker proberen. Maar nu moet ik afscheid van u nemen.'

Dr. Tanigawa gebruikte het Engelse *fan*, een woord dat toen heel erg geliefd was.

Hij gebruikte het woord in algemene zin maar ik had een groot aantal fanclubs, zelfs onder maiko en geiko in andere karyukai in Kyoto en geisha in het hele land. (Maiko zijn er alleen in Kyoto.)

Dr. Tanigawa was een man van zijn woord en kwam een tijdje later weer in het ochaya.

In dit gesprek stelde ik hem vragen over hemzelf. Hij was open in zijn antwoorden en ik kwam veel te weten over zijn lange en indrukwekkende carrière.

Dr. Tanigawa bleek een jaar ouder dan mijn vader te zijn. In de loop der jaren had hij esthetica en filosofie gedoceerd aan universiteiten in heel Japan, waaronder de Kyoto kunstacademie, die mijn vader bezocht had. Verder was dr. Tanigawa directeur van het Nationaal Museum in Nara geweest, het Nationaal Museum in Kyoto en het Nationaal Museum in Tokyo. Geen wonder dat hij overal zoveel van wist! Hij was bovendien lid van de elitaire Japanse kunstacademie en de vader van de dichter Shuntaro Tanigawa, die zo bekend was dat zelfs ik wist wie hij was.

Ik vroeg dr. Tanigawa naar zijn academische achtergrond. Hij vertelde dat hij besloten had om naar de Universiteit van Kyoto te gaan en niet naar die van Tokyo om te kunnen studeren bij de grote filosoof Kitaro Nishida. Hij hield van Kyoto en Gion Kobu en leerde ze goed kennen in zijn studententijd.

Als ik wist dat dr. Tanigawa zou komen, weigerde ik alle andere afspraken zodat ik me volledig aan zijn gezelschap kon wijden. Er ontstond een vriendschap die voortduurde tot zijn dood begin jaren negentig van de twintigste eeuw. Ik zag mijn afspraken met hem niet als zakelijke ontmoetingen. Ik had meer het gevoel dat ik onderwezen werd door mijn lievelingsprofessor.

Ik bestookte hem genadeloos met vragen. Hij bleef serieus antwoorden en altijd helder en ter zake. Dr. Tanigawa leerde me na te denken. Hij drong nooit zijn eigen mening op maar moedigde me aan om de dingen zelf te beredeneren. We spraken eindeloos over kunst en esthetica. Als kunstenaar wilde ik me oefenen om de schoonheid in alle vormen te herkennen.

'Hoe moet ik naar een kunstwerk kijken?' vroeg ik.

'Je hoeft alleen te zien wat je ziet en te voelen wat je voelt,' was zijn eerlijke en korte antwoord.

'Is schoonheid slechts te zien door degene die haar wil zien?'

'Nee, Mineko. Schoonheid is universeel. Er is een onbetwistbaar grondbeginsel in deze wereld dat de verschijning en verdwijning van alle fenomenen verklaart. Dat noemen we karma. Het is constant en onveranderlijk en leidt tot universele waarden als schoonheid en moraal.'

Deze les werd de kerngedachte van mijn eigen filosofie.

Op een avond was dr. Tanigawa aan het dineren met de president-directeur van een andere uitgeverij en de laatste begon een gesprek over esthetica waarin hij veel moeilijke woorden gebruikte. Hij vroeg dr. Tanigawa: 'Hoe kan ik de waarde van een kunstwerk bepalen op een manier dat andere mensen denken dat ik deskundige ben?'

Wat een beschamende vraag, dacht ik.

Dr. Tanigawa verbaasde me door hem hetzelfde antwoord te geven dat hij mij gaf.

'Je hoeft alleen te zien wat je ziet en te voelen wat je voelt.'

Ik kon het niet geloven. Ik was een nauwelijks opgeleid vijftienjarig meisje en dr. Tanigawa gaf de president-directeur van een groot bedrijf dezelfde raad als hij mij had gegeven.

Ik was erg ontroerd. Hij is werkelijk oprecht, dacht ik.

Dr. Tanigawa leerde me hoe ik de waarheid kon vinden door in mijzelf te zoeken. Dit is volgens mij het grootste geschenk dat iemand mij ooit gegeven heeft. Ik hield zielsveel van hem.

In maart 1987 publiceerde dr. Tanigawa een nieuw boek, *Twijfels op je negentigste*. Ik ging naar de persbijeenkomst in het Okura hotel in Tokyo, waarvoor honderd van dr. Tanigawa's beste vrienden waren uitgenodigd. Ik voelde me gevleid tot hen te behoren.

'Heeft u nog steeds twijfels,' vroeg ik hem. 'Zelfs na uw negentigste?'

'Over sommige dingen krijgen we nooit zekerheid,' antwoordde hij. 'Al worden we honderd jaar. Dat bewijst dat we menselijk zijn.'

In zijn laatste levensjaren bezocht ik dr. Tanigawa thuis zo vaak als ik de kans kreeg. Eens was ik speels en deed alsof ik een eeuwenoude Egyptische vlieg, gemaakt van goud, uit zijn verzameling wilde wegnemen. Hij zei: 'Elk stuk in mijn collectie is al aan een museum toegezegd. Ze moeten op een openbare plaats gezien kunnen worden, want daar leren ze ons wat ze te zeggen hebben over kunst en cultuur. Dus geef het me alsjeblieft meteen terug.'

Om mijn beschamende blunder goed te maken, bestelde ik een doosje voor de amulet dat ik zelf had ontworpen. De buitenkant van de doos was van kweeboomhout, de binnenzijde van Anna-Paulownaboomhout gevoerd met amethistzijde. Dr. Tanigawa was heel blij met het geschenk en bewaarde de amulet vanaf dat moment in het speciale doosje.

Een andere briljante man die diepe indruk op mijn jonge geest maakte, was dr. Hideki Yukawa. Dr. Yukawa was hoogleraar natuurkunde aan de Universiteit van Kyoto; hij won in 1949 de Nobelprijs voor natuurkunde, omdat hij het bestaan van het elementaire deeltje meson had voorspeld. Ook hij was iemand die mijn vragen serieus nam.

Dr. Yukawa werd slaperig als hij sake dronk. Op een keer viel hij in slaap en moest ik hem wakker maken.

'Wakker worden, dr. Yukawa. Het is nog geen bedtijd voor u.'

Zijn ogen waren wazig en zijn gezicht verkreukeld. 'Wat wil je? Ik heb zo'n slaap.'

'Ik wil graag dat u me vertelt over natuurkunde. Wat is dat? En vertelt u me wat u moest doen om die grote prijs te winnen. U weet wel, die nobele.'

Ik bevond me op totaal onbekend terrein, maar hij lachte me niet uit. Hij ging rechtop zitten en beantwoordde mijn vragen gedetailleerd (al weet ik niet zeker hoeveel ik ervan begreep).

23

Helaas waren niet alle ontmoetingen in mijn begintijd prettig of leerzaam. Op een avond werd ik ontboden naar een bepaalde ozashiki. Er werd mij verteld dat de gastheer graag mijn aanwezigheid wilde maar om de een of andere reden had ik een slecht voorgevoel over deze afspraak. En inderdaad, ik kreeg een probleem. Een geiko, een zekere juffrouw K., was er al. Ze was dronken zoals gewoonlijk.

In Gion Kobu buigt een geiko nadat ze een ozashiki is binnengegaan eerst naar haar Oudere Zusters en dan naar de gasten. Dus ik boog naar juffrouw K. en groette haar beleefd. 'Goedenavond, Onesan.' Vervolgens keerde ik me naar de gastheer en boog.

Hij groette terug: 'Het is heel fijn u weer te zien.'

Ik keek op en herkende in hem een van de mannen die bij het beruchte feestmaal aanwezig was toen ik naar de poppen was gerend voordat ik de gasten had begroet.

Dat was slechts enkele weken eerder geweest, maar er was in die korte tijd zoveel gebeurd dat het eeuwen geleden leek. 'Mijn hemel, het lijkt al zo lang geleden dat wij elkaar de vorige keer hebben ontmoet. Hartelijk dank dat u mij heeft uitgenodigd vanavond bij u aanwezig te zijn.'

Juffrouw K. viel ons in de rede. Ze brabbelde: 'Waar heb je het over, al zo lang geleden?'

'Wat zegt u?' Ik wist niet waar ze het over had.

'Nu we het er toch over hebben, hoe zit dat met die Onesan van jou? Wat is haar probleem? Ze is zelfs geen goede danseres. Waarom doet ze altijd alsof ze beter is dan ieder ander?'

'Het spijt me zeer als zij iets gedaan heeft dat u heeft beledigd.'

Juffrouw K. pufte een sigaret en was gehuld in een wolk van rook.

'Het spijt je? Wat betekent dat? Als het jou spijt verandert dat niets.'

'Zal ik morgen bij u komen om dit met u te bespreken?'

Ik voelde me niet op mijn gemak en zag dat de cliënt steeds geïrriteerder raakte.

Hier betaalde hij niet voor.

Hij trachtte de situatie in de hand te nemen. 'Nou nou, juffrouw K., ik ben hier om me te vermaken. Zullen we van onderwerp veranderen?'

Ze weigerde het los te laten.

'Nee, dat doen we niet. Ik probeer Mineko te helpen. Ik wil niet dat ze net zo wordt als haar verschrikkelijke Onesan.'

Hij deed nog een poging.

'Ik weet zeker dat dat nooit gebeurt.'

'Wat weet jij er nou van? Waarom hou je je mond niet?'

De cliënt was terecht boos. Hij verhief zijn stem.

'Juffrouw K., hoe durft u zo tegen me te spreken?'

De enige manier die ik kon bedenken om hier een einde aan te maken was me nogmaals verontschuldigen voor Yaeko.

'*Nesan*, ik beloof u dat ik hier dadelijk met Yaeko over zal spreken. Ik zal haar vertellen hoe boos u bent. Het spijt ons zo dat wij u boos hebben gemaakt.'

Ze antwoordde iets volkomen onlogisch.

'Wat is er toch met je? Zie je niet dat ik rook?'

'O, natuurlijk. Neem me niet kwalijk. Ik zal meteen een asbak voor u halen.' Toen ik wilde opstaan, legde juffrouw K. haar hand op mijn arm.

'Nee, laat maar. Hier staat er een. Geef me je hand eens.'

Ik dacht dat ze me een asbak zou geven om te legen.

Maar ze pakte mijn linkerhand en tipte haar as in mijn open handpalm. Ze hield mijn hand stevig vast zodat ik niet kon terugtrekken. De cliënt was met afschuw vervuld en riep om de Okasan. Juffrouw K. weigerde mijn hand los te laten.

Ik herinner me dat Tante Oima me keer op keer verteld had dat een echte geiko altijd kalm blijft, ongeacht wat er gebeurt. Ik dacht:

Dit is een spirituele oefening. Als ik denk dat de as heet is, is die ook heet. Als ik denk dat hij niets is, is hij niets. Concentreer je.

Terwijl de Okasan zich de kamer in haastte, drukte juffrouw K. haar sigaret in mijn handpalm uit en liet toen mijn hand los. Ik weet dat het overdreven klinkt, maar het is echt gebeurd.

'Dank u,' zei ik omdat ik niet wist hoe ik moest reageren. 'Ik kom morgen bij u op bezoek.'

'Goed. Ik denk dat ik nu maar ga.'

Ze was te dronken om op te staan. De Okasan sleepte haar de kamer uit. Ik verontschuldigde me en ging naar de keuken om een ijsblokje te halen. Met het ijsblokje stevig in mijn verbrande hand geklemd, ging ik weer de kamer in en begroette de cliënt alsof er niets gebeurd was.

Ik boog. 'Het spijt me van die keer met de poppen. Wilt u mij alstublieft vergeven?'

Hij was erg vriendelijk, maar de sfeer een beetje somber. Gelukkig kwam de Okasan even later terug met ervaren geiko die het geheel kundig opvrolijkten.

Ik zou handelen volgens twee belangrijke regels: toon altijd respect tegenover Oudere Zusters en: laat een cliënt nooit getuige zijn van ruzie of slecht gedrag.

Ik moest haar laten zien dat ik niet geïntimideerd was door haar schokkende optreden. Dus de volgende dag ging ik bij haar op bezoek. Mijn hand was verbonden en ik had veel pijn maar ik deed alsof het niet haar schuld was.

'Onesan, het spijt me van de problemen gisteravond.'

'Ja, ja. Wat heb je met je hand gedaan?'

'O, ik ben zo onhandig. Ik lette niet op waar ik liep en ben gevallen. Het is niets. Ik wilde u bedanken voor alle raad die u mij gisteravond gaf. Ik zal uw woorden ter harte nemen en in de toekomst proberen ze in praktijk te brengen.'

'Goed, je doet maar.' Ze was duidelijk uiterst verbaasd dat ik het lef had te doen alsof er niets gebeurd was. 'Wil je misschien een kopje thee?'

'Dat is heel vriendelijk van u maar ik moet nu werkelijk gaan. Ik ben nog niet klaar met mijn lessen voor vandaag. Tot ziens.'

Ik was duidelijk haar meerdere. Ze heeft me nooit meer lastiggevallen.

Toen ik mijn carrière begon, moest ik behalve leren omgaan met moeilijke personen, me ook aanpassen aan de ongemakken van een extreem veeleisend programma waaronder de dagelijkse lessen, 's avonds ozashiki en regelmatig openbare optredens.

Laten we mijn eerste zes maanden eens bekijken. Op 15 februari begonnen de repetities voor mijn eerste Miyako Odori. Op 26 maart werd ik een maiko. Zeven dagen later, op 1 april, opende de Miyako Odori die een maand duurde. Daarna danste ik in mei een reeks speciale optredens in het nieuwe Kabukiza-theater in Osaka. Zodra die afgelopen was, begonnen de repetities voor de *Rokkagai*-uitvoeringen in juni.

Ik kon nauwelijks wachten om daaraan mee te doen. Rokkagai verwijst naar 'de vijf karyukai' en is de enige keer in een jaar dat alle karyukai van Kyoto bij elkaar komen om een groepsvoorstelling in elkaar te zetten waarin al onze verschillende dansstijlen zijn te zien. (Vroeger waren er zes karyukai in Kyoto. Nu zijn er nog vijf omdat de Shimabara-wijk niet meer meedoet.)

Ik verlangde ernaar de andere meisjes te leren kennen en het gemeenschapsgevoel te ervaren. Maar ik werd snel teleurgesteld. De hele onderneming zinderde van de concurrentie en nauwelijks verholen rivaliteit. De volgorde waarin de karyukai in het programma aantreden, wordt beschouwd als de rangorde voor dat jaar. Gion Kobu heeft ieder jaar het voorrecht om als eerste op te treden en hoeft zich dus geen plaats te veroveren, maar het was verontrustend te zien hoe er geruzied werd. Mijn fantasie over 'één gelukkige familie' was voor eens en voor altijd aan diggelen geslagen.

Ik werd snel de populairste maiko in Kyoto, wat inhield dat ik ontelbare verzoeken kreeg om ozashiki bij te wonen in ochaya van andere karyukai dan Gion Kobu. Mensen die de middelen hadden dat te doen, wilden me zien en als de uitnodigingen belangrijk genoeg waren, nam Mama Masako ze aan. Dit heen-en-weer gesjouw vond ik niet vreemd. Ik was zo naïef te geloven dat alles wat goed was voor de zaken van de karyukai ook goed was voor degenen die erbij betrokkenen waren.

Maar niet iedereen in Gion Kobu deelde deze overtuiging. Andere maiko en geiko vonden dat ik bij andere karyukai inbrak en vroegen insinuerend: 'Uit welke karyukai kwam je ook al weer?'

Ik heb de zaken het liefst helder en eenvoudig en ik vond al dit ellebogenwerk om hogerop te komen dom. Achteraf is het makkelijk als ik zeg dat ik in staat was de rechtstreekse weg te nemen omdat ik zo'n machtige positie had, maar in die tijd begreep ik echt niet waar al dat toneelspel voor nodig was. En ik vond het helemaal niet leuk. Ik bleef via mijn positie proberen de functionarissen van de Kabukai naar me te laten luisteren.

Foto's maken van maiko is een geliefde bezigheid van toeristen en paparazzi in Kyoto. Ik werd vaak omringd door persmuskieten als ik van het ene evenement naar het andere liep. Eens ging ik naar het station in Kyoto om met de trein naar Tokyo te gaan. Mijn gezicht was overal. De kiosken verkochten boodschappentassen met reclame voor Kyoto en mijn foto erop. Ik had die foto nog nooit gezien en ik had zeker geen toestemming gegeven voor commercieel gebruik. Ik was woedend. De volgende dag stormde ik de Kabukai binnen.

'Hoe durft iemand een foto van mij zonder mijn toestemming te gebruiken?' wilde ik weten.

Ik was vijftien jaar maar de man achter de balie sprak tegen me alsof ik een jaar of vier was.

'Nou, nou, Mine-chan, vermoei jij je mooie hoofdje maar niet met volwassen zaken. Zie het maar als de prijs voor beroemdheid.'

Onnodig te zeggen dat ik niet tevreden was met zijn antwoord. De volgende dag ging ik na school terug en ik praatte net zolang in op de functionaris totdat hij mij met de directeur liet spreken. Maar die was niet veel beter. Hij vertelde me keer op keer dat hij het zou uitzoeken maar er gebeurde niets.

Zo ging het jarenlang door.

Mijn groeiende ontevredenheid stond echter nooit mijn toewijding in de weg. Toen midden juni de Rokkagai-voorstellingen achter de rug waren, was ik totaal uitgeput. Eigenlijk moest ik meteen beginnen met de repetities voor de *Yukatakai*, een reeks zomerdansen opgevoerd door de Inoue-school. Maar mijn lichaam kon het niet meer aan en uiteindelijk stortte ik in.

Ik kreeg een acute blindedarmontsteking en moest mijn blindedarm laten verwijderen. Ik moest tien dagen in het ziekenhuis blijven. Kuniko week niet van mijn zijde, al sliep ik de eerste vier dagen en kan ik me daar niets meer van herinneren.

Kuniko vertelde me later dat ik in mijn slaap steeds maar met mijn agenda bezig was. 'Ik moet exact zes uur bij het Ichirikitei zijn en dan om zeven uur bij Tomiyo.'

Uiteindelijk werd ik wakker.

De dokter kwam me onderzoeken en vroeg of er al wat gas was ontsnapt.

'Gas?' vroeg ik.

'Ja, gas. Is er al wat uitgekomen?'

'Uitgekomen? Waaruit?'

'Ik bedoel of je al een wind hebt gelaten. Een scheet hebt gelaten.'

'Nou, zeg,' antwoordde ik verontwaardigd. 'Zoiets doe ik niet.'

Ik vroeg Kuniko wel of zij iets gasserigs had opgemerkt maar zij had niets gehoord of geroken. De dokter schreef het toch maar op.

Mama Masako kwam op bezoek.

'Hoe voel je je, mijn kind?' vroeg ze vriendelijk. Toen zei ze, met een ondeugende grijns: 'Weet je, je moet eigenlijk niet lachen als je hechtingen hebt, want dat doet echt pijn.' Ze gooide haar handen in de lucht en toverde op haar gezicht een belachelijke grimas.

'Wat vind je hiervan?' zei ze. 'En deze?'

De hele voorstelling was zo ongewoon dat ik het ongelooflijk grappig vond en niet met lachen kon ophouden. Het deed zo'n pijn dat de tranen over mijn wangen liepen.

'Hou alstublieft op,' smeekte ik.

'Steeds toen ik op bezoek kwam, sliep je en dan verveelde ik me. Maar dit is leuk. Ik moet gauw terugkomen.'

'Nee, dat hoeft niet per se,' zei ik. 'En zeg tegen iedereen alsjeblieft dat ze moeten ophouden me bloemen te sturen.'

Er stonden zoveel boeketten in de kamer dat de geuren niet aangenaam meer waren. Ze waren gewoon walgelijk. Ze overtuigde mijn vriendinnen ervan geen bloemen maar *manga* mee te nemen, de dikke stripboeken die Japanse tieners verslinden als snoep. Dat was absoluut het leukste van in het ziekenhuis liggen. Ik kon urenlang manga lezen, waarvoor ik thuis nooit vrije tijd had. Ik lag daar lekker te ontspannen, te lezen, te lachen en pijn te hebben.

Die tien dagen in het ziekenhuis hoopte ik steeds dat ik een dagje eerder weg zou mogen. Al jarenlang wilde ik *ochaohiku* doen en ik had besloten het te proberen. Het okiya had al in heel Gion Kobu foldertjes verspreid waarin stond dat ik tien dagen niet beschikbaar was, dus er zouden geen verzoeken voor voorstellingen komen. Dat gaf me de kans om eindelijk ochaohiku te doen.

Als onderdeel van haar werk kleedt een geiko zich elke avond, ook al heeft ze geen afspraken, zodat ze het meteen kan beantwoorden als er een verzoek bij het ochiya binnenkomt. Het woord 'ochaohiku' wordt gebruikt als een geiko zich kleedt maar nergens heen hoeft. Met andere woorden: de winkel is open maar er zijn geen cliënten.

Vanaf dat ik met werken begon, was ik steeds volgeboekt geweest, dus ik had nooit de kans gehad ochaohiku te doen. Ik vond dat ik het minimaal één keer moest meemaken.

Eerst nam ik een luxueus bad. Het voelde heerlijk om in ons eigen ruime badhuis te zijn na de benauwenis van het ziekenhuis. Ik plakte mijn litteken af zodat het niet nat zou worden en overgoot mezelf dankbaar met het warme water in de grote cederhouten badkuip. Ik liet me langzaam in het dampende water zakken en bleef erin totdat mijn huid weer soepel was. Ik ging uit het bad en waste mezelf grondig met een emmer heet water uit een kraan in de muur en zeep. Vervolgens wreef ik mezelf helemaal met een netje gevuld met rijstzemelen. Rijstzemelen bevatten een behoorlijke hoeveelheid vitamine B en zijn goed voor de huid. Daarna stapte ik weer de badkuip in om nogmaals te weken.

Alleen familieleden en Kuniko mochten het badhuis gebruiken. De andere okiya-bewoners gingen naar het plaatselijke badhuis, wat toen heel gewoon was. Weinig Japanners konden het zich veroorloven een eigen badhuis te hebben. Ontspannen door mijn bad ging ik naar de kapper om mijn haar te laten doen.

'Ik dacht dat je morgen pas aan het werk zou gaan,' zei mijn kapster toen ze me zag.

'Dat is ook zo,' zei ik. 'Maar ik wil nu eens ochaohiku doen.'

Ze keek me verbaasd aan maar deed wat ik vroeg. Ik belde het Suehiroya en vroeg mijn otokoshi me te komen kleden. Hij snapte er ook niets van maar gaf gehoor aan mijn verzoek. Toen ik helemaal klaar was ging ik zitten en wachten. Er gebeurde natuurlijk niets, want ik had geen dienst. Ik stak er wel iets heel belangrijks van op. Ik hield niet van nietsdoen. Ik vond het heel vermoeiend in een zwaar kostuum te zitten.

Het is veel makkelijker om bezig te zijn, realiseerde ik me.

二十四 24

De volgende dag begon ik met de repetities van de Zomerdansen en het gewone leven hernam zijn loop.

Al voelde ik me nog zwak en kwetsbaar, toch woonde ik die avond een afgesproken ozashiki bij. Terwijl ik boog om te groeten, duwde een van de gasten die deed alsof hij dronken was me omver. Ik kwam op mijn rug terecht en wilde net opstaan toen hij de gewatteerde zoom van mijn kimono greep en mijn rok tot boven mijn dijen optilde, zodat mijn benen en onderkleding waren te zien. Vervolgens pakte hij mijn benen vast en sleepte me over de vloer als een lappenpop. Iedereen begon te lachen, ook de andere maiko en geiko die aanwezig waren.

Ik was laaiend van woede en schaamte. Ik sprong op, trok mijn rokken recht en liep direct naar de keuken. Daar leende ik een sashimi-mes van een van de dienstmeisjes. Ik legde het op een dienblad en liep terug naar de feestzaal.

'Zo, iedereen blijft staan. Niemand verroert zich!'

'Alsjeblieft, Mine-chan, ik maakte maar een grapje. Ik bedoelde er niets mee.'

De Okasan kwam achter me de kamer binnen rennen.

'Stop, Mine-chan. Niet doen!'

Ik liet haar links liggen. Ik was woedend.

Kalm en traag zei ik: 'Blijf waar je bent. Ik wil dat iedereen heel goed luistert naar wat ik ga zeggen. Ik ga deze heer verwonden. Misschien dood ik hem wel. Ik wil dat jullie je allemaal realiseren hoe diep vernederd ik me voel.'

Ik liep naar mijn aanvaller toe en zette hem het mes op de keel.

'Steek het lichaam en het heelt. Verwond het hart en de wond is er een leven lang. Je hebt mijn trots geraakt en ik kan schande niet verdragen. Maar je bent het niet waard om voor naar de gevangenis te gaan, dus ik zal je laten gaan. Deze keer. Maar waag het niet zoiets ooit nog eens te doen.'

Met die woorden drukte ik de punt van het mes in de tatami naast de stoel van de gast en met opgeheven hoofd liep ik zelfverzekerd de zaal uit.

De volgende dag zat ik te lunchen in de schoolkantine toen een van de maiko die er gisteravond bij was geweest naast me kwam zitten. Ze was niet veel ouder dan ik. Ze vertelde dat de geiko het allemaal bekokstoofd hadden en de cliënt hadden opgestookt het te doen. Ze zei dat ze allen veel voorpret hadden gehad om mij te vernederen. Het arme meisje voelde zich verschrikkelijk. Ze had niet willen meedoen, maar wist niet wat ze moest doen.

Mijn koele woede maakte geen eind aan dat gepest. Integendeel, het werd erger. De vijandigheid openbaarde zich in vele vormen, de ene manier nog gemener dan de andere. Mijn rekwisieten en accessoires (waaiers, parasollen, theekloppers enzovoort) verdwenen bijvoorbeeld regelmatig. Andere geiko waren onbeleefd of negeerden mij tijdens feestmalen. Mensen belden naar het okiya en lieten boodschappen achter die me opzettelijk bij verkeerde afspraken brachten.

De zoom van een maikokimono is gewatteerd om de omslag de juiste zwaarte en vorm te geven. Op een avond had iemand spelden in de vulling gestoken. Nadat ik me herhaalde malen had geprikt, ging ik naar huis en haalde verdrietig wel tweeëntwintig spelden uit de zoom van mijn prachtige kimono.

Hoe langer deze incidenten zich voordeden, hoe moeilijker ik het vond iemand te vertrouwen of iets als vanzelfsprekend aan te nemen. En als ik eens een fout maakte, leek de straf altijd veel zwaarder dan de overtreding. Op een avond kwam ik in een ochaya binnen. Het was donker en ik kon niet zien wie mij voorbijliep in de gang. Het was de Okasan en ze was woedend dat ik haar niet op de juiste manier begroet had. De toegang tot haar ochaya werd me een jaar ontzegd. Ik probeerde zo goed mogelijk met het gepest om te gaan. Ik denk dat ik er uiteindelijk sterker door ben geworden.

Onder mijn leeftijdgenoten had ik niet één vriendin. Enkele oudere geiko, die al wat zelfverzekerder waren door hun succes, deden erg hun best om aardig voor me te zijn.

Zij behoorden tot de weinige mensen die het prettig vonden dat ik zo'n fenomeen was.

Het boekhoudsysteem van Gion Kobu vertaalde iemands populariteit meteen in concrete getallen. Ik bereikte snel de eerste plaats en die bezette ik zes jaar lang: de vijf jaar dat ik maiko was en het eerste jaar als geiko. Daarna bracht ik mijn programma enigszins terug. De lichte terugval in inkomsten die daar het gevolg van was, werd ruimschoots goedgemaakt door de vaste fooien die ik van mijn vele cliënten kreeg.

Het woord dat we gebruiken voor onze totale verdiensten is *mizuage* (niet te verwarren met het ritueel voor het volwassen worden). De geiko die over het voorgaande jaar de hoogste mizuage heeft, wordt publiekelijk geëerd op de jaarlijkse openingsceremonie die op 7 januari plaatsvindt in de Nyokoba-school. Ik werd dat eerste jaar geëerd.

Meteen vanaf het begin werd ik voor een buitensporig aantal ozashiki ingehuurd. Ik bezocht gemiddeld tien ochaya per avond en woonde in elk zoveel mogelijk ozashiki bij. Ik bleef daar zelden langer dan dertig minuten. Het was niet ongewoon dat ik maximaal vijf minuten op een feest kwam en dan naar mijn volgende afspraak ging.

Omdat ik zo geliefd was, kregen cliënten een rekening voor een vol uur van mijn tijd, al was ik maar een paar minuten bij hen geweest. Op die manier verzamelde ik veel meer hanadai dan gewerkte tijdseenheden. Iedere avond. De exacte gegevens heb ik niet, maar ik denk dat ik zo'n vijfhonderdduizend dollar per jaar verdiende. Dat was veel geld in het Japan van de jaren zestig en meer dan wat de president-directeuren van de meeste bedrijven verdienden. (Ook hieruit blijkt dat het beeld dat geiko seksuele diensten aan hun cliënten bewijzen belachelijk is. Waarom zouden we, met zo'n inkomen?)

Toch nam ik mijn werk in de ozashiki niet zo heel serieus. Ik zag de ozashiki nog steeds als een ontmoetingsplaats waar ik kon dansen en ik besteedde niet veel tijd aan de zorg voor cliënten. Ik ging ervan uit dat als ik mezelf vermaakte, de cliënten zich waarschijnlijk ook vermaakten en deed geen extra moeite om het hun naar de zin te maken.

Bij de geiko lag dat anders. Ik wilde hun respect en vriendschap en probeerde van alles om hen te plezieren. Op z'n minst wilde ik dat ze me aardig vonden. Maar wat ik ook deed, niets leek te werken. Hoe populairder ik bij de cliënten werd, hoe meer ik van de andere geiko vervreemdde. De meesten behandelden me gemeen, van de jongste maiko tot de oudere geiko. Ik werd steeds gefrustreerder en depressief. Toen kreeg ik een ingeving.

Omdat ik maar kort bij de verschillende feestmalen aanwezig kon zijn, was er nogal wat tijd die door andere geiko moest worden opgevuld. Ik ging het gezelschap zelf samenstellen door de Okasan van het ochaya te vragen bepaalde geiko uit te nodigen voor de ozashiki waarvoor ik geboekt was. Ik coördineerde alles als ik 's middags op weg was van de Nyokoba naar huis.

'Okasan, ik vroeg me af of u voor mijn afspraak met die-en-die vanavond [die ene en die andere] wilt vragen mij te helpen...'

De Okasan belde dan naar de okiya om te zeggen dat Mineko speciaal om die-en-die had gevraagd om die avond mee samen te werken. Ik boekte drie tot vijf extra geiko per feestmaal. Vermenigvuldig dit met het aantal feestmalen dat ik bijwoonde en de bedragen lopen snel op. Dit werk hadden de geiko anders misschien nooit gekregen en hun waardering deed hun afgunst snel verdwijnen.

Toen hun agenda's voller werden doordat ik naar hen vroeg, moesten ze me beter gaan behandelen. Het gepest nam langzaam maar zeker af. Mijn voornemen om aan de top te willen staan, werd hierdoor nog gestimuleerd. Mijn slimme plan zou immers alleen werken zolang ik nummer één was.

De strategie hielp bij de vrouwen maar niet bij de mannen. Ik moest leren me ook tegen hen te verdedigen. Tegen de vrouwen probeerde ik vriendelijk en voorkomend te zijn. Tegen de mannen was ik hard.

Op een dag was ik op de terugweg van de Shimogamo-tempel, waar ik een nieuwjaarsdans had opgevoerd. Het was 5 januari. Ik droeg een 'demon-verjaag-pijl', een talisman die op nieuwjaar bij shintotempels wordt verkocht om boze geesten af te weren. Een heer van middelbare leeftijd kwam op mij af. Terwijl hij rakelings langs mij liep, draaide hij zich om en begon me zonder waarschuwing overal te betasten.

Ik pakte de bamboepijl, greep de viezerik bij zijn rechterpols en stak de pijl in de rug van zijn hand. De pijl had een gekerfde punt. Ik drukte zo hard als ik kon. Bloed begon te vloeien. De man probeerde zijn hand weg te trekken, maar ik gebruikte al mijn kracht en bleef met de pijl op hem insteken.

Koel keek ik hem aan en zei: 'Zo, meneer, we kunnen twee dingen doen. We gaan naar de politie of u zweert nu dat u zoiets nooit meer zult doen, nooit meer, bij niemand. De keuze is aan u. Welke wordt het?'

Hij antwoordde onmiddellijk met een van pijn verwrongen stem: 'Ik beloof dat ik het nooit meer zal doen. Laat u me alstublieft gaan.'

'Ik wil dat elke keer als u in de verleiding komt om iemand anders pijn te doen u naar het litteken hiervan zult kijken. En ophoudt.'

Een andere keer liepen Yuriko en ik in de Hanamikoji-straat. Vanuit mijn ooghoeken zag ik drie mannen op ons afkomen. Ze leken dronken. Ik kreeg een naar gevoel. Voordat ik iets kon doen, greep een van de mannen mij van achteren beet en draaide mijn armen op mijn rug. De andere twee gingen achter Yuriko aan en ik schreeuwde dat ze weg moest rennen. Ze ging ervandoor en dook een steegje in.

Ondertussen had de vent zijn armen om mij heen en boog om mijn nek met zijn lippen te beroeren. Ik walgde ervan.

'Het is niet zo'n goed idee om met moderne vrouwen te sollen. Je kunt vanaf nu maar beter voorzichtig zijn,' zei ik terwijl ik naar een opening zocht. Ik dwong mezelf te verslappen. Hij minderde zijn greep. Ik pakte zijn linkerhand en zette mijn tanden in zijn pols. Hij schreeuwde en liet me los. Bloed droop van zijn hand. De twee andere mannen staarden me met grote verbaasde ogen aan. Ze gingen ervandoor.

Mijn lippen zaten onder het bloed. Ik was enkele passen van het okiya verwijderd toen er een groep mannen luidruchtig de straat in kwam die duidelijk hun best deden indruk op de vrouwen bij hen te maken. De mannen omsingelden me, loerden en grijnsden. Ze begonnen me aan te raken. Een stuk bamboe van de mand die ik droeg stak uit de bodem. Ik brak het met mijn vrije hand af en begon ermee te zwaaien naar mijn aanvallers.

Ik riep naar hen: 'Dus jullie denken dat je stoer bent, hè? Stelletje rotzakken!' Met de puntige kant van het bamboestuk haalde ik uit naar het gezicht van de meest agressieve man. De andere mannen deinsden terug en ik rende het huis in.

Een andere keer probeerde een man me te molesteren op de hoek van de Shinbashi- en Hanamikoji-straat. Ik wurmde me los uit zijn greep, deed een van mijn okobo uit en gooide die naar hem. Ik raakte hem midden in de roos. Toen ik een keer van het ene ochaya naar het andere liep, kwam er een dronkeman achter me aan, greep me beet en gooide een brandende sigaret achter in mijn kimono. Ik kon er niet bij, rende achter hem aan en liet hem de sigaret er uithalen. Het deed echt pijn. Ik ging snel naar huis en deed mijn kimono uit. In de spiegel zag ik een grote dikke blaar in mijn nek. Met een naald prikte ik de blaar door om het vocht te verwijderen en deed er vervolgens make-up op zodat hij niet te zien was. Toch was ik nog op tijd voor mijn volgende afspraak. Maar genoeg was genoeg. Ik ging voortaan overal per taxi heen, zelfs als mijn afspraken maar een paar honderd meter uit elkaar lagen.

Af en toe had ik ook problemen in een ochaya. Het overgrote deel van onze cliënten is keurig, maar nu en dan zit er een rotte appel tussen.

Er was een man die bijna elke avond naar Gion Kobu kwam en een fortuin uitgaf aan ozashiki. Hij had een slechte reputatie bij de maiko en geiko en ik probeerde hem zoveel mogelijk te mijden. Op een avond stond ik naast de keuken te wachten op een fles warme sake toen die man naar me toekwam en aan de voorkant van mijn kimono begon te friemelen. 'Waar zijn je borsten, Mine-chan? Hier ongeveer?'

Ik wist niet of de andere meisjes dit gedrag van hem accepteerden maar ik deed dat in ieder geval niet.

De altaarkamer was naast de keuken en ik zag daar een paar houten blokken op een kussen liggen. Die blokken worden gebruikt om de maat mee te slaan tijdens het chanten van soetra's en zijn behoorlijk zwaar. Ik ging naar binnen, pakte een van die blokken en draaide me om naar die vervelende kerel. Ik moet er bedreigend hebben uitgezien want hij ging ervandoor. Ik ging achter hem aan. Hij rende de tuin in en ik volgde hem, zonder schoenen.

Ik achtervolgde hem trap-op trap-af naar de tweede verdieping van het ochaya en het kon me niets schelen wat de andere gasten hiervan zouden denken. Uiteindelijk kreeg ik hem vlak bij de keuken te pakken. Ik sloeg hem met het houtblok op zijn hoofd. Er klonk een dof geluid. 'Ik heb je!' riep ik.

Die man werd toevallig wel snel kaal hierna.

二十五 25

Ik had de cijfers niet nodig om te weten dat ik de meest geliefde maiko in Gion Kobu was geworden. Daarvoor hoefde ik alleen maar in mijn agenda te kijken. Die stond volgeboekt voor anderhalf jaar.

Mijn programma zat zo vol dat toekomstige cliënten hun voorlopige boeking een maand voor de afspraak moesten bevestigen en – al reserveerde ik altijd wat tijd voor noodgevallen – die werd al een week van tevoren vastgelegd. Als ik in mijn agenda een paar minuten ruimte had dan vulde ik die in als ik van de Nyokoba op weg was naar huis door hier vijf en daar tien minuten aanwezigheid toe te zeggen. Kuniko schreef die extra klusjes in mijn agenda terwijl ik zat te lunchen.

Het kwam er eigenlijk op neer dat ik die vijf jaar dat ik maiko was, was volgeboekt. Ik werkte zeven dagen per week, 365 dagen per jaar, vanaf mijn vijftiende verjaardag tot mijn eenentwintigste. Ik nam nooit een dag vrij. Ik werkte iedere zaterdag en zondag. Ik werkte op oudejaarsavond en ik werkte op nieuwjaarsdag.

Ik was de enige in het Iwasaki okiya die op deze dagen niet vrijnam en waarschijnlijk ook de enige in Gion Kobu. Alles beter dan niet werken.

Ik wist echt niet hoe ik lol moest maken. Als ik heel even vrij had ging ik wel eens uit met vriendinnen, maar ik vond het vermoeiend onder de mensen te zijn.

Als ik de deur uitstapte, werd ik 'Mineko van Gion Kobu'. Bewonderaars omringden me waar ik ook ging en ik voelde me verplicht die rol te spelen. Ik was altijd aan het werk. Als iemand met mij op de foto wilde, dan deed ik dat. Als iemand een handtekening wilde, dan gaf ik die. Het hield nooit op.

Ik was bang dat als ik niet altijd de beroepshouding van een maiko zou aannemen, ik gewoon zou instorten. Werkelijk, ik was veel gelukkiger als ik alleen thuis kon zijn, mijn eigen gedachten kon hebben, een boek lezen en naar muziek luisteren. Dat was mijn enige manier om echt te ontspannen.

Het is moeilijk voor te stellen dat je in een wereld leeft waarin iedereen – je vriendinnen, je zusters, zelfs je moeder – je rivaal is. Ik raakte erdoor in de war. Ik kon niet een vriend van een vijand onderscheiden, ik wist nooit wie of wat ik geloven moest. Het was onvermijdelijk dat dit alles zijn psychologische tol eiste en ik begon emotionele problemen te krijgen. Ik kreeg last van angstaanvallen, slapeloosheid en problemen met praten.

Ik was bang dat als ik niet opfleurde, ik ziek zou worden. Dus moest ik grappiger worden. Ik kocht een stapel platen met grappige verhalen en luisterde er elke dag naar. Ik verzon mijn eigen nummers en probeerde die uit tijdens ozashiki. Dan deed ik alsof de feestzaal een speelterrein was en ik daar was om plezier te hebben.

Het hielp echt. Ik begon me beter te voelen en kon meer aandacht houden bij wat zich in de zaal afspeelde. Dans en andere kunstvormen kunnen worden aangeleerd, maar een ozashiki laten sprankelen niet. Daarvoor zijn een zekere aanleg en jaren ervaring nodig.

Elke ozashiki is anders, zelfs in het ochaya. Je leert de status van de gasten kennen door de manier waarop de zaal is ingericht. Hoe waardevol is de rol die in de tokonoma hangt? Welke borden staan op tafel? Door wie wordt het eten verzorgd? Een ervaren geiko valt deze nuances op als ze een ozashiki binnengaat en past haar gedrag dienovereenkomstig aan. Door de esthetische opvoeding van mijn ouders had ik een voorsprong hierin.

Dan moeten we weten hoe we richting kunnen geven aan het amusement. Vindt de gastheer het prettig om naar dansen te kijken, wil hij een geestig gesprek of speelt hij liever vermakelijke spelletjes? Als we een cliënt beter leren kennen, zorgen we ervoor dat zijn of haar persoonlijke voor- en afkeur in ons geheugen wordt opgeslagen, zodat we hem of haar in de toekomst nog beter van dienst kunnen zijn.

Ochaya worden niet alleen voor amusement gebruikt. Ze zijn ook vaak de ontmoetingsplaats voor het afsluiten van gevoelige zakendeals en politieke discussies. Een ozashiki biedt een besloten omgeving, waar de deelnemers zich op hun gemak voelen en weten dat hun privacy wordt beschermd.

Tante Oima leerde me waarom onze haarornamenten puntige uiteinden hebben: we kunnen ze gebruiken om onze cliënten te beschermen bij een aanval. En dat de koralen ornamenten die we in de koudere maanden dragen, gebruikt kunnen worden om de veiligheid van sake te testen: koraal breekt in stukjes als het in contact komt met vergif.

Soms is de meest waardevolle dienst die een geiko kan verlenen om als het ware een stuk van de muur te worden, onzichtbaar. Indien gewenst zal ze plaatsnemen in de buurt van de toegang naar de zaal en de gastheer laten weten dat er iemand aankomt door een klein gebaar te maken. Of ze laat, als haar dat gevraagd wordt, iedereen die daar komt weten dat de gasten niet gestoord willen worden.

Een van de gespecialiseerde taken in het theehuis is die van sake-verwarmer, *okanban*. De okanban vult een fles met sake en plaatst die in een pan zachtjes kokend water om hem op te warmen. Dat klinkt eenvoudig maar iedere gast wil zijn of haar sake op een bepaalde temperatuur. Het vak van de okanban is in te schatten hoeveel graden warmte er verloren gaan als de sake onderweg is van keuken naar feestzaal, zodat hij de juiste temperatuur heeft als hij bij de cliënt komt. Dat is geen kleinigheid. Ik vond het leuk om sake te halen omdat ik graag met de okanban praatte. Zij hadden altijd veel interessante achter-de-schermen-informatie.

Zoals ik eerder opmerkte hebben theehuizen vaak generaties lang banden met hun beste cliënten. Een van de manieren waarop het ochaya deze trouw instandhoudt, is door de nakomelingen van hun cliënten als tijdelijke krachten in te huren. Assistent-okanban is een gewilde positie.

Een jonge man die begint aan de Universiteit van Kyoto zou bijvoorbeeld naar die baan kunnen solliciteren met een aanbeveling van zijn vader, zodat hij iets kan bijverdienen. Iedereen heeft voordeel van zo'n regeling. De jongeman leert van binnenuit hoe de ochaya-cultuur werkt. Hij ziet hoeveel werk er verzet moet worden voor alleen al de simpelste ozashiki en hij leert de plaatselijke maiko en geiko kennen. De vader helpt zijn zoon om de ingewikkelde gebruiken in de wereld der volwassenen te leren begrijpen. En het ochaya investeert in een toekomstige cliënt.

Ik bleef zoveel mogelijk energie aan mijn danslessen geven. Ik had het gevoel dat ik eindelijk vooruitgang boekte nu ik beroepsdanseres was. Dus ik was geschokt toen ik mijn tweede otome kreeg.

Dat was tijdens de repetities van de Zomerdansen waaraan alle geiko van Gion Kobu deelnemen. Ik was zeventien jaar. We waren een groepsnummer aan het repeteren. Opeens liet Grote Mevrouw alles stopzetten, riep mijn naam en vertelde me het toneel te verlaten. Ik kon het niet geloven. Ik had geen fout gemaakt. Het meisje naast mij wel.

Ik zocht Mama Masako op en raasde: 'Dat is het dan! Ik hou ermee op! Ik heb weer een otome gekregen en ook deze keer was het niet mijn schuld!'

Zonder aarzeling zei Mama Masako kalm: 'Goed. Toe maar. Je hebt niet eens een fout gemaakt. Hoe durft ze je zo voor schut te zetten bij iedereen! Arm kind!'

Ze stookte me op. Ja, ze kende me van haver tot gort. Ze wist dat ik altijd het tegenovergestelde deed van wat zij vond dat ik moest doen.

'Nee, ik meen het, Mam, ik hou er echt mee op.'

'Dat begrijp ik. Ik zou het ook doen in jouw situatie.'

'Maar als ik ermee ophoud, is dat gezichtsverlies. Misschien moet ik iedereen voor de gek houden en doorgaan. Ik weet het niet...'

'Ja, dat is een andere mogelijkheid...'

Net op dat moment liep Yaeko de kamer in. Ze had ons gesprek staan afluisteren.

'Je hebt het deze keer helemaal verknald, Mineko. Je hebt ons allemaal te schande gemaakt.'

Ze bedoelde dat mijn schande gezichtsverlies zou betekenen voor alle geiko die met onze familie verbonden waren.

Mama Masako wuifde haar weg. 'Je hebt hier niets mee te maken, Yaeko. Wil je alsjeblieft naar de andere kamer gaan?'

Yaeko's lippen krulden zich in een kleine glimlach. 'Natuurlijk heb ik hier mee te maken. Haar slechte gedrag brengt mij ook in verlegenheid.'

Mama zei vlak: 'Doe niet zo belachelijk, Yaeko. Wil je alsjeblieft weggaan?'

'Sinds wanneer speel jij de baas over mij?'

'Dit is iets tussen Mineko en mij. Ik wil dat jij je erbuiten houdt.'

'Nou, als je er zo over denkt, dan spijt het me vreselijk dat ik jullie heb lastiggevallen. Ik zal de laatste zijn om tussen jou en je "kostbare" Mineko te willen komen. Alsof ze het waard is.'

Yaeko verliet met opgestoken zeilen de kamer, maar haar woorden bleven in mijn hoofd hangen. Misschien was ik zo slecht dat ik er echt mee moest ophouden.

'Vergeef me, Mama. Het spijt me. Misschien is het beter als ik ermee stop.'

'Wat je ook beslist, ik vind het goed.'

'Stel je voor dat het zo is als Yaeko zegt? Stel dat ik schande over het huis heb gebracht?'

'Dat is geen goede reden. Dat zei je zelf ook enkele minuten geleden. Het zou een totaal gezichtsverlies zijn als je stopt. Als ik jou was, zou ik met Grote Mevrouw gaan praten. Luisteren naar wat zij te zeggen heeft. Ik wed dat zij wil dat je doorgaat.'

'Denkt u dat echt? Dank u, Mama. Dan ga ik dat doen.'

Mama Masako belde Moeder Sakaguchi, die meteen in de auto naar ons toekwam.

Zoals gebruikelijk zat onze afvaardiging tegenover hun afvaardiging. Iedereen boog.

Ik verwachtte dat Moeder Sakaguchi mijn onschuld zou aantonen.

'Mevrouw Aiko, ik wil u zeggen hoe dankbaar ik ben dat u Mineko terecht heeft gewezen. Ze heeft dergelijke berispingen nodig om een echte danseres te worden. Mag ik u namens haar nederig vragen of u uw zorg en begeleiding wilt voortzetten?'

Als op een teken boog de hele Iwasaki-afvaardiging. Ik liep een hartslag achter, net genoeg tijd om te denken: Wat is er in hemelsnaam aan de hand? Toen begreep ik het. In een flits. Grote Mevrouw stelde me weer op de proef. Ze gebruikte de otome om me vooruit te duwen. Ze wilde me laten begrijpen dat het allerbelangrijkste was te blijven dansen. Een berisping zo af en toe was niets in vergelijking met wat ik zou kunnen bereiken of te verliezen had. Mijn arrogantie en schoolmeisjesachtige superioriteit hoorden hier niet in thuis. En op dat moment veranderde er iets. Ik begon het grotere geheel te zien. Ik voelde een nieuw verbindingsniveau met wat ik aan het doen was. Ik werd danseres.

Ik heb geen idee wat Mama Masako aan de telefoon tegen Moeder Sakaguchi had verteld, hoe Moeder Sakaguchi had gereageerd of wat Moeder Sakaguchi tegen Mevrouw Aiko had gezegd voor we allen bij elkaar kwamen. Door haar veelzeggende woorden over nederigheid gaf Moeder Sakaguchi mij een heel belangrijke boodschap. Ze liet me zien dat beroepsmensen met hun meningsverschillen omgingen op een niet-reageren-manier, die voordelig was voor alle betrokkenen. Ik had hier al talloze voorbeelden van gezien, maar ze tot dan nog nooit echt begrepen. Ik was zo trots op de vaardige manier waarop Moeder Sakaguchi met de situatie omging. Grote Mevrouw had me de berisping gegeven maar de echte les kwam van Moeder Sakaguchi.

Ik had nog een lange weg te gaan voordat ik volwassen was en ik wist dat ik net zo'n goed iemand wilde zijn als de vrouwen in deze kamer. Grote Mevrouw bedankte Madame Sakaguchi voor haar komst en begeleidde haar, gevolgd door het personeel, naar de deur om gedag te zeggen.

Net voordat ze in de auto stapte, boog Moeder Sakaguchi zich naar me toe en fluisterde in mijn oor: 'Mine-chan, werk hard.'

'Ja, dat beloof ik.'

Toen we thuiskwamen liep ik door het hele okiya en bracht alle spiegels die ik kon vinden naar mijn kamer. Ik zette ze zo langs de muren dat ik mezelf vanuit elke hoek kon zien en begon te dansen. Vanaf dat moment oefende ik als een waanzinnige. Nadat ik 's avonds of 's nachts thuiskwam, kleedde ik me om in danskleren en oefende totdat ik mijn ogen niet meer kon openhouden. Er waren nachten dat ik maar één uur sliep.

Ik keek zo kritisch mogelijk naar mezelf. Ieder onderdeel van mijn bewegingen trachtte ik te analyseren en elk gebaar probeerde ik te vervolmaken. Maar er ontbrak iets van expressiviteit. Ik dacht er lang en hard over na. Wat kon het zijn? Uiteindelijk daagde het bij me dat het iets emotioneels was en niet fysiek.

Het probleem was dat ik nog nooit verliefd was geweest. Aan mijn dansen ontbrak een gevoelsdiepte die pas zou optreden nadat ik passie had ervaren. Hoe kon ik ware liefde of het verlies ervan uitbeelden als ik niet wist wat liefde was?

Deze bewustwording was erg beangstigend, want als ik aan fysieke liefde dacht, herinnerde ik me dat mijn neef me probeerde te verkrachten en dan blokkeerde mijn geest. Ik was nog steeds niet over die doodsangst heen. Ik begon te denken dat er met mij iets heel ernstigs mis. Zou ik zo beschadigd zijn dat ik nooit een relatie zou durven aangaan? En dit was niet het enige obstakel tussen mij en intimiteit. Er was iets diepers, iets dat veel verraderlijker zou kunnen zijn.

Feit is dat ik niet van mensen hield. Dat had ik als klein kind al en dat had ik nog steeds. Mijn afkeer voor mensen hinderde me zowel in mijn werk als persoonlijk. Het was mijn grootste tekortkoming als maiko. Ik had geen keus. Ik moest mezelf dwingen te doen alsof ik iedereen aardig vond.

Ik vind het zo ontroerend om terug te kijken op dit beeld van mezelf, deze niet-wereldse jonge vrouw die zo haar best deed mensen te behagen maar niet wilde dat er iemand te dichtbij kwam.

De relatie tussen de seksen, altijd al een mysterie, is verwarrend voor de meeste jongvolwassenen maar voor mij absoluut verbijsterend. Ik had zo weinig ervaring met mannen of jongens dat ik niet intuïtief aanvoelde hoe ik warmte kon uitstralen zonder intimiteit aan te trekken. Het was uitermate belangrijk dat ik tegen iedereen vriendelijk was. Maar als ik té aardig was, kreeg de cliënt een verkeerd beeld en dat was het laatste dat ik wilde laten gebeuren. Het duurde jaren voor ik had geleerd hoe ik het midden moest houden tussen mannen gelukkig maken en weg houden. In het begin, toen ik nog niet wist hoe ik de juiste signalen moest uitzenden, maakte ik veel fouten.

Op een keer zei een van mijn cliënten, een zeer welgestelde jongeman: 'Ik ga naar het buitenland om te studeren. Ik wil graag dat je met me meegaat. Heb je bezwaren?'

Ik was met stomheid geslagen. Hij vertelde zijn plannen alsof alles al beslist was. Ik wist niet wat ik moest zeggen.

Mannen die de handelwijzen in Gion Kobu kennen, begrijpen de onuitgesproken regels en breken die zelden. Maar soms, en vooral als de man zo naïef was als deze kerel, kon mijn vriendelijkheid verkeerd worden uitgelegd en te persoonlijk opgevat. Ik had geen andere keus dan het heel direct op te lossen met hem. Ik legde hem uit dat ik gewoon mijn werk deed en dat ik hem – al vond ik hem best aardig – niet de indruk had willen geven dat ik belangstelling voor hem had.

Een andere keer nam een jonge cliënt voor mij een dure pop uit zijn geboortestad mee. Hij wilde me het cadeau zo graag geven dat hij niet de volgende ozashiki kon afwachten. Hij kwam met het cadeau bij het okiya.

Dit was absoluut tegen de etiquette maar ik had medelijden met hem, al vond ik het wel griezelig. Ik kon niet geloven dat hij zo naïef was dat hij dacht het recht te hebben om naar mijn huis te komen. Toch probeerde ik beleefd te blijven.

'Dank u, ik geef niet echt om poppen. Geef hem alstublieft aan iemand die uw geschenk wel op prijs stelt.'

Algauw verspreidde zich onder mijn vaste cliënten het gerucht dat ik een hekel aan poppen had.

Tijdens een opdracht in Tokyo nam mijn cliënt me mee naar een winkel, die gespecialiseerd was in luxeartikelen van bekende merken.

'Zoek maar uit wat je wilt hebben,' zei hij.

Ik nam zelden geschenken van cliënten aan, dus ik bedankte en zei dat ik graag even wilde rondkijken. Ik zag een mooi horloge en mompelde in mezelf: Mooi horloge. De volgende dag liet de cliënt het horloge bij mijn hotel afleveren. Ik stuurde het meteen terug. Dit voorval leerde me dat ik steeds alert moest zijn.

Dit soort zaken deden zich voor toen ik zestien of zeventien jaar was en waren tekenend voor mijn onvolwassenheid en gebrek aan ervaring. Ze lieten zien hoeveel ik nog moest leren.

Soms werd ik door mijn naïviteit echt in verlegenheid gebracht.

Voor het eerste nieuwjaar nadat ik maiko was geworden, werd ik uitgenodigd de *Hatsugama* (eerste theeceremonie van het jaar) bij te wonen in de Urasenke-theeschool, het belangrijkste bolwerk van esthetische correctheid in Japan. Deze uitnodiging was een eer en ik zette mijn beste beentje voor in deze voorname groep aanwezigen.

Geiko bestuderen de theeceremonie om de gratie ervan te absorberen maar moeten ook voorbereid zijn om de ceremonie in het openbaar uit te voeren tijdens de jaarlijkse Miyako Odori.

In het Kaburenjo-theater is een enorme theezaal waar driehonderd gasten terecht kunnen. Op de voor haar vastgestelde dag voert een geiko voorafgaand aan iedere voorstelling vijf keer de ceremonie uit, met tussenpozen van vijftien minuten, ten behoeve van de 1450 mensen in het publiek. Zij bereidt alleen de thee voor de twee mensen die zijn uitgenodigd om als eregast deel te nemen. De anderen worden bediend door serveersters die de thee in een voorvertrek hebben klaargemaakt. Alle geiko moeten over thee leren, vandaar dat er een hechte band is tussen de Urasenke-theeschool en Gion Kobu.

Tijdens de Hatsugama zaten we in een cirkel in een grote kamer en een bediende begon met het van gast tot gast doorgeven van een interessant uitziende kop. Die kop had een puntig toelopende steel maar geen voet, als een paddestoel. Het was niet mogelijk de kop neer te zetten. Je moest drinken wat erin zat.

Leuk, dacht ik en toen ik aan de beurt was dronk ik de inhoud in een teug op.

Het was walgelijk. Ik had nog nooit zoiets vies geproefd. Ik dacht dat ik moest overgeven. Mijn gevoel moet op mijn gezicht te zien zijn geweest, want mevrouw Kayoko Sen, de vrouw van de vorige directeur van de Urasenke-theeschool die heel aardig tegen me was, lachte en zei: 'Wat is er aan de hand, Mine-chan? Hou je niet van sake?'

SAKE? Ik grimaste en toen raakte ik in paniek. Ik had zojuist de wet overtreden! O mijn god, stel je voor dat ik gearresteerd werd? Mijn vader had me zo'n ontzag voor de wet bijgebracht dat ik als de dood was deze te overtreden. Wat moet ik nu doen? Toen kwam de kop opnieuw langs en niemand scheen te denken dat er iets fout was.

Ik wilde geen scène schoppen in het bijzijn van al die belangrijke mensen dus ik hield mijn adem in en sloeg de kop weer achterover. Tegen het eind van het feest had ik heel wat sake gedronken.

Ik voelde me raar maar slaagde erin mijn dans zonder ongelukken op te voeren. Ik woonde 's avonds het gebruikelijk aantal feestmalen bij en doorstond alles goed. Maar toen ik thuiskwam en de vestibule van het okiya binnenliep, viel ik plat op mijn gezicht. Iedereen in het okiya was in rep en roer om mij uit mijn kostuum te helpen en in mijn futon te leggen.

De volgende dag werd ik zoals gewoonlijk om zes uur 's ochtends wakker maar werd onmiddellijk overvallen door een intens gevoel van schaamte en afkeer van mezelf. Wat had ik de voorgaande avond gedaan? Ik kon me niets herinneren van wat er gebeurd was nadat ik de theeschool had verlaten. Ik kon me niets herinneren van de ozashiki die ik had bijgewoond.

Ik wilde in een gat kruipen en doodgaan maar ik moest opstaan en naar les. Ik had niet alleen de wet overtreden, ik had me misschien ook schandelijk gedragen. Het was bijna te veel voor me. Ik wilde niemand zien.

Ik dwong mezelf op te staan en naar school te gaan. Ik volgde de les van Grote Mevrouw maar was ervan overtuigd dat iedereen vreemd naar me keek. Ik voelde me ondraaglijk ongemakkelijk. Ik excuseerde me voor de rest van de lessen en vluchtte terug naar het okiya. Zodra ik door de deur was, ging ik de kast in. Ik sloeg mijn armen om mijn knieën en herhaalde in mijn hoofd steeds maar weer, als een mantra: Ik heb er spijt van. Vergeef me. Ik zal het nooit meer doen.

Het was lang geleden dat ik mijn toevlucht tot de kast had gezocht en ik bleef er de hele middag zitten. Uiteindelijk kwam ik er uit toen het tijd was om me te kleden voor het werk.

Dat was de laatste keer dat ik mezelf de troost van mijn jeugdschuilplaats toestond. Daarna ging ik nooit meer de kast in.

Ik vraag me af waarom ik zo hard was voor mezelf. Het had iets te maken met mijn vader, met me ontzettend eenzaam voelen. Ik geloofde heilig dat het antwoord op alles zelfdiscipline was.

Ik geloofde dat zelfdiscipline de sleutel tot schoonheid was.

二十六 26

Toen ik meer dan twee jaar maiko was, werd het tijd voor mijn *mizuage*, een ceremonie om de groei van een maiko te vieren. Het kapsel van een maiko wordt vijf keer veranderd om de stappen in haar ontwikkeling naar geiko te symboliseren. Tijdens haar mizuage wordt de bovenste haarwrong symbolisch doorgesneden als teken van haar overgang naar jonge vrouw en ze neemt een volwassener kapsel aan. Het lijkt wat op de 'sweet sixteen'-feestjes in Amerika.

Ik vroeg Mama Masako of ik mijn cliënten moest vragen of ze wilden bijdragen in de kosten van de mizuage. Ze lachte en zei: 'Waar heb je het over? Ik heb je opgevoed tot een onafhankelijke vakvrouw. We hebben geen mannen nodig om ons hiermee te helpen. Het okiya kan hier uitstekend voor zorgen.'

Mama Masako was heel voorzichtig met geld. Al wist ik daarvan niet veel, toch wilde ik het gevoel hebben dat ik mijn steentje bijdroeg.

'Wat moet ik dan doen?'

'Niet veel. Je moet je een nieuw kapsel laten aanmeten. Dan houden we een *sakazuki*-ceremonie om de gelegenheid betekenis te geven en dan delen we cadeautjes uit aan de hoofd- en bijfamilies, waaronder die snoepjes waarmee je je zo ongemakkelijk voelde toen je veertien jaar werd.'

Mijn mizuage was in oktober 1967, toen ik zeventien jaar was. We legden beleefdheidsbezoekjes af om het aan te kondigen en om cadeautjes te overhandigen aan al onze 'relaties' in Gion Kobu.

Ik nam afscheid van het wareshinobu-kapsel dat ik tweeëneenhalf jaar had gedragen en had nu het *ofuku*-kapsel, de stijl van alledag voor ervaren maiko. Er waren nog twee andere kapsels die ik bij speciale

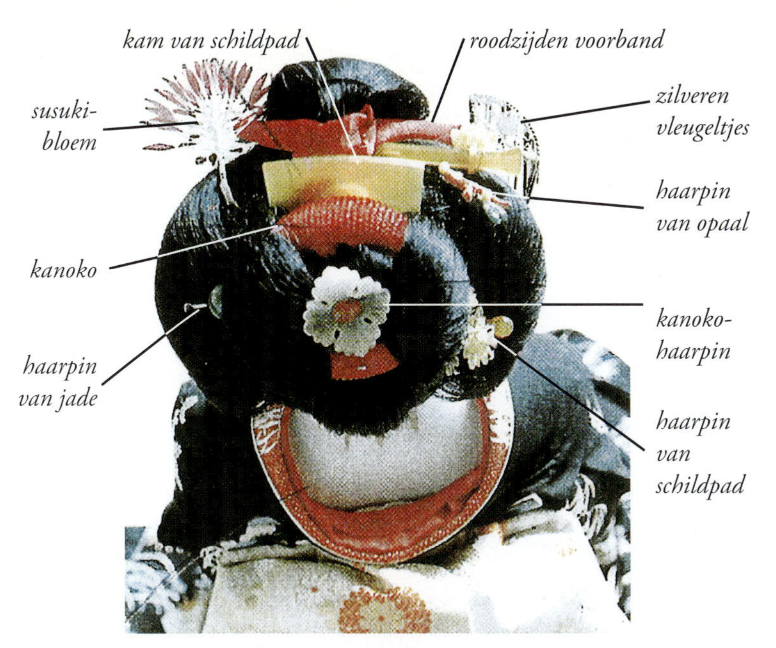

Het wareshinobu-kapsel.

Gezelschap voor prins Charles.

Mama Masako op vierenveertigjarige leeftijd.

Voor het Iwasaki okiya.

Met mijn kleder Suehiroya.

Met dr. Tanigawa.

Het sakko-kapsel op mijn laatste dag als maiko.

De dag dat ik geiko werd, stuurden vele fans handgeschilderde felicitaties, die we in de hal van het okiya hingen.

In de Miyako Odori.

Een zomerportret.

Tussen de voorstellingen in het Kaburenjo-theater, drieëntwintig jaar oud.

Als Murasaki Shikibu op het Feest van de Tijden, achttien jaar oud.

In de tuin van een ochaya.

Bij het uitvoeren van een theeceremonie tijdens de Miyako Odori.

Met Toshio in Atlantic City.

Met Yuriko in Hakata.

Repeteren voor de Suntory-reclame.

Mijn laatste optreden op negenentwintigjarige leeftijd.

Een zomerensemble (augustus).

gelegenheden moest dragen: *yakko*, voor als ik in traditionele kimono was, en *katsuyama*, voor de maand voor en de maand na het Gionfeest in juli.

De veranderingen in kapsel betekenden dat ik begonnen was aan de laatste fase van mijn carrière als maiko. Mijn vaste cliënten zagen dit als een teken dat ik de huwbare leeftijd naderde en begonnen me te benaderen met aanzoeken. Niet voor henzelf natuurlijk maar voor hun zonen en kleinzonen.

De geiko van Gion Kobu zijn vermaarde en gewaardeerde echtgenotes van rijke en machtige mannen. Zij kunnen zich geen mooiere of verfijndere gastvrouw wensen, vooral als zij zich bewegen in diplomatieke of internationale zakenkringen. En een geiko neemt een overvloed van in haar carrière opgebouwde connecties mee, die heel belangrijk kunnen zijn voor een jonge beginnende zakenman.

De geiko heeft een partner nodig die net zo interessant is als de mannen die ze elke avond van de week ontmoet. De meesten hebben geen zin om de sfeer van glamour en openheid te verruilen voor de verstikking van een kleinburgerlijk bestaan. Bovendien zijn geiko gewend veel geld te hebben. Ik heb gezien hoe werkende geiko uit liefde trouwden en eigenlijk hun echtgenoten onderhielden. Deze relaties hielden zelden lang stand.

Wat te denken van de vrouwen die de minnaressen zijn van getrouwde cliënten? Met die verhalen kan ik nog een boek vullen. Het klassieke verhaal is van een echtgenote op haar sterfbed. Zij roept de geiko bij zich en bedankt haar in tranen omdat ze zo goed voor haar man heeft gezorgd. Dan sterft ze, de geiko wordt de tweede vrouw van de man en ze leven nog lang en gelukkig. Het gaat zelden zo.

Ik herinner me een bijzonder verontrustend geval. Twee geiko hadden een affaire met dezelfde man, een belangrijke sakehandelaar. Ze vonden het allebei nodig om ongevraagd bij de echtgenote langs te gaan om haar te vragen van hem te scheiden. Gevangen in het onmogelijke dilemma van het daaropvolgende tumult pleegde de man zelfmoord.

Ik kreeg meer dan tien aanzoeken van mannen die vroegen of ik hun zoon of kleinzoon als potentiële echtgenoot wilde overwegen, maar ik weigerde ze allemaal. Ik was net achttien jaar geworden (en nog heel jong voor mijn leeftijd) en kon de gedachte aan een huwelijk niet serieus nemen. Om te beginnen kon ik me geen leven zonder dans voorstellen.

In de daaropvolgende jaren ging ik een aantal keren uit met hoopvolle jonge mannen. Ik was echter zo gewend aan erudiet gezelschap dat de mannen van de geschikte leeftijd saai en vervelend leken. Na de film en een kop thee wilde ik altijd graag naar huis.

De volgende belangrijke overgangsrite in het leven van een maiko na de mizuage is haar *erikae*, de ceremonie van 'het keren van de kraag'. Dan vervangt de maiko haar rood geborduurde kraag van de 'kind'-danseres door de witte kraag van de volwassen geiko. Deze overgang heeft meestal plaats op twintigjarige leeftijd. Daarna moet de geiko in staat zijn zich staande te houden op de kracht van haar artistieke prestaties.

Ik had bedacht mijn erikae op mijn twintigste verjaardag te hebben (in 1969). Maar Osaka organiseerde een Wereldtentoonstelling voor het jaar erna en degenen die het voor het zeggen hadden, wilden dat er zoveel mogelijk maiko beschikbaar waren om het verwachte grote aantal hoogwaardigheidsbekleders te onderhouden. Daarom vroegen ze de medewerking van de Kabukai, die op zijn beurt iedereen in mijn 'klas' vroeg het geiko worden nog een jaar uit te stellen.

Ik heb dat jaar veel belangrijke mensen onderhouden. In april 1970 werd ik uitgenodigd voor een informeel feestmaal voor prins Charles. Het vond plaats in het Kitcho-restaurant in Sagano, algemeen beschouwd als het beste restaurant in Japan.

Het was een heerlijke, zonnige middag en prins Charles leek zich prima te vermaken. Hij at alles wat hem aangeboden werd en vond alles heerlijk. We zaten in de tuin. De eigenaar van het restaurant was kleine zoetwatervisjes aan het grillen op de buiten-hibachi, een plaatselijke lekkernij. Ik waaide mezelf koelte toe met een van mijn lievelingswaaiers. Prins Charles glimlachte naar mij en zei: 'Mag ik die eens zien?' Ik overhandigde hem de waaier.

Voor ik wist wat er gebeurde, trok prins Charles een pen tevoorschijn en zette zijn handtekening, *'70 Charles*, op de voorkant van de waaier. 'O nee,' dacht ik verbijsterd. Ik was dol op die waaier. Ik kon niet geloven dat hij zijn handtekening erop had gezet zonder dit te vragen. Het kan mij niet schelen wie hij is, dacht ik. Dit is echt grof. Hij wilde me de waaier teruggeven, in de veronderstelling dat ik blij zou zijn met zijn gebaar.

In mijn beste Engels zei ik: 'Ik zou vereerd zijn als u deze waaier als een geschenk van mij wilt aannemen. Het is een van mijn lievelingswaaiers.'

Hij was stomverbaasd. 'Wilt u mijn handtekening niet?'

'Nee, dank u.'

'Dat heb ik nog nooit eerder iemand horen zeggen.'

'Dan wilt u misschien deze waaier wel aannemen en hem aan iemand geven die uw handtekening wil hebben. Als ik hier wegga, ga ik naar een ander feestmaal en het is ongemanierd ten opzichte van de gastheer als ik iets bij me heb met de handtekening van een ander. Als u hem niet wilt aannemen, dan regel ik zelf wel iets.'

'Nou graag, dank u.' Hij keek nog steeds verbaasd. Ik bleef de geruïneerde waaier weigeren.

Ik had geen tijd om naar huis te gaan en een andere waaier te halen, dus ik belde het huis en liet een dienstmeisje er een naar mijn volgende afspraak brengen. Ik overhandigde haar de waaier met de handtekening van Charles en zei tegen haar dat ze hem weg moest gooien. Later kwam ik een maiko tegen die ook op het tuinfeestje was geweest.

'Mine-chan, wat is er met de waaier gebeurd?'

'Dat weet ik niet zeker. Hoezo?'

'Als jij hem niet wilt hebben, dan wil ik hem graag hebben.'

'Dat had je eerder moeten zeggen. Ik geloof dat hij is weggegooid.'

Ze belde meteen om het te onderzoeken, maar helaas, het was te laat. Het dienstmeisje had gedaan wat ik haar gevraagd had en de waaier weggegooid. Mijn vriendin betreurde het in hoge mate maar zo voelde ik dat helemaal niet. Voor mij was het alsof Charles iets kostbaars had beschadigd.

二十七 27

Ik was nog nooit zo druk geweest als in het jaar van de Expo in Osaka. Ik had zoveel afspraken met buitenlandse bezoekers dat ik het gevoel had een medewerker van het ministerie van Buitenlandse Zaken of het Bureau van de keizerlijke huishouding te zijn. Toen werd een van mijn vriendinnen ziek en ik beloofde voor haar in te vallen bij de Miyako Odori. Dit belastte mijn agenda tot het uiterste. Bovendien ging een van de maiko van het Iwasaki okiya, Chiyoe, ervandoor om te trouwen. Wij moesten de leegte opvullen die door haar vertrek ontstond.

En er was een andere geiko die problemen veroorzaakte. Ze heette Yaemaru en was onmogelijk. Ze was een van Yaeko's andere Jongere Zusters (al was ze ouder dan ik). Die twee verdienden elkaar. Yaemaru dronk erg veel en was praktisch iedere avond laveloos. De dienstmeisjes moesten haar dan naar huis slepen vanaf de plek waar ze onderuit ging met haar haar helemaal in de war en haar kimono slordig. Ze was een bijzonder type.

Elke keer als Tante Oima of Mama Masako haar met maatregelen dreigde, smeekte ze om vergeving en beloofde beterschap. Dan was het een weekje rustig en dan waggelde ze weer rond. Zo ging het jarenlang.

U vraagt zich waarschijnlijk af waarom zulk ongedisciplineerd gedrag werd getolereerd. De reden is simpel. Yaemaru was de beste *taiko*-drummer in Gion Kobu, een van de besten ooit. Ze speelde een wezenlijke rol in de Miyako Odori en iedereen was afhankelijk van haar optreden, maar we wisten nooit zeker of ze het zou halen. Ze kwam dan wankelend en te laat het theater binnen met een enorme kater, maar als ze haar drumstokjes oppakte, onderging ze een soort metamorfose. Ze was verbluffend. Niemand kwam in haar buurt.

Dus ook al veroorzaakte Yaemaru steeds onrust, Tante Oima en Mama Masako zagen haar tekortkomingen door de vingers en zorgden goed voor haar. Maar in die lente veroorzaakte ze een heleboel problemen. En toen ging Chiyoe ervandoor. Op een dag vertrok ze met haar geliefde en liet alleen schulden achter. Net als Yaeko jaren daarvoor.

Als atotori was ik me heel bewust van mijn financiële verantwoordelijkheid tegenover het okiya. Als Yaemaru te dronken was om te werken of Chiyoe ons in de steek liet, dan voelde ik de druk om nog harder te werken. Al wist ik niet veel van geld, ik wist dat ik de belangrijkste steun van het huishouden was.

In die lente moest ik achtendertig van de veertig dagen optreden in de Miyako Odori. Ik was zo uitgeput dat ik nauwelijks op mijn voeten kon staan. Op een dag ging ik even in de kamer van de dienstmeisjes, net naast de theekamer, liggen. Grote Mevrouw kwam bij me kijken.

'Mine-chan, gaat het goed met je? Je ziet er niet zo best uit. Volgens mij moet je naar een dokter.'

'Dank u voor uw zorg maar het gaat goed met me. Ik ben gewoon moe. Ik weet zeker dat ik me zo weer beter voel.'

De waarheid was dat ik me verschrikkelijk voelde. Ik kreunde toen ik naar het toneel liep en lag op een kussen tussen de coulissen te wachten tot ik moest opkomen. Wonderlijk genoeg was ik helemaal in orde op het toneel.

Het gaat goed met me, dacht ik. Ik ben waarschijnlijk moe. De voorstelling van vandaag is al snel over en dan ga ik thuis een dutje doen. Het komt wel goed met me.

Ik deed mijn best mezelf moed in te spreken. Ik kwam de rest van die dag door en ging naar huis. Ik ging even liggen, stond weer op, liet me kleden en ging naar mijn avondafspraken.

Ik wilde net mijn entree maken bij een ozashiki toen ik me opeens heel erg licht en zweverig voelde. Ergens vandaan hoorde ik een hard geluid komen.

Het volgende dat ik wist was dat ik in een bed lag. Dr. Yanai keek me aan. Ik wist dat hij een afspraak had voor een ozashiki.

'Wat doet u hier?' vroeg ik hem. 'Waarom bent u niet op het feest?'

'Omdat jij flauwviel en ik bracht je hier in mijn kliniek.'

'Ik? Welnee.'

Het enige dat ik me kon herinneren, was dat zweverige gevoel. Ik had geen idee van de tijd die voorbij was gegaan.

'Ja, Mineko, jij wel. Ik ben bang dat je een probleem hebt. Je bloeddruk is 160.'

'Echt waar?'

Ik had geen idee wat dat betekende.

'Ik wil dat je morgen naar het Academisch Ziekenhuis gaat om je grondig te laten onderzoeken.'

'Nee, er is niets met me aan de hand. Ik heb gewoon heel hard gewerkt en ben te moe geworden. Ik denk dat ik nu terugga naar de ozashiki. Wilt u misschien met me meegaan?'

'Mine-chan, luister naar deze oude kwakzalver. Je moet goed voor jezelf zorgen. Ik wil dat je nu naar huis en naar bed gaat. Beloof me dat je morgen naar het ziekenhuis gaat.'

'Maar er is niets met me aan de hand.'

'Mine-chan, je luistert niet.'

'Omdat er niets met me aan de hand is.'

'Dat is er wel. Je kunt doodgaan als je zo doorgaat.'

'Ach, de schonen sterven altijd eerst.'

Nu keek hij echt boos. 'Maak hier geen grapjes over.'

'Neem me niet kwalijk, dokter. Ik waardeer uw vriendelijkheid bijzonder. Wilt u alstublieft een auto voor me bellen?'

'En waar wil je dan naartoe?'

'Ik wil even terug naar het ozashiki zodat ik me bij iedereen kan verontschuldigen.'

'Laat dat maar zitten, Mine-chan. Ga jij nu naar huis. Ik ga wel terug naar het ozashiki om jouw excuses aan te bieden.'

Ik ging even naar huis. Toen was het tijd voor een andere ozashiki en ik voelde me goed, dus ik ging. Toen ik daar aankwam, voelde ik me weer zwak en bibberig. Ik begon me zorgen te maken. Misschien was er echt iets niet goed met me en moest ik mezelf laten nakijken. Maar wanneer had ik daar tijd voor in mijn agenda?

De volgende dag sprak ik met Mama Masako. 'Mam, ik weet het niet zeker, maar ik denk dat er iets niet in orde met me is. Ik wil het okiya niet in de problemen brengen maar denkt u dat ik een paar dagen vrij kan nemen?'

'Natuurlijk kan dat, Mine-chan. Maak je geen zorgen om het werk. Niets is belangrijker dan je gezondheid. We gaan morgen als eerste naar het ziekenhuis om erachter te komen wat er aan de hand is. En dan zien we daarna wel.'

'Ik wil niet lang vrijnemen. Ik bedoel, ik wil niet achteropraken met mijn lessen en als ik niet naar ozashiki ga, verlies ik mijn plaats. Dan wordt iemand anders nummer één.'

'Het zou leuk zijn als een van de andere meisjes eens een kans krijgt.'

'Vindt u het dan niet erg?'

'Helemaal niet.'

Tot zover ons gesprek voordat ik wegraakte.

De volgende morgen ging Kuniko met me naar het Academisch Ziekenhuis. De hoofdinternist, dr. Nakano, liet mij een hele kan water drinken om mijn urine te kunnen controleren. Het duurde heel lang voordat ik kon plassen, meer dan drie uur. De dokter testte mijn urine op een reep laboratoriumpapier die diepgroen werd. Dat herinner ik me omdat het een van mijn lievelingskleuren was.

Ze brachten me naar een onderzoekskamer. Dr. Nakano kwam binnen met zo'n tien co-assistenten. 'Doe je truitje uit.'

De enige man die mij ooit naakt had gezien, was mijn vader vele jaren geleden. Ik was echt niet van plan om me in het bijzijn van al die vreemden uit te kleden. Dr. Nakano zag mijn aarzeling en blafte tegen me: 'Doe wat ik zeg, jongedame. Deze mensen worden straks allemaal dokter en zijn hier om de gang van zaken te bekijken. Denk maar dat ik de enige in deze kamer ben en doe al je bovenkleding uit.'

'Ik zou mijn trui ook niet uitdoen als u de enige persoon in deze kamer was,' antwoordde ik.

Hij raakte zeer geïrriteerd. 'Verdoe mijn tijd niet en doe wat ik zeg.'

Met een verwrongen gezicht volgde ik zijn bevel op. Er gebeurde niets. Ik weet niet zeker wat ik verwachtte, maar de dokter en de co-assistenten gingen gewoon door met hun werk.

Toen ik me eenmaal realiseerde dat ze niet geïnteresseerd waren in mijn lichaam vergat ik de aanwezigen en keek om me heen in de kamer. Er stond een vreemd uitziende machine waaruit een heleboel draden staken. Er kwam een zuster binnen die allerlei plakdingen op mijn lijf bevestigde waarmee ik aan die machine werd verbonden.

De dokter zette de machine aan. Zij braakte een lang stuk papier uit, waarop twee lijnen stonden. De ene lijn was recht de andere ging op en neer.

'Dat is een mooie lijn,' zei ik. 'Die rechte.'

'Ik ben bang dat het niet zo mooi is. Het betekent dat je linkernier niet werkt.'

'Waarom niet?'

'Daar moeten we nog achterkomen. Het kan betekenen dat we moeten opereren. Ik moet meer tests doen.'

Alles wat ik hoorde was het woord 'opereren'.

'Neemt u mij niet kwalijk, ik denk dat ik beter naar huis kan gaan om dit met mijn moeder te overleggen.'

'Kun je morgen terugkomen?'

'Ik weet niet zeker wat mijn plannen zijn.'

'Juffrouw Iwasaki, je moet hier snel iets aan doen. Anders gaat zich een echt probleem voordoen.'

'Wat voor probleem?'

'Dan moeten we misschien een van je nieren verwijderen.'

Ik was me nog steeds niet bewust van de ernst van de situatie.

'Ik wist niet eens dat ik twee nieren had. Is een niet genoeg? Heb ik ze echt allebei nodig?'

'Jazeker. Het is niet makkelijk om met één nier te leven. Dat betekent dialyse en mogelijk schade aan andere inwendige organen. Het is zeer ernstig. Ik moet zo snel mogelijk meer tests doen.'

'Kunt u ze nu doen?'

'Ja, als je je hier laat inschrijven.'

'Inschrijven? Bedoelt u dat ik hier moet blijven slapen?'

'Natuurlijk. Je zult hier ongeveer een week moeten blijven.'

Het voelde alsof hij mij een stomp in mijn maag had gegeven.

'Dokter, ik ben bang dat ik die tijd niet heb. Ik zou misschien drie dagen kunnen blijven, maar het zou me veel beter uitkomen als u in twee dagen klaar bent.'

'Het duurt zolang als nodig is. Ga nu regelen dat je hier ingeschreven kunt worden.'

Ik voelde me machteloos, als een karper op een snijplank, klaar om in stukjes gesneden te worden voor sashimi.

De dokter deed heel veel tests. Ze ontdekten dat mijn amandelen ernstig ontstoken waren en de enorme hoeveelheid bacteriën in mijn systeem tot nieruitval had geleid. Ze besloten dat ze eerst mijn amandelen zouden verwijderen om te bekijken of daarna enige verlichting zou optreden en ik werd op de operatielijst gezet.

Het eerste dat ik zag toen ik de operatiekamer werd ingereden, was een man in een witte jas, die een camera op mijn gezicht richtte. Zonder na te denken schonk ik hem mijn mooiste glimlach.

De dokter zei fel: 'Wil je alsjeblieft niet op de camera letten en ophouden met glimlachen! Ik heb foto's van deze operatie nodig voor een chirurgencongres. Nu je mond wijd opendoen...'

De zuster die naast me stond onderdrukte een giechel. Door de aard van mijn werk kon ik mijn ogen niet van de camera afhouden. Het was tamelijk amusant. Eventjes dan. Ze hadden me plaatselijk verdoofd en net toen de dokter met de operatie was begonnen, kreeg ik plotseling een hevige allergische reactie. In een mum van tijd zat mijn hele lichaam onder de uitslag. Ik had overal jeuk en ik voelde me vreselijk. Ik kon alleen maar denken dat ik daar weg wilde, naar huis.

Ik weigerde om na de operatie in het ziekenhuis te blijven. 'Er mankeert niets aan mijn benen,' hield ik vol en ik regelde dat ik mijn verdere behandeling als buitenpatiënt kon ondergaan.

Ik ging naar huis maar was nog steeds erg ziek. Mijn keel deed onnoemelijk veel pijn. Ik kon niet slikken. Ik kon niet praten. De pijn en de koorts verzwakten me zodanig dat ik drie dagen bewegingloos in bed bleef liggen. Toen ik eindelijk sterk genoeg was om op mijn benen te staan, nam Kuniko mij mee naar het ziekenhuis voor controle. Op de terugweg passeerden we een koffieshop en ik werd getroffen door de heerlijke geur van warme broodjes. Al meer dan een week kreeg ik vloeibaar voedsel en nu had ik voor het eerst trek. Volgens mij betekende dit dat ik bijna beter was. Maar ik kon nog steeds niet praten en ik schreef op mijn blocnote: 'Ik heb honger' en liet het aan Kuniko zien.

'Dat is mooi,' antwoordde ze. 'Thuis gaan we iedereen het goede nieuws vertellen.'

Mijn neus wilde de geur van de warme broodjes volgen maar ik liet me door haar naar huis leiden. Kuniko deed verslag van mijn hongergevoel aan Mama Masako, die antwoordde: 'Dan is het maar goed dat we vanavond geen sukiyaki eten.' Ze had die ondeugende grijns op haar gezicht. Rondom etenstijd verspreidde de geur van gebraden rundvlees zich van de keuken naar mijn kamer. Ik ging stampvoetend naar beneden en schreef op mijn blocnote: 'Er stinkt iets!'

'Wat, dit?' Mama giechelde. 'Tjonge, ik vind het heerlijk ruiken!'

'U bent nog steeds een Ouwe Gemenerik,' krabbelde ik terug. 'Om zoiets lekkers te maken, terwijl u weet dat ik niet kan eten!'

Ze ging zo op in onze kleine strijd dat ze haar weerwoord wilde opschrijven.

Ik trok het blocnote uit haar handen. 'U hoeft niets op te schrijven,' schreef ik. 'Mijn oren doen het prima.'

'O, je hebt gelijk.' Ze barstte in lachen uit om haar eigen domheid.

Ik vroeg een glas melk. Na één slok was de pijn zo hevig dat die helemaal uitstraalde naar mijn haarpuntjes. Met een hongerig gevoel ging ik naar bed. Het was heel aardig dat mijn vriendinnen op bezoek kwamen maar ik was verdrietig omdat ik niet met hen kon praten. Het was geen fijne tijd voor me. Een vriendin bracht me een groot boeket cosmea's, waarvoor het niet het seizoen was.

'Dank je,' zei ik. 'Wat ik echt zou willen is iets lichts (een eufemisme voor geld).'

'Dat is niet erg aardig van je. Ik heb zoveel moeite gedaan om je deze bloemen te kunnen geven.'

'Nee, ik bedoel licht als in eten. Ik sterf van de honger.'

'Waarom eet je dan niet?'

'Als ik kon eten dan zou ik niet sterven van de honger.'

'Arm ding. Ik wed dat deze cosmea's je de kracht geven om je beter te gaan voelen,' zei ze geheimzinnig. 'Ik heb ze niet gekocht. IEMAND vroeg me ze voor je mee te nemen. Concentreer je dus op de cosmea's en zie wat er gebeurt.'

'Dat doe ik,' zei ik. 'Toen ik een klein meisje was, praatte ik met ze.'

Ik had een serieus gesprek met de bloemen en ze vertelden me waar ze vandaan kwamen. Ik had gelijk. Ze waren van de man die op een geheim plekje in mijn hart zat.

Ik miste hem erg. Ik kon niet wachten hem terug te zien. Maar tegelijkertijd was ik bang van hem. Elke keer als ik aan hem dacht, sloeg er een deurtje in mijn hart met een harde klap dicht en had ik het gevoel dat ik moest huilen. Ik had geen idee wat er aan de hand was. Had mijn neef het voor de rest van mijn leven bedorven? Was ik te bang om ooit een fysieke relatie met een man te hebben? Als ik aan toenadering dacht, herinnerde ik me het afschuwelijke gevoel bij Mamoru's omhelzing en dan verstijfde mijn lichaam van angst. Het echte probleem zijn niet mijn keel en nieren. De dokter had me aan mijn hart moeten opereren.

Er was niemand met wie ik hierover kon praten.

28

Zijn toneelnaam was Shintaro Katsu. Ik ontmoette hem op mijn vijftiende tijdens een van de eerste ozashiki die ik bijwoonde nadat ik maiko was geworden. Hij had een van de oudere maiko gevraagd om aan mij te vragen of ik wilde langskomen, zodat hij me kon ontmoeten.

Zij stelde hem voor met zijn gewone naam, Toshio. Toshio was de grootste filmster van Japan. Ik kende zijn naam, maar ik ging bijna nooit naar de film en herkende dus niet zijn gezicht. Ik was in ieder geval niet onder de indruk. Hij was heel slordig gekleed. Hij droeg een gekreukelde *yukata* (katoenen kimono), die te monchalant was voor een ozashiki. En er zat nog make-up in zijn hals.

Ik was maar zo'n vijf minuten bij het ozashiki en sprak niet rechtstreeks met hem. Ik herinner me dat ik dacht: Wat een onsmakelijk iemand. Ik hoopte dat hij niet meer naar mij zou vragen.

Een paar dagen later ging ik even langs het ochaya op mijn weg van school naar huis. Ik liep Toshio tegen het lijf die daar met zijn vrouw was en hij stelde mij aan haar voor. Zij is een beroemde actrice en ik vond het leuk haar te ontmoeten.

Toshio kwam bijna iedere avond naar Gion Kobu. Hij vroeg regelmatig naar me. Ik weigerde zo vaak ik kon, maar karyukai-decorum vereiste dat ik af en toe kwam opdagen. Ik vroeg de Okasan van het ochaya met nadruk of ze hem bij mij weg wilde houden maar er was een limiet aan wat ze kon doen. Het ging immers om werk en de Okasan moest redelijke verzoeken van haar cliënten honoreren.

Op een keer vroeg Toshio de begeleidster of hij haar shamisen even mocht lenen. Zij gaf hem en hij begon een ballade te spelen, *Nagare* ('stromend'). Ik kon het niet geloven! Hij was ongelooflijk getalenteerd. Ik had er kippenvel van.

'Waar heeft u in hemelsnaam zo leren spelen?' vroeg ik hem. Het was het eerste dat ik tegen hem zei.

'Mijn vader is de iemoto van de Kineya-school voor shamisen-ballades en ik speel al vanaf klein jongetje.'

'Ik ben erg onder de indruk. Welke andere geheimen houdt u verborgen?'

De schellen vielen van mijn ogen en ik zag hem in een heel nieuw daglicht. Hij was anders dan men op het eerste gezicht zou denken.

Voor de lol kondigde ik aan dat ik alleen zijn ozashiki zou bijwonen als hij de shamisen voor me zou bespelen. Dat was brutaal van me, maar vanaf dat moment stond er elke keer dat ik op een ozashiki kwam waar hij gastheer was een shamisen klaar om bespeeld te worden. Dat ging zo drie jaar door. Hij vroeg voortdurend naar mij, ik ging af en toe en als ik ging, was dat om hem te horen spelen.

Op een avond – ik was toen achttien jaar – liep ik met sake van de keuken naar een ozashiki. Ik wilde net de trap naar de eerste verdieping oplopen toen ik zag dat hij naar beneden kwam. Ik voelde me opgelaten dat hij me zag, want ik had geweigerd zijn ozashiki op die avond bij te wonen. Hij sprong de trap af en nam het blad van mij over.

'Mineko, kom even hier,' zei hij en duwde me een van de dienstmeisjeskamers in.

Voordat ik er erg in had, sloeg hij zijn armen om me heen en kuste me vol op de lippen.

'Jakkes, houd op!' Ik worstelde me los. 'De enige die dat mag doen is Grote John, mijn hond.'

Dat was mijn eerste kus. En die vond ik helemaal niet prettig. Ik dacht dat ik een allergische reactie had: ik kreeg kippenvel, mijn haren leken overeind te staan en het koude zweet brak me uit. Na shock en angst voelde ik al snel grote woede opkomen.

'Hoe durf je!' siste ik. 'Raak me nooit meer aan. Nooit!'

'O, Mine-chan, vond je het niet een heel klein beetje fijn?'

'Fijn? Wat bedoel je met fijn? Fijn heeft er niets mee te maken!'

Ik schaam me nu om het toe te geven, maar als achttienjarige geloofde ik nog steeds dat je alleen al van kussen zwanger kon raken. Ik was doodsbang.

Ik rende het kantoor binnen en vertelde op driftige toon alles aan de Okasan. 'Ik wil hem nooit meer zien. Hoe vaak hij ook naar me vraagt. Hij is afschuwelijk en zijn manieren zijn walgelijk.'

Ze zei dat ik te fel reageerde. 'Mine-chan, je moet je toch een beetje volwassener gaan gedragen. Het was een onschuldige kus. Niets om zo overstuur van te raken. Hij is een belangrijke cliënt en ik wil dat je hem een beetje ruimte geeft.'

Ze redeneerde mijn angsten weg en overtuigde me in de daaropvolgende weken dat het veilig was om een van zijn herhaalde verzoeken over een optreden te accepteren.

Ik ging de ozashiki terughoudend binnen maar Toshio had duidelijk berouw. Hij beloofde me met geen vinger aan te raken. Ik hervatte mijn gewoonte om gemiddeld op een van zijn vijf verzoeken in te gaan.

Op een avond vroeg hij me speels: 'Ik weet dat ik je niet mag aanraken, maar zou je één, gewoon één van je vingers op mijn knie willen leggen? Als beloning voor mijn harde werken op de shamisen?'

Ik deed alsof ik iets besmets aanraakte en liet mijn wijsvinger behoedzaam op zijn knie rusten. Het was een soort spel.

Na drie maanden met de wijsvinger zei hij:

'Wat dacht je van drie vingers?'

Vervolgens: 'Wat dacht je van vijf vingers?'

En later: 'Wat dacht je van je hele hand?'

Toen op een avond werd hij heel serieus. 'Mineko, ik denk dat ik verliefd op je ben.'

Ik was te onervaren om het verschil te kennen tussen flirten en ware liefde. Ik dacht dat hij gewoon een grapje maakte.

'O, alsjeblieft, Toshio-san, hoe kan dat nou? U bent toch al getrouwd? Ik heb geen belangstelling voor getrouwde mannen. Bovendien, als je getrouwd bent, dan ben je al verliefd op iemand!'

'Dat hoeft niet per se, Mineko. Liefde en huwelijk gaan niet altijd samen.'

'Nou, daar weet ik niets van. Maar u moet hier niet zo mee omgaan, zelfs niet voor de grap. Uw vrouw zou het vreselijk vinden als ze het hoorde en ik weet zeker dat u haar geen pijn wilt doen. Of uw kinderen. Uw eerste verantwoordelijkheid is om hen gelukkig te maken.'

De enige volwassen man die ik echt gekend had, was mijn vader. Al mijn ideeën over liefde en verantwoordelijkheid kwamen van hem.

'Mineko, ik wilde dit niet. Het gebeurde gewoon.'

'Nou, dan kunnen we er dus niets aan doen en daarom moet u het maar vergeten.'

'En hoe moet ik dat doen, denk je?'

'Geen idee, het is mijn probleem niet. Maar ik weet zeker dat het u zal lukken. U bent trouwens niet degene naar wie ik op zoek ben. Ik zoek iemand met een grote passie, die de grond onder mijn voeten laat verdwijnen en me alles over de liefde leert. En dan word ik een heel grote danseres.'

'Hoe ziet die iemand eruit?'

'Dat weet ik nog niet, want die heb ik nog niet gevonden. Maar ik weet een paar dingen over hem. Hij is niet getrouwd. Hij weet veel over kunst, zodat ik met hem kan praten over wat ik doe. Hij zal nooit proberen me met dansen te laten ophouden. En hij is heel intelligent, want ik heb veel vragen. Ik denk dat hij een of andere vakman is.'

Ik flapte mijn hele waslijst met eisen er zo uit. Ik had duidelijk een verfijnd iemand als mijn vader of dr. Tanigawa voor ogen.

Toshio-san zag er teleurgesteld uit.

'En wat dacht je van mij?'

'Wat van u?'

'Maak ik een kans?'

'Zo te horen niet, hè?'

'Dus, je zegt eigenlijk dat je me niet erg aardig vindt. Is dat zo?'

'Natuurlijk vind ik u aardig. Maar ik heb het over iets anders. Ik heb het over de liefde van mijn leven.'

'En als ik ga scheiden?'

'Dat is geen oplossing. Ik wil niemand pijn doen.'

'Maar mijn vrouw en ik zijn niet verliefd op elkaar.'

'Waarom zijn jullie dan getrouwd?'

'Zij was verliefd op iemand anders. Ik vond het een uitdaging om haar van hem af te pakken.'

Nu werd ik echt kwaad.

'Dat is wel het stomste dat ik ooit heb gehoord.'

'Dat weet ik. Begrijp je nu waarom ik wil scheiden?'

'En je kinderen dan? Ik zou nooit van iemand kunnen houden die z'n kinderen zo behandelde.'

Toshio was twee keer zo oud als ik. Maar hoe langer we erover praatten, hoe meer ik het gevoel kreeg dat ik de volwassene was.

'Ik geloof niet dat we hierover nog verder moeten praten. We gaan in een kringetje rond. Deze discussie is voorbij.'

'Sorry, Mineko, ik wil het niet opgeven. Ik blijf het proberen.'

Ik besloot hem een uitdaging te geven. Ik veronderstelde dat hij moe zou worden van dit spelletje als ik me echt ongenaakbaar opstelde en me dan zou vergeten.

'Als u echt van mij houdt, dan wil ik dat u het bewijst. Herinnert u zich de dichteres Onono Komachi? Zij wilde dat officier Fukakusa haar honderd nachten achter elkaar bezocht voordat ze hem haar hand schonk. Nou, ik wil dat u Gion Kobu de komende drie jaar elke avond bezoekt. Elke avond. Zonder uitzondering. De meeste keren zal ik uw ozashiki niet bezoeken, maar altijd controleren of u wel of niet geweest bent. Als u deze taak heeft volbracht, praten we weer verder.'

Ik had in geen miljoen jaar kunnen denken dat hij het werkelijk zou doen.

Maar hij deed het. Hij kwam elke avond in de volgende drie jaar naar Gion Kobu, zelfs op belangrijke feestdagen als nieuwjaarsdag. En hij diende altijd een verzoek voor mijn aanwezigheid bij zijn ozashiki in. Daaraan voldeed ik een of twee keer per week. In de loop van deze jaren ontwikkelde zich een zeer beschaafde vriendschap tussen ons. Ik danste. Hij speelde de shamisen. We praatten vooral over kunst.

Toshio was een zeer getalenteerd mens. Door zijn opvoeding had hij een stevige basis voor de esthetische principes die ik probeerde machtig te worden. Het bleek dat hij een vriendelijke, en enthousiaste leraar was en nu hij mij serieus nam ook een echte heer. Hij overschreed nooit meer de fatsoensgrenzen en ik voelde niet langer een seksuele bedreiging in zijn aanwezigheid. Hij werd eigenlijk een van mijn geliefde cliënten.

Ondertussen kwam ik langzaam maar zeker onder zijn bekoring. Uiteindelijk erkende ik dat ik voor hem iets voelde dat ik nog nooit voor iemand had gevoeld. Ik wist niet precies wat het was maar had een donkerbruin vermoeden dat het om seksuele aantrekkingskracht ging. Het was aantrekkingskracht. Ik voelde me tot hem aangetrokken. Hierover hadden mensen het.

Zo stonden de zaken ervoor toen hij mijn vriendin vroeg het boeket cosmea's aan mij te brengen. Het was zijn lieve manier om zijn belofte mij dagelijks te bezoeken uit te voeren.

Toen ik me realiseerde dat de bloemen van Toshio waren, werd ik vervuld van emotie. Ik wist niet of dit liefde was. Maar het was zeker iets. Ik kreeg een gespannen gevoel in mijn borst als ik aan hem dacht en ik dacht de hele tijd aan hem. Ik voelde me verlegen en onhandig. Ik wilde met hem praten over wat ik voelde maar ik wist niet wat ik moest zeggen. Volgens mij ging het kleine deurtje van mijn hart langzaam open. En ik vocht om iedere millimeter.

Na tien dagen voelde ik me goed genoeg om weer te dansen. Ik kon nog steeds niet praten, maar Mama kondigde aan dat ik voor entertainment weer beschikbaar was en liet de kleder komen.

Ik maakte veel kleine kaartjes waarop ik korte zinnen schreef als: 'Wat fijn u te zien', 'Dat is een tijd geleden', 'Dank u, het gaat goed met me', 'Ik zou graag voor u dansen', 'Alles werkt behalve mijn stem'. Ik redde het tien dagen op ozashiki met mijn kaartjes. Het was eigenlijk best leuk. De kaartjes en mijn pantomime voegden een extra en apart element toe aan de ozashiki waarvan de gasten leken te genieten.

Het duurde tien dagen tot de pijn in mijn keel over was. Eindelijk kon ik weer gewoon slikken. Mijn nier kwam terug van vakantie en ging goed functioneren. Ik was beter.

Het meest verontrustende van deze beproeving was dat ik zoveel gewicht had verloren. Ik woog nog maar zo'n 86 pond. Zoals gezegd, een volledig maiko-ensemble weegt 30 tot 40 pond, dus het was heel moeilijk voor me om te bewegen en te dansen als ik mijn volledige kostuum droeg. Maar ik was zo gelukkig dat ik weer beter was dat ik overeind bleef en zoveel mogelijk at. Als ik het gewicht van de kimono niet kon dragen, kon ik niet werken.

Al was ik zwak, ik kreeg toch heel wat voor elkaar in die periode omdat er zoveel te doen was. Ik trad een paar keer op in Expositie Plaza. Ik speelde mee in een film die werd geregisseerd door Kon Ichikawa (en geschreven door Zenzo Matsuyama, een van mijn eerste cliënten). De film werd in het Monopoly-theater gedraaid maar ik was zo druk dat ik hem nooit gezien heb.

二十九 29

In het begin van de jaren zeventig verscheen Japan als een economische macht op het internationale toneel. Deze verandering werd weerspiegeld in de aard van mijn werk. Als een vertegenwoordigster van de traditionele Japanse cultuur had ik het voorrecht leidende figuren uit de hele wereld te ontmoeten en met hen van gedachten te wisselen. Ik zal nooit die ontmoeting vergeten die mijn hele begrip van onze eilandmentaliteit op zijn kop zette.

Ik was uitgenodigd voor een ozashiki in restaurant Kyoyamato. De gastheer was de Japanse ambassadeur in Saudi-Arabië met zijn vrouw en de eregasten waren de Arabische minister van olie, de heer Yamani, en zijn vierde vrouw. Mevrouw Yamani droeg de grootste diamant die ik ooit had gezien. Hij was enorm. Ze vertelde me dat het een 30-karaats steen was. Niemand in de zaal kon zijn ogen ervan afhouden. Onze gastvrouw droeg een kleine diamant aan haar vinger en ik zag dat ze haar ring omdraaide, zodat de steen verstopt was, alsof ze zich schaamde voor de maat ervan. Dat vond ik vervelend. In het Japans zei ik wat ik dacht.

'Mevrouw, uw gastvrijheid vandaag, overvloedig als zij was, wordt nog steeds gekarakteriseerd in de nederige esthetische idealen van de theeceremonie. Alstublieft, verstop de schoonheid van uw diamant niet. Het is niet nodig zijn schittering verborgen te houden voor onze gasten, wier grootste bezit olie is. Die steen van mevrouw Yamani kan wel een stuk kristal zijn. In ieder geval is hij niet zo stralend als de uwe.'

Zonder een moment verloren te laten gaan lachte de heer Yamani en zei: 'Hoe slim van u om een kristal te herkennen als u er een ziet.'

Hij sprak Japans! Ik was onder de indruk. Zijn weerwoord liet niet alleen zien dat hij de diepere betekenis van mijn woorden begreep (in een taal die volgens de meeste Japanners te moeilijk is voor buitenlanders), hij was ook snel genoeg om alert en met humor te reageren. Wat een scherpe geest! Ik had het gevoel dat ik de degens had gekruist met een meester.

Ik ben er nooit achtergekomen of die diamant nu wel of niet echt was.

De Expo in Osaka werd gesloten op 30 september 1970. Nu was ik vrij om mijn overgangsceremonie te vieren en 'mijn kraag te keren' van maiko naar geiko. Het was tijd om volwassen te worden.

Ik vroeg Mama Masako: 'Ik heb gehoord dat er veel geld nodig is om een erikae voor te bereiden. Al die nieuwe kimono enzovoort. Hoe kan ik hieraan meehelpen?'

'Jij? Waarom? Niets! De zaak heeft alles onder controle, laat het maar gewoon aan mij over.'

'Al mijn cliënten vragen hoeveel ze mij zullen geven voor mijn erikae en ik zeg steeds minstens drieduizend dollar. Was dat verkeerd? Neem me niet kwalijk.'

'Nee, Mineko, het is goed. Je vaste cliënten verwachten dat zij iets kunnen bijdragen. Dat hoort bij de traditie en geeft een goed gevoel. Bovendien kunnen ze erover opscheppen bij hun vrienden. Maak je geen zorgen. Zoals Tante Oima altijd zei: "Je kunt nooit te veel geld hebben". Al moet ik zeggen, dat je ze geen kans geeft zich er goedkoop vanaf te maken.'

Ik heb geen idee hoe ik aan dat bedrag kwam. Zulke dingen ontschoten me gewoon. 'Ik zal het dan maar loslaten en afwachten wat er gebeurt.'

Volgens Mama droegen mijn cliënten een klein fortuin bij aan mijn erikae. Ik heb de details nooit gehoord.

Op 1 oktober veranderde ik mijn kapsel naar de *sakko*, dat een maiko draagt in de laatste maand van haar carrière. Toen, 1 november middernacht, knipten Mama Masako en Kuniko het lint om mijn bovenste haarwrong door. Mijn dagen als maiko waren voorbij.

De meeste meisjes ervaren bij dit doorknippen veel emoties maar ik bleef er kalm onder. Ik beëindigde mijn maikocarrière met evenveel ambivalentie als ik eraan begonnen was, maar om andere redenen. Ik vond het nog steeds heerlijk om danseres te zijn. Maar ik was ontevreden met de ouderwetse en behoudende manier waarop het hele geikosysteem was georganiseerd. Als tiener al had ik duidelijk laten merken wat ik dacht en was later regelmatig naar de Kabukai gegaan om te klagen. Tot nu toe had niemand mijn zorgen serieus genomen. Misschien zouden ze dat gaan doen nu ik volwassen was geworden.

Ik nam een vrije dag om me op mijn erikae voor te bereiden. Het was een koude dag. Mama Masako en ik voerden bij de hibachi de laatste details aan mijn nieuwe ensemble uit.

'Mama?'

'Ja?'

'Ach, laat maar.'

'Wat laat maar? Wat wilde je zeggen?'

'Nee, vergeet het maar. Ik zat te denken.'

'Waarover? Laat me niet zo raden. Dat is irritant.'

Ik wilde haar niet irriteren, ik kon de woorden er gewoon niet uit krijgen.

'Ik weet niet zeker of u de juiste persoon bent om mee te praten.'

'Maar ik ben je moeder.'

'Dat weet ik en ik respecteer u in alles wat over werk gaat, maar dit is anders. Ik weet niet of ik erover moet praten.'

'Mineko, ik ben Fumichiyo Iwasaki. Je kunt me alles vragen.'

'Maar alle mannen met wie u iets heeft, zien er als uitgedroogde inktvissen uit. Dan maken ze het uit en hangt u tegen de lantaarnpaal voor de groentewinkel te huilen. Dat is zo beschamend. En iedereen in de buurt ziet u en zegt: "Arme Fumichiyo is weer afgedankt."'

Het was allemaal waar. Mama Masako was zevenenveertig jaar en had nog steeds geen vaste relatie. Er was niets veranderd. Ze werd nog steeds verliefd en nog steeds vervreemdde ze haar minnaars van zich met haar scherpe tong. En ze hing inderdaad tegen de lantaarnpaal te huilen. Velen kunnen dat getuigen.

'Het is niet aardig wat je zegt. Ik geloof dat ik niet de enige ben met een gemeen trekje. Maar genoeg over mij. Wat is er met je aan de hand?'

'Ik vroeg me af hoe het voelt als je verliefd bent.'

Haar handen stopten met werken en haar lichaam werd een en al aandacht.

'Waarom Mineko? Heb je iemand gevonden?'

'Misschien.'

'Echt waar? Wie is hij?'

'Het doet te veel pijn om erover te praten.'

'Het pijn doen houdt op als je erover praat.'

'Het doet al pijn als ik aan zijn gezicht denk.'

'Dit klinkt serieus.'

'Denkt u echt?'

'Ik wil hem graag ontmoeten. Waarom stel je ons niet aan elkaar voor?'

'Nee hoor. Allereerst bent u niet goed in het beoordelen van mannen. En ten tweede, omdat u zult proberen hem van me af te pakken.'

'Mineko, ik ben Yaeko niet. Ik beloof je, ik zal nooit iets beginnen met een van jouw vriendjes.'

'Maar u maakt zich altijd zo mooi als u de een of andere man gaat ontmoeten. Als ik jullie aan elkaar ga voorstellen, wilt u er dan mee instemmen om als uzelf te gaan?'

'Ja, mijn liefje, natuurlijk. Als het jou gelukkig maakt, ga ik in mijn daagse kleding.'

'Als dat zo is, zal ik zien wat ik kan doen.'

We gingen verder met de voorbereidingen voor mijn overgang van maiko naar geiko.

Ik vierde mijn erikae op 2 november 1970, mijn eenentwintigste verjaardag.

De eerste kimono die ik als geiko droeg, had officiële emblemen van zwarte zijde en was fraai versierd met een patroon van geknoopverfde en geborduurde zeeschelpen. Mijn obi was van witzijden damast met een geometrisch patroon in rood, blauw en goud.

We bestelden nog twee kimono die ik in mijn inwijdingsperiode kon dragen. Een gemaakt van gele zijde, versierd met in gouddraad geborduurde feniksen. De obi was roestkleurig vermiljoen met een pioenenpatroon. De andere kimono was van dofgroene zijde met een geborduurd patroon van dennen en keizerlijke wagens in goud. De obi was zwart brokaat met een chrysantenpatroon.

De kragen die om mijn nagajuban genaaid werden, waren nu wit als teken van de kinderlijke kwaliteiten van een maiko die ik nu achter me had gelaten. Ik was volwassen. Het was tijd om verantwoordelijkheid voor mijn leven te nemen.

In de tijd rondom mijn erikae benaderde dr. Tanigawa mij met een opwindend voorstel. Kunihito Shimonaka, de president-directeur van uitgeverij Heibon, wilde een heel nummer van zijn tijdschrift *The Sun* wijden aan de geschiedenis en de tradities van Gion Kobu. Dr. Tanigawa had de heer Shimonaka aangeraden mij aan dit project te laten meewerken. Dat wilde ik graag, net als een aantal vriendinnen van mij.

We werkten onder de redactionele leiding van Takeshi Yasuda en al snel voelde ik me een echte journaliste. Als team kwamen we eenmaal in de maand bij elkaar en het duurde een heel jaar tot het project klaar was. Het speciale nummer kwam uit als het juninummer in mei 1972 en was meteen uitverkocht. Het werd een groot aantal keren herdrukt.

Dit project gaf me enorm veel voldoening. Ik begon te zien dat er voor mij misschien een leven buiten de zijden grenzen van Gion Kobu was. Maar als geiko werkte ik net zo hard als ik als maiko had gedaan, met een altijd vol avondprogramma van ozashiki en regelmatig publieksvoorstellingen buiten het andere werk.

Op een avond werd ik gevraagd naar het Tomiyo ochaya te komen. De heer Motoyama, president-directeur van het modehuis Sun Motoyama, gaf een ozashiki voor Aldo Gucci, de Italiaanse modeontwerper.

Ik kleedde me die avond met extra zorg. Het lijfje van mijn kimono was van zwarte zijdecrêpe. Op de zoom zat een prachtige afbeelding van kraanvogels ineengedoken op hun nest. Mijn obi was het schemerige rood van zoutvlaktes, beschilderd met een patroon van esdoornbomen.

Toen ik naast de heer Gucci zat, morste hij per ongeluk soyasaus op mijn kimono. Ik wist dat hij dat verschrikkelijk vond en ik probeerde iets te bedenken dat hij zich snel weer op zijn gemak zou voelen. Ik keerde me naar hem toe en, alsof het geen rare vraag was, vroeg hem: 'Meneer Gucci, het is een grote eer u te ontmoeten. Mag ik zo brutaal zijn om uw handtekening te vragen?'

Hij stemde in en pakte een pen.

'Wilt u mijn kimono tekenen? Hier, op de voering van mijn mouw?'

De heer Gucci zette zijn sierlijke handtekening met zwarte inkt op de rode zijde. De kimono was immers toch al beschadigd. Het belangrijkste was dat hij een goed gevoel overhield aan onze ontmoeting.

Die kimono heb ik nog steeds. Ik heb altijd gehoopt dat ik hem die op een dag kon geven, maar helaas heb ik nooit meer de gelegenheid gehad hem te ontmoeten.

Een kimono van een geiko is een kunstwerk en ik zou nooit een kimono dragen die niet volmaakt was. Alle kimono die zijn gedragen door maiko en geiko zijn uniek. Vele hebben namen, net als schilderijen, en worden op dezelfde manier bewaard. Daarom heb ik ook zo'n levendige herinnering aan alles wat ik gedragen heb.

Toen ik werkte bestelde ik iedere week een nieuwe kimono en ik droeg zelden een kimono meer dan vier of vijf keer. Ik heb geen idee hoeveel kimono ik gedurende mijn carrière heb bezeten maar het moeten er meer dan driehonderd zijn geweest. Iedere kimono – dan heb ik het nog niet over de gigantisch dure stukken die voor speciale gelegenheden werden besteld – kostte tussen de vijf- en zevenduizend dollar.

Kimono waren mijn passie en ik drukte een duidelijk stempel op het ontwerp en de uitvoering. Ik was dol op de ontmoetingen met de eerbiedwaardige heer Iida van Takashimaya, de heer Saito van Gofukya of het vaardige personeel van Eriman en Ichizo waarin ik over nieuwe patronen en kleurencombinaties sprak.

Als ik in de nieuwe kleding verscheen, dan werd die onherroepelijk gekopieerd door andere geiko en ik gaf de door mij gedragen kimono gul weg aan mijn Oudere en Jongere Zusters als ze erom vroegen. Vanaf onze kindertijd worden we onderwezen in het voor de geest halen van kimono, zoals men zich een kunstwerk kan herinneren. We wisten dan ook precies wie de eventuele vorige eigenaar van een kimono was geweest. Hieraan kon men duidelijk iemands positie in de hiërarchie aflezen.

Dit lijkt misschien wat overdreven maar het is eigenlijk de hoeksteen van een veel grotere onderneming.

De kimonohandel is een van de belangrijkste industrieën in Kyoto. Ik was dan wel in de positie dat ik meer kimono kon bestellen dan andere geiko, maar we hadden allemaal voortdurend een voorraad ervan nodig. Stel je eens voor hoeveel kimono de maiko en geiko van Gion Kobu en de vier andere karyukai gezamenlijk per jaar bestellen? De verdiensten van duizenden ambachtslieden, van de ververs van Yuzen-zijde tot de ontwerpers van haarornamenten, zijn afhankelijk van deze bestellingen. De cliënten die Gion Kobu regelmatig bezoeken, kopen misschien zelf geen kimono maar een groot deel van het geld dat zij hier uitgeven, wordt gebruikt om deze vaklieden te ondersteunen. Ik heb altijd gevonden dat we hierdoor een heel belangrijk aandeel leverden aan het instandhouden van deze traditionele ambachten.

Als ik aan kimono dacht, dacht ik niet aan geld. Voor mij waren ze een essentieel onderdeel van mijn vak en hoe mooier de kimono die ik droeg was, hoe beter ik mijn werk kon doen. Cliënten kwamen naar Gion Kobu om te genieten van de optredens van maiko en geiko én voor hun artistieke prestaties. En hoe bedreven je er ook in bent, al het harde werken is voor niets als je niet de juiste kleding hebt om in het openbaar te verschijnen.

Hoe dan ook, ik had niet echt veel verstand van geld. Ik zag het zelden, had het nauwelijks in handen en betaalde zelf nooit voor iets. Ik kreeg wel de envelopjes met de contante fooien. Ik ben me er nu van bewust dat ik elke avond duizenden dollars kreeg, maar daar had ik eerlijk gezegd geen aandacht voor. Vaak trok ik zo'n envelopje uit mijn mouw om die zelf als fooi weg te geven, aan de *kanban* in de keuken of de schoenenman bij de ingang van het ochaya.

En er bleven er genoeg over. Als ik 's avonds thuiskwam en mijn kimono uittrok, vielen er allemaal witte envelopjes op de grond. Ik maakte ze nooit open om te zien hoeveel geld erin zat maar overhandigde de avondopbrengst direct aan het personeel van het okiya; dat was mijn manier iedereen te bedanken, want zonder al die mensen zou ik nooit iedere avond kunnen veranderen in 'Mineko van de Iwasaki'.

Ik wist dat de term 'honderdduizend' yen (duizend dollar) vaak gebruikt werd als mensen het over financiële zaken hadden. Ik wilde dat soort dingen graag weten en op een dag vroeg ik Mama Masako: 'Hoe ziet honderdduizend yen eruit?' Ze trok een geldklip uit haar obi en liet me tien briefjes van tienduizend yen zien (vergelijkbaar met tien honderddollarbiljetten).

'Dat lijkt niet erg veel,' zei ik. 'Ik denk dat ik harder moet werken.'

30

Ik was op vele terreinen wereldvreemd maar vond dat ik nu, volwassen, het okiya moest verlaten om zelfstandig te gaan wonen. Ik zei het tegen Mama. Ze stond er sceptisch tegenover maar probeerde me niet tegen te houden. 'Dat is een interessante gedachte. Van mij mag je het proberen maar ik betwijfel of je het aankunt.'

In februari 1971, toen ik eenentwintig was, huurde ik een groot appartement op de Kitashirawa-laan. De huur bedroeg elfhonderd dollar per maand, een enorm hoog bedrag in die tijd. Ik huurde vaklui in voor de verhuizing en om het appartement in te richten.

Zodra ik er woonde, kwam een van mijn vriendinnen op bezoek.

'Mineko, wat prachtig. Gefeliciteerd.'

'Dankjewel, Mari. Kan ik je een kopje thee aanbieden?'

'Dat zou heerlijk zijn, dank je.'

Ik voelde me zo volwassen. Ik ging naar de keuken, deed water in de ketel en zette die op het fornuis. Er gebeurde echter niets. De brander ging niet aan. Ik wist niet wat ik moest doen en bedacht me dat ik nog nooit eerder een fornuis had gebruikt.

'Waarom duurt het zo lang?' Mari stak haar hoofd om de keukendeur.

'Sorry hoor,' zei ik. 'Het gas komt er niet uit en de vlam gaat niet aan.'

'Dat komt omdat je eerst dit moet doen,' zei ze en ze drukte de brander aan.

Ik was diep onder de indruk. Het leek wel toverij.

Tot op de dag van vandaag vertelt ze dit verhaal en er wordt altijd hartelijk om gelachen.

Om het appartement schoon te maken haalde ik de stofzuiger uit de kast. Ik duwde maar hij ging niet aan. Ik dacht dat er iets kapot was en belde naar huis. Onze klusjesman kwam snel naar me toe om te zien wat er aan de hand was. Hij had het snel door.

'Mine-chan, bij een elektrisch apparaat moet je de stekker in een stopcontact doen, anders werkt het niet.'

'Hij is dus niet kapot?'

Zelfs ik schaamde me een beetje.

Toen besloot ik een maaltijd te koken. Eerst de rijst. Ik was al in de rijstwinkel geweest om mijn bestelling te plaatsen. Ik liep naar de glanzend nieuwe rijstbus op de keukenplank en maakte hem open. Er zat niets in! Ik belde naar huis.

'Mijn bestelling van Tomiya is niet aangekomen. Bent u vergeten de rekening te betalen?'

Mama belde de winkel en de eigenaar, met wie we al jaren zakendeden, kwam meteen naar me toe.

Direct toen ik hem zag, begon ik te mopperen.

'Echt waar, opa. Je moet me niet zo plagen. Ik heb die bestelling nu nodig.'

'Die staat hier in de hal. In die tas waar rijst op staat.'

'Maar waarom zit het niet in de bus? Ik haalde de deksel eraf en hij was leeg.'

'Mine-chan, mijn werk is de rijst bij je deur af te leveren. Je moet hem zelf in de bus doen.'

Voordat ik verhuisde ging ik naar een groot warenhuis en bestelde alles wat ik nodig had op rekening van het okiya: meubels, beddengoed, kookspullen en servies. Ik keek geen keer op het prijskaartje. Mama was ontzet toen ze de rekeningen kreeg, maar betaalde ze gelukkig.

In die tijd (er waren nog geen creditcards) betaalden we kleine aankopen contant. Ik kon de kruidenierswaren niet op rekening bestellen. Die moest ik zelf uitzoeken en betalen. Daarom gaf Mama me een toelage voor die zaken.

'Je hebt geld nodig om eten te kopen,' zei ze en overhandigde me vijfduizend dollar. Ik deed het geld in mijn tasje en ging boodschappen doen in de buurt. Ik vond de slager, de kruidenier en de viswinkel. Ik had geen idee wat alles kostte maar dacht dat ik wel genoeg geld bij me had om te kopen wat ik wilde hebben.

Ik ging allereerst naar een groentewinkel. Ik kocht aardappels, wortels en een *daikon*-radijs. Ik haalde een tienduizendyenbiljet tevoorschijn en gaf dat aan de winkelier. Mijn hart bonsde. Het was de eerste keer dat ik iemand geld gaf om ermee te betalen.

Ik pakte mijn boodschappen en liep tevreden de winkel uit. Maar de winkelier kwam me schreeuwend achternarennen. Ik wist zeker dat ik een enorme blunder had gemaakt en begon me luidruchtig te verontschuldigen: 'Neem me niet kwalijk. Ik ben er nog niet aan gewend. Ik wilde het niet verkeerd doen. Vergeef me alstublieft.'

De man moet gedacht hebben dat ik totaal gek was.

'Ik heb geen idee waarover u het heeft, juffrouw. U bent uw wisselgeld vergeten.'

'Wisselgeld? Wat voor wisselgeld?'

'Uw wisselgeld, juffrouw. Neem me niet kwalijk, maar neem het nu maar aan. Ik heb het druk. Ik heb geen tijd voor deze spelletjes.'

En zo leerde ik wat wisselgeld was.

Nu kon ik echt boodschappen doen!

Toen ik thuiskwam, was ik vervuld van trots en besloot een maaltijd te bereiden. Het eerste dat ik ging koken was een grote pan *nikujaga*, een soort stoofpot van aardappels en vlees. Ik kookte wel voor tien mensen. Ik was er van twaalf tot vier uur 's middags mee bezig. Toen ik dacht dat het gaar was, pakte ik hem in, belde een taxi en bracht alles voorzichtig naar het okiya.

'Ik heb iets voor jullie allemaal gekookt,' kondigde ik trots aan. 'Kom zitten, eet en geniet!'

Plichtsgetrouw ging mijn familie aan de tafel zitten en proefde het maal. Ze namen allemaal een hap en wisselden blikken met elkaar. Niemand zei een woord en niemand kauwde.

Uiteindelijk zei Kuniko: 'Niet slecht voor je eerste poging.'

Mama en Tante Taji keken naar hun borden. Ze hadden nog niets gezegd. Ik hield vol: 'Laat het je smaken en wees dankbaar voor wat je krijgt opgediend. Is dat niet wat de Boeddha ons leert? Toch?'

Mama zei: 'Dat is waar, maar alles heeft z'n grenzen.'

'Wat bedoelt u daar precies mee?'

'Mineko, heb je wel geproefd voordat je hem aan ons opdiende?'

'Dat hoefde niet. Ik wist door de geur dat hij goed was.'

Dit geeft aan wat ik wist van koken.

'Hier. Neem een hap.'

Het was zeker het vreemdste dat ik ooit geproefd heb. Ik was eigenlijk onder de indruk van mezelf dat ik zoiets vreemds had gebrouwen.

Mijn eerste reactie was het uit te spugen, maar ik hield me in. Als de anderen het voor elkaar hadden gekregen om een of twee happen ervan te eten dan moest ik dat ook kunnen. Ik herinnerde me mijn vaders gezegde: De samurai toont geen zwakte, zelfs niet als hij honger heeft. Deze keer veranderde ik het gezegde in: De samurai toont geen zwakte als hij aan het eten is – en slikte moeizaam.

Terwijl ik opstond, zei ik: 'Ik had er nog wat langer aan kunnen werken.' Ik wilde weggaan.

'Wat doen we met de rest?' riep Kuniko me na.

'Gooi die maar weg,' riep ik terug terwijl ik me naar de deur haastte.

Mijn vooruitzichten voor zelfstandig wonen zagen er niet goed uit.

Elke dag kwam ik naar het okiya om gekleed te worden. Mama bleef vragen wanneer ze mijn liefje kon ontmoeten. Ik had Toshio nog steeds niet buiten het ochaya ontmoet en ons driejarig contract zou in mei aflopen. Ik dacht dat ik haar mening maar beter kon weten en ik regelde een ontmoeting.

Minstens honderd keer moet ik haar eraan herinnerd hebben: 'Beloof me dat u zich zo eenvoudig mogelijk kleedt.'

Ze zag er uit alsof ze naar een trouwerij ging: in een traditionele zwarte kimono.

'Mam! Waarom deze kleding? U heeft het mij beloofd! Ga alstublieft naar uw kamer terug en trek iets eenvoudigers aan.'

'Waarom? Wil je niet dat ik er mooi uitzie als ik je vriend ontmoet?'

'Kleed u zich nu maar om. Alstublieft.'

'Wat moet ik dan aan?'

'Doe maar iets ouds aan.'

'Ik begrijp je niet, Mineko. De meeste meisjes willen dat hun moeder er mooi uitziet.'

'Nou, ik niet. Vooral niet als je er dan mooier uitziet dan ik.'

We waren al aan het katten voordat we het huis hadden verlaten.

We ontmoetten elkaar in het ochaya waar Toshio altijd kwam.

Het ging niet goed. Ik was helemaal uit mijn doen. Ik kon Toshio zonder moeite als een cliënt zien. Maar het was heel anders om hem als mijn vriendje te zien. Ik werd pijnlijk verlegen. Ik zat met mijn mond vol tanden. Ik bloosde van top tot teen en mijn hoofd was zo leeg als een vel wit papier. Het was verschrikkelijk.

Mijn hand trilde toen ik de sake serveerde. Mijn beroepskalmte was totaal verdwenen. Toen we thuiskwamen tergde Mama me genadeloos.

'Mine-chan, zo gespannen heb ik je nog nooit gezien. Mensen, het was een giller. Onze koele prinses bloosde tot haar haarwortels. Ze trilde zo enorm dat ze haast geen sake kon inschenken. En ze kon geen woord uitbrengen, prachtig. Volgens mij hebben we eindelijk haar zwakke plek gevonden.'

Vanaf het begin had ik geweten dat het fout was om hen aan elkaar voor te stellen.

Op 23 mei 1971, precies drie jaar nadat ik mijn uitspraken had gedaan, ontving ik een boodschap van Toshio via de Okasan van zijn ochaya. Hij vroeg me hem te ontmoeten in de Ishibeikoji Inn. In de boodschap stond dat ik geen beroepskleding hoefde te dragen. Dit betekende dat het om een privé-ontmoeting ging, geen ozashiki. Bovendien was het midden op de dag.

Ik droeg een simpele kimono van zwarte Oshima-zijde met een patroon van rode rozen en een roodwitte obi waarop zwarte esdoornbladeren waren geborduurd.

Toen ik aankwam, zat Toshio met een groep vrienden mahjong te spelen. Het spel was gauw klaar en de vrienden vertrokken.

Behalve die ene gestolen kus, was dit de eerste keer dat ik met hem alleen in een kamer was.

Hij kwam meteen terzake.

'In de afgelopen drie jaar ben ik je elke avond komen opzoeken, zoals je gevraagd had. Nu wil ik over ons praten. Maak ik een kans? Wat denk je?'

Ik dacht niet. Ik voelde. Ik wist dat hij een vrouw en kinderen had maar op dat moment leek dat niet veel uit te maken. Ik kon er niets aan doen. Ik antwoordde eerlijk.

'Ik weet het niet zeker. Ik bedoel, dit is me nog nooit overkomen. Ik geloof dat ik verliefd op je ben.'

'In dat geval moeten we het een en ander regelen, zodat we samen kunnen zijn,' zei hij.

Ik sloeg mijn ogen neer en knikte stilletjes ja. We stonden op en gingen naar de Okasan van het ochaya. Ze luisterde hoe hij de situatie uitlegde. Ik kan me niet voorstellen dat ze verrast was door wat hij zei.

'Toshio-san, u bent een van mijn meest gewaardeerde cliënten,' antwoordde ze. 'En jullie lijken echt om elkaar te geven. Om die redenen ben ik bereid partij in dit gesprek te zijn. Alles moet echter via de juiste kanalen geregeld worden. Als u met Mineko samen wilt zijn, heeft u daarvoor eerst toestemming van haar familie nodig.'

Ik kende de regels. Ik was zo in de war dat ik niet meer aan hen gedacht had.

De 'bloemen- en wilgenwereld' is een maatschappij op zichzelf, met eigen regels en voorschriften, eigen gewoontes en rituelen. Buitenechtelijke seksuele relaties zijn alleen toegestaan als men zich aan een aantal richtlijnen houdt.

De meeste langdurige relaties in Japan – tussen man en vrouw en tussen leraar en leerling bijvoorbeeld – worden door een derde persoon geregeld die ook nadat de twee samen zijn optreden als tussenpersoon. Zoals Moeder Sakaguchi, die mijn leerlingschap bij de iemoto had geregeld en ook daarna beschikbaar bleef om te bemiddelen als er problemen waren. De Okasan van het ochaya verplichtte zich dus serieus door 'partij in het gesprek' te willen zijn. In feite betekende het dat ze bereid was de rol van tussenpersoon op zich te nemen. Op haar advies gingen we onmiddellijk naar het okiya om met Mama te overleggen.

'Ik vind dat mensen die van elkaar houden samen moeten zijn,' zei ze, de eeuwige romantica.

Toshio beloofde Mama Masako dat hij van zijn vrouw ging scheiden.

Mama Masako gaf ons haar zegen.

Een ziekte voorwendend, zei ik al mijn afspraken voor de rest van de dag af en ging met Toshio terug naar de Inn. We gingen naar zijn kamer. We zeiden geen van beiden erg veel. We zaten daar gewoon, rustig in elkaars gezelschap. Uiteindelijk begonnen we te praten, stukjes en beetjes van een gesprek. Uit gewoonte spraken we over esthetische zaken. De middag ging langzaam over in de avond.

Een dienstmeisje serveerde ons het diner op de kamer. Ik kon haast geen hap door mijn keel krijgen. Het dienstmeisje kwam terug om te zeggen dat het bad klaar was. Ik had me die dag al twee keer gebaad, toen ik 's ochtends opstond en later toen ik me kleedde om naar Toshio te gaan, dus ik sloeg het af.

Ik was niet van plan om daar de nacht door te brengen en dus verrast toen het dienstmeisje twee futon neerlegde, naast elkaar. Ik wist niet goed wat ik moest doen en ik bleef maar praten. Zijn oneindige belangstelling voor de kunsten kennende, sneed ik het ene na het andere onderwerp aan: muziek, dans, toneel. Voordat ik het wist, was het al na middernacht. Toshio zei: 'Mineko, wil je niet wat slapen?'

'Dank je,' zei ik zo krachtig mogelijk. 'Ik slaap niet zoveel. Ik ben nog klaarwakker. Waarom ga jij niet even liggen en rusten?'

Ik vocht tegen de slaap en hoopte dat Toshio gauw in slaap zou vallen zodat ik geen beslissing hoefde te nemen. Hij strekte zich uit op een van de futon, op de dekens, en ging gewoon door met praten. Ik bleef zitten waar ik was, aan het lage tafeltje. We veranderden geen van beiden onze houding totdat het lichter begon te worden.

Ik kon mijn hoofd niet langer recht houden en besloot om eventjes te gaan liggen en niet in slaap te vallen. Stilletjes ging ik op de tweede futon liggen. Ik vond het ongemanierd om met mijn rug naar Toshio te gaan liggen, dus ik lag met mijn gezicht naar hem toe, opgekruld als een garnaal. Hij vroeg me of ik dichterbij wilde komen.

'Het spijt me vreselijk,' antwoordde ik, 'maar ik geloof niet dat ik dat kan.'

Hij deed het dus en kwam voorzichtig dichterbij. Toen sloeg hij zijn armen om me heen en trok me tegen zich aan in een warme omhelzing. Ik lag daar als verstijfd, al trilde ik van binnen en probeerde ik niet te huilen. Onbeweeglijk lagen we zo tot de zon opkwam.

'Ik moet naar mijn les,' zei ik en stond op om te vertrekken – onze eerste nacht samen was beëindigd.

Nu ik een volleerde geiko was nam ik af en toe vrij, een week in februari na het Setsubun-feest en een week in de zomer. Ik wilde dat jaar ook een korte vakantie nemen na de Gion Matsuri. Toshio moest voor zaken naar Brazilië. We besloten van die onverwachte kans gebruik te maken en elkaar in New York City te ontmoeten als hij klaar was.

Toshio vloog op de terugweg naar Kennedy Airport en ik ging met een PAN AM-vlucht naar datzelfde vliegveld om hem te ontmoeten. Hij moest zes uur op mij wachten. Toshio was niet gewend op iemand te moeten wachten, al had hij zelf de gewoonte andere mensen op hem te laten wachten. Ik verwachtte eigenlijk dat hij er niet zou zijn als ik aankwam. Maar hij was er. Ik was dol van vreugde toen ik hem zag staan.

We gingen naar het Waldorf-Astoria. We kwamen Elizabeth Taylor in de hotellobby tegen toen we incheckten en spraken kort met haar. We stonden namelijk te popelen om naar onze hotelkamer te gaan en zo snel als beleefdheidshalve mogelijk was, vertrokken we.

Ik kon bijna niet wachten om met hem alleen te zijn. De piccolo sloot de deur en ik keerde me naar Toshio. Hij barstte onmiddellijk in tranen uit. Ik had nog nooit een volwassen man zo zien huilen.

'O mijn schat, wat is er in hemelsnaam gebeurd? Wat is er aan de hand?'

'Ik heb alles geprobeerd wat ik kon bedenken, maar mijn vrouw weigert toe te stemmen in een scheiding. Ik weet niet wat ik nog meer kan doen. Het lijkt niets uit te halen wat ik doe. Of wat ik zeg.'

Toshio klonk wanhopig. Hij praatte uren tegen me. Over zijn vrouw. Over zijn kinderen. Over zijn smart om de hele situatie. Ik was te bezorgd over hem om aan mezelf te denken. Ik kon het niet aanzien dat hij zo'n pijn had en strekte mijn armen naar hem uit. Voor de eerste keer. Ik sloeg mijn armen om hem heen en voelde hoe hij zich volledig aan mijn omhelzing overgaf. Deze intense nabijheid, dacht ik, dit is liefde. Dit is het.

Ik stelde twee voorwaarden aan onze relatie.

'Ik blijf bij je in de tijd die nodig is om haar te overtuigen. Maar je moet me twee dingen beloven. Je houdt nooit iets geheim voor me en je liegt nooit tegen me. Als je dat wel doet, dan is het voorbij. Zonder verdere vragen. Dan ga jij jouw weg en ik de mijne.'

Hij beloofde het en ik was de zijne.

Ik was verbijsterd over de dierlijke lust die wij bij elkaar ontketenden. Hongerig opende ik me voor hem, zonder een enkel gevoel van verlegenheid of schaamte. Het schrikbeeld van de aanranding door mijn neef werd op dat bed te ruste gelegd.

Toen ik het bloed op de lakens zag, maakte mijn hart een sprongetje van vreugde. Ik had Toshio mijn meest waardevolle bezit geschonken en dat uit liefde gedaan. In zekere zin was het voor ons beiden de eerste keer. Hij vertelde me dat hij nog nooit een vrouw had ontmaagd. Ik werd vervuld van een onbeschrijflijk geluk.

Een aantal fans van Toshio had voor die avond een ontvangst georganiseerd. Hij was eerder aangekleed dan ik en ik zei dat hij maar vast moest gaan omdat ik nog in het bad zat. Ik moest me opmaken en kleden en zei dat ik hem over een halfuur zou volgen.

Ik stapte uit de badkuip en wilde de badkamerdeur opendoen. De deurknop draaide niet, hij was kapot. Ik trok en duwde maar er was geen beweging in te krijgen. Ik begon op de deur te bonzen. Toshio was al weg en niemand kon me horen. Ik keek om me heen en, nee maar, er stond een telefoon naast de spiegel. Ik nam de hoorn van de haak maar er klonk geen kiestoon. Ik drukte de haak een paar keer in. Nog steeds niets. Ik kon niet geloven dat zowel de deurknop als de telefoon kapot was in het Waldorf-Astoria hotel.

Drie uur zat ik in die badkamer. Ik voelde me koud en ellendig. Eindelijk hoorde ik een geluid in de kamer. Toshio klopte op de deur.

'Mineko, wat ben je aan het doen?'

In ieder geval was een van ons kalm!

Hij reageerde snel op mijn hysterische stem en vond iemand om de deur open te maken. Ik was dolgelukkig om hem te zien. Maar ik was te uitgeput van de gebeurtenissen op die dag om nog uit te gaan. Arme Toshio! Hij was zo in beslag genomen op het feestje dat hij niet op de tijd had gelet. Hij voelde zich vreselijk. Dat was erg lief. Eigenlijk was hij heel attent. Op dit kleine incident na, brachten we vier heerlijke dagen in New York City door.

Ik had gevonden waarnaar ik op zoek was geweest. Ik was zwaar verliefd en onze intense passie zorgde voor een wezenlijke verandering in mijn leven. Meer dan wat dan ook was het van invloed op mijn dansen, waar nu de expressiviteit in lag waarnaar ik zo lang had gezocht. De emotie leek vanuit mijn hart in elke beweging, in elk gebaar te vloeien waardoor ze dieper en krachtiger werden.

Toshio speelde een bewuste en actieve rol hierin. Hij was een serieuze criticus. Onze passie was geworteld in onze toewijding aan artistieke uitmuntendheid, wat de bron bleef tot het einde. We hadden niet zo'n verhouding dat we met elkaar zaten te knuffelen en onzinnigheden in elkaars oren fluisterden.

Als acteur had Toshio al vele jaren meer dan ik danseres was de grenzen van zelfexpressie verkend. Op dat vlak was hij verre mijn meerdere. Al waren onze bezigheden zeer verschillend, hij was in staat en bereid mij zeer gericht advies te geven.

De Inoue-stijl is beroemd om de grootse emoties die in subtiele, verfijnde gebaren worden uitgebeeld. Dat is het meest uitdagende van die stijl en Toshio begreep hoe je met die uitdaging moest omgaan. Terwijl Grote Mevrouw me van binnenuit kon begeleiden, kon Toshio dat vanaf de buitenkant.

Soms, als ik langs een spiegel liep, maakte ik onbewust een kleine beweging. Toshio merkte dat dan op en vroeg: 'Waarom doe je het niet zo?' Zijn suggesties waren vaak heel overwogen. Ik hield dan op met wat ik ook aan het doen was, verwerkte zijn idee en oefende de beweging keer op keer.

We leefden als een echtpaar, maar moesten onze verhouding voor iedereen geheimhouden op een paar zeer nauwe verwanten na. Hij was nog steeds getrouwd. We gaven nooit blijk van enige intimiteit als we samen in het openbaar verschenen. Dat was moeilijk en daarom maakten we veel reisjes naar het buitenland. We hebben nooit een foto van ons samen laten maken, zelfs niet als toeristen in een of ander exotisch oord. (Behalve die ene zeldzame foto in het tweede fotokatern.)

In 1973 hadden we weer een vakantie in New York. Dit keer logeerden we in het Hilton-hotel. De heer R.A. gaf ter ere van ons een feest en Toshio stelde mij voor als zijn verloofde. Ik was verrukt; ik was ervan overtuigd dat het slechts een kwestie van tijd was voor ik zijn vrouw zou worden. De pers kreeg er lucht van dat ik een verhouding met een beroemdheid had en de paparazzi achtervolgden me wekenlang. Het grappige is dat zij dachten dat ik wat met iemand anders had; ze volgden de verkeerde man. Toshio had een enorm huis in een buitenwijk van Kyoto en een in Tokyo, maar hij bracht zoveel mogelijk nachten bij mij door. Mijn appartement werd ons 'liefdesnestje'.

Hij voelde zich er helemaal thuis. Ik ontdekte een totaal verrassende kant van Toshio's karakter. Hij was ongewoon pietepeuterig netjes. Gezien mijn huishoudvaardigheden was dit een geluk voor ons allebei. Als hij tijd had en alleen thuis was, maakte hij het hele appartement schoon, van top tot teen. Hij maakte alles schoon, ook in de keuken en de badkamer, eerst met een vochtige doek en dan met een droge. Zo had mijn moeder het mij ook geleerd, al beperkten mijn huishoudelijke inspanningen zich meestal tot het stofzuigen van de woonkamer en het met een doekje afnemen van de koffietafel.

Te mijner verdediging: ik had het heel druk. Mijn agenda was net zo vol als toen ik in het okiya woonde en nu moest ik ook nog mijn woonruimte onderhouden. Ik ging elke middag naar het okiya om me voor te bereiden op mijn werk, maar er liep geen legertje dienstmeisjes meer achter mij aan om op te ruimen.

Meestal lukte het me om alles op orde te houden. Maar af en toe deed Toshio iets waardoor mijn vaardigheden op de proef werden gesteld, zoals die keer dat hij een film aan het schieten was in een studio in Kyoto. Hij kwam 's avonds laat vaak thuis met een stuk of tien maten in zijn kielzog. Ik kwam daarna thuis van een volle werkdag en Toshio vroeg dan: 'Wat hebben we voor deze mensen te eten?'

Dan gooide ik alles wat we in huis hadden in een grote pan en kookte het. Mijn eerste pogingen waren niet zo fantastisch maar mettertijd ging het beter. Toshio zorgde dat ieders glas gevuld bleef. Niemand ging ooit met honger of dorst naar huis. Ik begon onze spontane feestjes heel leuk te vinden.

Toshio was ontwapenend warm en dol op gezelschap. Hij was heel prettig gezelschap in huis en sprak liefdevol over zijn kinderen. Ik begreep niet waarom alles bij hem thuis niet beter was gegaan.

32

Begin mei wordt er in de stad Hakata in Kyushu een jaarlijks festival gehouden, bekend als *Dontaku*. Ik werd daar elk jaar voor uitgenodigd en in een groepje reisden we daar naartoe vanuit Kyoto. Ik logeerde altijd in hetzelfde hotel, at in dezelfde restaurants en genoot van het weerzien met mijn vriendinnen in de plaatselijke geishagemeenschap. Ik deelde altijd een kamer met mijn lieve vriendin Yuriko.

Toen we op een late namiddag zaten te praten, kwam het onderwerp stille bedevaart ter sprake. De 'stille bedevaart' vindt plaats tijdens het Gion-festival, al weten weinig mensen ervan. Ik had via geruchten vernomen dat Yuriko op 'stille bedevaart'zou gaan en ik wilde weten of dat waar was.

Het Gion-festival vindt al meer dan duizend jaar plaats in Kyoto en wordt beschouwd als een van de drie belangrijkste festivals in Japan. De festiviteiten, die eind juni beginnen en doorgaan tot 24 juli, omvatten een aantal shintoceremonies en rituelen. Op 17 juli worden de lokale goden uitgenodigd om plaats te nemen in hun heilige draagstoelen, waarna ze de gemeenschap worden ingedragen voor de laatste week van het festival. In het kort gezegd, de goden worden op de schouders van de dragers vervoerd van hun hoofdverblijf in de Yasaka-tempel via de Shijo-straat naar de tijdelijke tempels op de Shinkyogoku-laan. De 'stille bedevaart' heeft in deze week plaats.

'Ik wil graag meedoen aan die bedevaart. Wat moet ik daarvoor doen?' vroeg ik haar.

'Je doet er niet aan mee. Je besluit voor jezelf dit te doen en je doet het alleen, in het geheim. En ze zeggen dat als je echt wilt dat je gebed verhoord wordt je hem drie jaar achtereen moet doen,' antwoordde ze. 'En je mag tegen niemand zeggen dat je het doet. Dat is een deel van zijn kracht. Je moet het in stilte doen. Hou je ogen omlaag gericht. Maak geen oogcontact met iemand anders. Concentreer je volkomen op wat er in je hart verborgen ligt. Hou je gebed de hele tijd in gedachten, want dat is de reden om deze bedevaart te maken.'

Ik was erg geraakt door haar beschrijving. Yuriko had zeer uitgesproken gelaatstrekken in vergelijking met een 'gewoon' Japans gezicht. Haar ogen waren verbluffend mooi. Ze waren groot, met zachtbruine middelpunten. Ze vertelde me niet precies wat ik wilde weten maar schonk me een glimlach die de waarheid onthulde.

Ik bleef me afvragen waarom Yuriko die bedevaart maakte. Wat wilde ze zo ontzettend graag? Ik bracht het elke keer ter sprake als ik de kans kreeg, maar het lukte haar steeds om van onderwerp te veranderen. Uiteindelijk werd mijn vasthoudendheid beloond en gaf ze het op. Ze begon me haar verhaal te vertellen.

Dat was de eerste keer dat ik iets over haar jeugd te horen kreeg.

Yuriko vertelde me dat ze geboren was in januari 1943 in het stadje Suzushi aan de Japanse-Zeekust. Haar vaders familie zat al vele generaties in de visserij. Haar vader had ook een succesvol visbedrijf. Als jongeman bezocht haar vader vaak Gion Kobu.

Yuriko's moeder stierf vlak nadat zij geboren was. Voordat ze gespeend was, had ze al bij verschillende familieleden gewoond. Tijdens de oorlog werd haar vaders bedrijf door de militairen gevorderd en omgebouwd tot een munitiefabriek. Maar haar vader ging door met vissen. Na de oorlog zette hij zijn zaken voort en het ging hem goed. Hij haalde zijn dochter echter niet naar huis. Ze werd steeds van het ene familielid aan het andere doorgegeven.

Toen zijn fortuin groeide, begon haar vader opnieuw Gion Kobu te bezoeken en hervatte zijn vriendschap met een bepaalde geiko. Zij trouwde met hem en werd Yuriko's stiefmoeder. Eindelijk kon Yuriko bij haar vader terugkeren en algauw werd het gezin uitgebreid met een klein zusje. Ik denk dat het de eerste keer was dat Yuriko de veiligheid en warmte van een gezin leerde kennen. Haar geluk duurde echter niet lang. Haar vaders bedrijf ging failliet. Hij was wanhopig en, niet wetend wat hij moest doen, bracht hij zijn dagen in dronkenschap door tot hij zichzelf ophing voor de onschuldige ogen van zijn jonge dochter.

Yuriko's stiefmoeder was geheel de kluts kwijt en bracht Yuriko opnieuw naar de familieleden van haar overleden echtgenoot. De familie waar ze terechtkwam, behandelde haar als een lastdier en gaf haar zelfs geen schoenen om te dragen. Uiteindelijk verkochten ze haar aan een 'slavenhandelaar' (*zegen*, mannen die het land doortrokken om meisjes te kopen en die dan verkochten aan de seksindustrie. Deze praktijk werd verboden bij het criminaliseren van prostitutie in 1959.) Ze werd verkocht aan een huis in de Shimabara-wijk van plezier in Kyoto.

Shimabara was vroeger een wijk waar was toegestaan dat vrouwen bekend als *oiran* en *tayu* (courtisanes, chique prostituees) hun beroep uitoefenden, al waren zij ook bedreven in de traditionele kunsten. Een jonge oiran onderging ook een 'mizuage'-ritueel, maar dat van haar bestond eruit dat ze ceremonieel ontmaagd werd door een vaste cliënt, die rijkelijk voor dat privilege betaald had. (Deze uitleg van het woord mizuage is de bron van verwarring over wat het betekent een geisha te zijn.) Tayu en oiran werkten onder leerlingcontracten en waren verplicht in de wijk te blijven tot hun diensttijd voorbij was.

Yuriko's stiefmoeder kwam erachter wat er met haar was gebeurd en zocht onmiddellijk contact met de Okasan van het Y okiya in Gion Kobu en smeekte haar om hulp. De eigenaresse nam contact op met een Otokoshi, die heel discreet Yuriko's overplaatsing van Shimabara naar het okiya regelde. Yuriko wilde niet terug naar haar stiefmoeder en het okiya was bereid haar onder zijn hoede nemen.

Dit alles gebeurde toen Yuriko twaalf jaar oud was.

Yuriko had een goed hart en wijdde zich onvermoeibaar aan haar lessen; ze werd een van de topgeiko in Gion Kobu. Iedere keer als ze vertelde hoeveel beter haar leven in Gion Kobu was in vergelijking met die eerste twaalf jaren vulden haar prachtige bruine ogen zich met tranen.

Twee jaar nadat ze me dit verhaal voor het eerst had verteld en we terug waren in Hakata, vertrouwde ze me eindelijk de reden van haar 'stille bedevaart' toe. Ze was al jarenlang verliefd op een bepaalde man en wilde met hem trouwen. Dat was het. Daar bad ze iedere zomer tijdens haar 'stille bedevaart' om. Ze was vastbesloten en al kreeg ze aanzoeken van veel andere mannen, ze negeerde die totaal.

Helaas trouwde haar minnaar om politieke redenen met een ander, al bleven ze een relatie onderhouden. In mei 1980 werd bij haar de diagnose kanker gesteld. Ik weet niet of hij de reden van haar ziekte was, maar haar liefde voor hem werd nog sterker nadat ze ziek werd. Als een soort antwoord op haar gebeden verpleegde hij haar liefdevol. Helaas haalden al zijn inspanningen niets uit en kwam haar leven ten einde op 22 september 1981, ze was zevenendertig jaar. Ik geloof dat haar liefde voor hem nog steeds bestaat en dat die nog wel duizend jaar zal doorgaan of tot in eeuwigheid.

Setsubun is midden februari en oorspronkelijk volgens de oude maankalender een feestdag die het begin van de lente aankondigde. Wij vieren deze dag met het strooien van bonen rondom het huis om kwade geesten te verdrijven en geluk naar binnen te leiden.

In Gion Kobu gebruiken we Setsubun als een excuus om ons in vreemde kostuums te steken en plezier te maken. Mijn vriendinnen en ik kozen altijd kostuums die thematisch aansloten bij gebeurtenissen in het voorafgaande jaar. In 1972 kreeg Japan weer zeggenschap over Okinawa van de Verenigde Staten en dat jaar verkleedden wij ons in folkloristische Okinawa-kostuums.

Die groep vriendinnen en ik hadden de gewoonte om van de fooien die we op feesten tijdens Setsubun kregen een vakantie naar Hawaii te betalen. We gingen naar bijna veertig ozashiki en bleven op elke niet langer dan drie minuten om zoveel mogelijk fooien te krijgen. Die avond verdienden we meer dan dertigduizend dollar, genoeg om in stijl te reizen.

Het was mijn beurt om reisleider te zijn. Behalve de reserveringen die ik moest maken, kreeg ik ook alle paspoorten en het geld onder mijn hoede en ik had ze in mijn tas gedaan toen we uit Kyoto vertrokken. We zouden de nacht doorbrengen in Tokyo en de volgende dag naar Honolulu vertrekken.

Dom genoeg liet ik mijn tas staan in de taxi die ons naar het hotel bracht. Mijn reisgenoten waren niet erg aardig. Ze zeiden: 'O, Mineko, echt iets voor jou om dit te doen.' Ik deed juist erg mijn best om verantwoordelijk te zijn en was verbolgen over hun reactie.

Ik moest ervoor zorgen dat we de volgende middag nieuwe paspoorten en geld zouden hebben. Ik belde een van mijn cliënten en legde mijn vervelende situatie uit. Hij was zo vriendelijk om me dertigduizend dollar in contanten te willen lenen. Ik vroeg hem of hij het bedrag de volgende ochtend naar het hotel wilde brengen. Ik dacht na wie ik van mijn regeringsvrienden kon aanspreken voor het verkrijgen van noodpaspoorten toen ik een telefoontje kreeg dat een zakenman mijn tas op de achterbank van de taxi had gevonden. De taxichauffeur had hem naar een politiebureau gebracht waar ik hem de volgende ochtend kon ophalen, nog op tijd om ons vliegtuig te halen. In het tumult was ik vergeten mijn cliënt te melden dat ik de dertigduizend dollar niet langer nodig had en hij kwam ermee aanrennen toen wij vertrokken.

Ondanks dit slechte begin hadden we een heerlijke tijd. Mijn vriendinnen bedankten mij omdat ik zo'n goede reisleider was geweest. Op een middag van een zonsondergangcruise kregen we les in de hoeladansen en de lerares kon zo zien dat wij geoefende danseressen waren. Ze vroeg ons om een demonstratie. Het was zo leuk dat het erop uitdraaide dat wij de volgende drie dagen van de cruise danslessen gaven in Inoue-stijl. Veel van onze cliënten hadden goede connecties op Hawaii en regelden heerlijke diners voor ons op Kuai en Oahu.

Op een dag blies er een zacht windje door het haar van juffrouw M. Ik had nog niet eerder gezien hoe duidelijk haar kale plek was. Toen bekeek ik mijn andere vriendinnen eens goed en dan mezelf.

We hadden alle vier grote kale plekken op onze kruin. Dit is een bekend probleem, veroorzaakt door de maikokapsels, waarbij als eerste het haar op de kruin wordt samengebonden. De haarmassa wordt op zijn plaats gehouden met een bamboepin, waardoor de haarwortels voortdurend onder druk staan. Als we jeuk op onze hoofdhuid hebben, krabben we vaak met de punt van een haarornament, waardoor het haar nog meer bij de wortel wordt afgebroken. Na een aantal jaren wordt die plek uiteindelijk kaal.

'Weet je wat?' stelde ik voor. 'Ik denk dat we allemaal, als we terug zijn in Japan en de Miyako Odori voorbij is, naar het ziekenhuis moeten om iets aan onze kale plekken te laten doen. Wat vinden jullie? Zullen we een pact sluiten?'

Ze wilden er wel over nadenken.

Meteen nadat we terugkwamen in Kyoto begonnen de repetities. Ik moest een solostuk voorbereiden, ook aan groepsrepetities meedoen en bovendien werd me gevraagd de jongere danseressen te helpen hun stukken voor te bereiden. We hadden geen tijd om over de operatie te praten tot na de opening van de Miyako Odori. Juffrouw Y. zei dat ze het te eng vond maar de anderen in ons groepje besloten ermee door te gaan. We gingen naar Tokyo op de sluitingsdag van de Miyako Odori en schreven ons in bij een ziekenhuis vlak bij de Benkei-brug.

De operatie bestaat uit het wegknippen van de kale huid en het samentrekken van de randen, ongeveer als bij een facelift. Mijn snee werd gesloten met twaalf hechtingen. Er zitten heel veel bloedvaatjes in de hoofdhuid en de operatie was verrassend bloederig, maar had succes. Het deed alleen pijn als we lachten.

Ons grootste probleem was dat we dagenlang in het ziekenhuis moesten blijven. Onze cliënten in Tokyo deden hun best ons te vermaken. Ze kwamen op bezoek en lieten voedsel afleveren door de beste restaurants in de stad. Het was lente en wij waren dartel. We begonnen ons te vervelen en te kibbelen, dus ik bedacht avonturen om ons mee te vermaken. Op een middag slopen we weg om te gaan winkelen. Daarna begonnen we 's avonds stiekem weg te gaan naar onze favoriete restaurants, met verband en al. In het midden van de nacht slopen we dan het ziekenhuis weer in. Een andere middag linedansten we de hele weg naar het benzinestation verderop.

De hoofdzuster was woedend: 'Dit is geen psychiatrisch ziekenhuis. Hou op met jullie als gekken te gedragen en alle telefoonlijnen bezet te houden.'

Na een dag of tien verwijderde de dokter onze hechtingen en waren we vrij om te gaan. Ik denk dat de verpleegkundigen heel blij waren ons te zien vertrekken. Ik vraag me af of juffrouw Y. haar kale plek nog heeft. Ik wed van wel.

Ik keerde terug naar Kyoto en pakte eenvoudig het dagelijks leven met Toshio weer op. Ik had hem gemist. Ineens leek het op mezelf wonen meer ongemak te geven dan het waard was. Het was voor mij echt belastend om maaltijden voor te bereiden en te koken, het huis schoon te houden, de was te doen, het bad klaar te maken – en dit alles bij mijn beroepsverplichtingen. Er was nooit genoeg tijd. Ik sliep al niet meer dan enkele uren per nacht. Ik kon mijn avondafspraken niet beperken, dus de enige manier om meer tijd te krijgen was minder repeteren. De strijd ging tussen een betere danseres worden en een schoon huis hebben. Er was geen strijd.

Ik ging met Mama praten. 'Mam, mijn kookkunst wordt er niet beter op. En ik heb niet genoeg tijd om te repeteren als nodig is. Wat denkt u dat ik moet doen?'

'Heb je overwogen weer thuis te komen wonen?'

'Ik weet het niet. Wat denkt u?'

'Ik denk dat het een goed idee is.'

En dat was het. Ik verhuisde terug naar het okiya in juni 1972. Ik was in staat geweest zelfstandig te zijn maar dat hoefde ik niet. Bovendien hadden Toshio en ik de middelen om naar een hotel te gaan als we dat wilden en we deden dat regelmatig. Ik was volwassen. Ik was een volleerde geiko. Ik wist hoe ik me in de wereld moest bewegen. Ik wist hoe ik met geld moest omgaan en boodschappen doen. En ik was verliefd.

Ik ben erg blij dat ik toen naar huis terugging, want achteraf bleek dat ik daar de laatste maanden van Grote Johns leven meemaakte. Hij stierf 6 oktober 1972.

33

Op 6 mei 1973 bracht ik een bezoek aan mijn ouders. Het was pas de derde keer dat ik er terugkwam nadat ik het huis achttien jaar geleden had verlaten.

Ik had gehoord dat mijn vader stervende was en ik wilde hem nog een keer zien. Toen ik in zijn ogen keek, zag ik dat het eind nabij was en dat hij het wist. In plaats van valse woorden van troost, sprak ik open en eerlijk met hem.

'Pap, ik wil u bedanken voor alles wat je me in dit leven hebt gegeven. Ik ben zelfstandig en sterk en zal de dingen die u mij geleerd heeft altijd onthouden. Ga vooral ongehinderd. Er is niets waarover u zich zorgen hoeft te maken. Ik zorg voor alles wat er gedaan moet worden.'

Tranen stroomden over zijn gezicht.

'Masako, jij bent de enige van mijn kinderen die echt geluisterd heeft. Je hebt je trots nooit opgegeven en je hebt me heel gelukkig gemaakt. Ik weet hoe hard je hebt gewerkt en wat het van je gevraagd heeft en ik wil je iets geven. Schuif de derde la van mijn bureau open. Haal de *shibori*-obi eruit. Ja, die. Die heb ik zelf gemaakt en het is mijn lievelings-obi. Als je de man van je dromen hebt gevonden, dan wil ik dat je hem deze obi geeft.'

'Dat doe ik, pap, dat beloof ik.'

Ik nam de obi van mijn vader over. Ik bewaarde hem totdat ik mijn man ontmoette. Hij kreeg hem en hij draagt hem nog steeds.

Mijn vader stierf drie dagen later op 9 mei, zesenzeventig jaar oud. Ik zat naast zijn ontzielde lichaam en hield zijn koude hand in de mijne.

'Ik beloof u, pap, dat ik het nooit zal vergeten: De samurai toont geen zwakte, zelfs niet als hij honger heeft. Trots boven alles.'

Al woonden we slechts een paar jaar bij elkaar, ik had mijn vader altijd aanbeden en hij was steeds dichtbij me in mijn hart geweest. Ik was enorm verdrietig over zijn dood.

Mama Masako had me geld meegegeven. Ik trok de paarse envelop uit mijn obi en gaf die aan mijn moeder. Ik wist niet hoeveel erin zat maar ik nam aan dat het een aardig bedrag was.

'Ik weet niet of dit genoeg is, maar ik wil papa graag de begrafenis geven die hij wilde hebben. Als u meer geld nodig heeft, vraag het dan alstublieft aan Kuniko of mij.'

'O, Ma-chan, hartelijk dank. Ik zal mijn uiterste best doen. Maar niet iedereen luistert hier naar wat ik te zeggen heb.'

Ze wierp een blik naar de andere kamer. Yaeko's lage, sarcastische lach dreef onze kant op boven het geluid van de mahjongstenen. Ik voelde me schuldig, maar er was weinig dat ik kon doen.

Omdat ik een aangenomen lid van de familie Iwasaki was kon ik mijn moeder officieel niet helpen. Ik keek haar liefdevol aan en zei: 'Mam, ik wil dat je weet dat ik steeds van jou en papa ben blijven houden en dat zal ik altijd blijven doen. Hartelijk dank dat je mij dit leven hebt geschonken.'

Daarna boog ik en vertrok.

Toen ik thuiskwam, vroeg Mama Masako: 'Heb je je moeder het geld voor de begrafenis gegeven?'

'Ja, ik heb haar de hele paarse envelop gegeven.'

'Goed zo. Het is belangrijk dat je leert geld op een verstandige manier uit te geven, het op de juiste momenten te gebruiken. Je kunt geschenken of felicitaties achteraf sturen, maar een rouwbetuiging niet. Die moet je op een goed moment aanbieden. Dit is zo'n gelegenheid waarbij het belangrijk is om niet gierig te zijn. We willen toch geen gezichtsverlies lijden. Nou, zorg ervoor dat je moeder genoeg heeft. En als dat niet zo is dan zorg ik voor de extra uitgaven.'

Dat was heel gul van haar. En ik was blij dat ze me eindelijk leerde hoe ik geld op een goede manier moest gebruiken. Als je er goed over nadenkt, was het geld dat ze me voor mijn moeder gaf eigenlijk geld dat ik zelf verdiend had.

Een andere belangrijke gebeurtenis in 1973 was dat ik erkenning (*natori*) kreeg van de Inoue-school, zodat ik meesterdanser werd. Het grootste voordeel van natori zijn is dat je vanaf dan bepaalde rollen mag leren en uitvoeren die alleen voor meesterdansers zijn. Voor de Onshukai in de herfst van dit jaar kreeg ik zo'n rol, die van prinses Tachibana.

Grote Mevrouw stond naast me achter de gordijnen, kort voordat ik mijn entree moest maken op de *hanamichi*, het verhoogde gangpad dat van de achterkant van het theater naar het podium loopt. Ze boog naar me toe en fluisterde in mijn oor: 'Alles wat ik kan doen is je de vorm leren. De dans die jij op het toneel danst, is helemaal alleen van jou.'

De overdracht had plaatsgevonden. Ik was vrij. De dans was van mij.

De erkenning betekende niet dat ik mocht lesgeven. Alleen leraren die vanaf het begin daarvoor worden opgeleid, mogen dat. En het hield niet in dat ik mocht optreden buiten de strikt gecontroleerde wereld van de Inoue-school of de Kabukai. Ik moest me aan hun regels blijven houden. Al met al was het leuk voor mijn carrière maar de erkenning was praktisch nutteloos. Zij droeg op geen enkele wijze bij aan beroeps- of financiële onafhankelijkheid.

Midden zomer viert Kyoto *Obon* (Allerzielen) door een enorm vreugdevuur op een berghelling aan te steken om de zielen van onze voorouders terug te leiden naar hun eigen woonplaatsen. Het vuur is vanuit de hele stad te zien.

In Gion Kobu vullen we zwartgelakte dienbladen met water die we op de veranda's van het ochaya zetten om de vlammen te laten weerspiegelen. De mensen die op die avond een ozashiki bijwonen, nemen een slokje van dit water en zeggen een gebed voor goede gezondheid. Deze ceremonie is de niet-officiële viering van het begin van de zomervakantie.

In augustus bracht ik altijd een paar weken door in Karuizawa, het belangrijkste Japanse vakantieoord. Maar ik zag dat niet als vakantie, het was meer een zakenreis.

Veel regeringsleiders en zakenlieden hebben een tweede huis in Karuizawa, net als de aristocratie die zich al langer in het vochtige hete seizoen terugtrekt in dit toevluchtsoord in de bergen. De huidige keizer van Japan, Akihito, ontmoette in de jaren vijftig jaren keizerin Michiko op de tennisbaan in het centrum van de stad.

's Avonds ging ik van de ene woning naar de andere, om de machtigen en hun gasten te vermaken. Soms kwam ik Grote Mevrouw tegen die haar eigen rondes maakte. Ze was heel iemand anders als ze buiten de stad was, vriendelijker eigenlijk en niet zo somber. Zij ging dan zitten en dan praatten we samen.

Ze vertelde me hoe het in de oorlog was geweest. 'Er was zo weinig eten. We hadden allemaal honger. Ik ging van de ene plaats naar de andere, legde een matje op de grond en danste. Dan gaven mensen me rijst en groente. Zo kwam ik aan eten voor mijn leerlingen. Het was een moeilijk leven. Ik dacht dat er nooit een einde aan zou komen.'

Ik luisterde graag naar haar verhalen. Dan zag ik flitsen van de geestdrift die ze moet hebben gehad toen ze jonger was.

De ochtenden in Karuizawa waren helemaal voor mezelf en ik genoot met volle teugen van de ontspanning. Om zes uur 's ochtends stond ik op en ging een lange wandeling maken. Dan las ik tot het tijd was om Tanigawa Sensei in café Akaneya te ontmoeten om tien uur. Dr. Tanigawa en ik brachten vele kostbare uren op die lange zomerdagen door. Ik kon hem alles vragen wat ik wilde. Hij leek onvermoeibaar in het geven van zeer weloverwogen antwoorden.

Hij hield van een kop goede koffie en bestelde iedere dag een andere soort. Meteen een aardrijkskundeles. Met veel plezier beschreef hij het deel van de wereld waar die koffie vandaan kwam. Van het een kwam het ander en voordat we het wisten was het tijd voor de lunch. Tegenover het café was een sobarestaurant waar we vaak aten.

Veel van mijn vrienden waren dan ook in Karuizawa. De meesten reden op een fiets, maar ik kon niet fietsen. Omdat ik me schaamde en het niet wilde toegeven, liep ik met een fiets. Ik weet niet wie ik meende voor de gek te houden.

Op een dag kwam ik een bekende tegen.

'Hallo, Mineko. Hoe gaat het met je? Wat doe jij nou?'

'Wat denk je dat ik doe? Ik duw deze fiets.'

'Echt waar? Laat ik nou altijd gedacht hebben dat je op een fiets moet zitten en op de pedalen trappen. Ik heb nooit geweten dat je die moet duwen.'

'Heel leuk. Als ik kon fietsen, dan deed ik het.'

'Bedoel je dat je niet kunt fietsen?'

'Duidelijk niet dus.'

'Waarom rij je dan niet in een paardenkoetsje?'

'Dat zou heerlijk zijn!'

'Kom met mij mee. Ik trakteer.'

Ze nam me mee naar een hotel in de buurt en bestelde een paardenkoetsje voor me. Ik liet de fiets op de stoep achter en reed de hele middag in mijn eentje rond. Ik moet toegeven, ik voelde me koninklijk en vermaakte me kostelijk.

Ik passeerde een van mijn vriendinnen.

'Mineko,' riep ze. 'Waarom heb jij dat koetsje helemaal voor jezelf ingepikt?'

'Let op je woorden,' riep ik terug. 'Als je met mij wilt converseren, spreek me dan beleefd aan.'

'Wees niet zo'n ezel.'

'Mag ik daaruit opmaken dat je mij gezelschap wilt houden?'

'Dat weet je wel.'

'Wil je dan de juiste toon tegen me aanslaan? Je mag het nog eens doen.'

'Goedemiddag, zuster Mineko. Zou je zo vriendelijk willen zijn mij toe te staan je in je koetsje gezelschap te houden?'

'Zeker, lieve kind. Het doet mij genoegen je naast me te hebben.'

三十四 34

Gion Kobu is de enige karyukai in Japan waar personen op officieel staatsbezoek ontvangen mogen worden. Van zulke diplomatieke missies krijgen we maanden te voren bericht, zodat we ze uitvoerig kunnen voorbereiden. Wij lezen zoveel mogelijk over het land waar de hoogwaardigheidsbekleder vandaan komt en onderzoeken zijn of haar persoonlijke interesses zodat we een hoogstaand gesprek kunnen voeren.

In de loop der jaren heb ik vele staatshoofden ontmoet. En iedereen was heel verschillend. Eén avond herinner ik me nog uitzonderlijk goed. We hadden president Ford en Henry Kissinger te gast. President Ford was bij een ozashiki in een feestzaal beneden, terwijl dr. Kissinger bij een ozashiki een verdieping hoger was. Mij was gevraagd op beide te verschijnen. Ik vond het verschil tussen beide heren zeer onthullend.

President Ford was aardig en innemend maar leek niet bijster geïnteresseerd in de traditionele Japanse cultuur. Zijn ozashiki was tamelijk bezadigd en saai. Minister Kissinger daarentegen was naar alles nieuwsgierig en bleef maar vragen stellen. Hij was zeer onderhoudend, zelfs een beetje gewaagd. Het feestje werd nogal onstuimig en op een gegeven moment dansten en zongen we in de kamer.

Het prachtige van de sfeer in een ozashiki is dat als gasten de geest krijgen, zoals dr. Kissinger, alle verschillen tussen hoog en laag verdwijnen en iedereen zich vrij voelt om te ontspannen en zich te vermaken.

Dan zijn er de gelegenheden, zoals die ter ere van koningin Elizabeth, waarbij elke vorm van informaliteit verboden is. In mei 1975 brachten de koningin en haar echtgenoot een staatsbezoek aan Japan.

Ik was uitgenodigd om een banket ter ere van hen bij te wonen in restaurant Tsuruya.

Al was het geen officieel diner, het had toch alle kenmerken van een belangrijke diplomatieke gebeurtenis. Ik moest me identificeren bij de mensen van de geheime dienst die aanwezig waren en het was duidelijk dat we in een afgesloten gebied met speciale veiligheidsmaatregelen waren.

We zaten allemaal op onze stoel toen de koningin arriveerde. Terwijl wij opstonden om haar te begroeten, maakte ze vergezeld door de hertog van Edinburgh een majestueuze entree in de zaal. Ze droeg een schitterende lange jurk van zachtgele mousseline met daarop een bloempatroon dat aan rozen deed denken, de nationale bloem van Engeland.

We gingen zitten en het banket begon. De tafel was gedekt met verfijnd Frans serviesgoed, al kwamen de gasten uit Groot-Brittannië. De messen, vorken en eetstokjes waren van zuiver goud en er stonden grote boeketten pioenrozen midden op tafel. (Ik vond het nogal parvenuachtig.)

Ik zat naast de koningin. In deze situaties mogen we de hoogwaardigheidsbekleder niet rechtstreeks aanspreken. Als de bezoeker ons een vraag stelt, moeten we hun begeleider toestemming vragen om rechtstreeks te antwoorden. Als we toestemming hebben, moeten we met hen converseren via de officiële tolk. Het is allemaal nogal stijf en lastig.

Koningin Elizabeth gebruikte niets van wat haar werd geserveerd.

'Heeft Hare Majesteit geen zin om te eten?'

'Voelt Hare Majesteit zich wel goed?'

Ik deed mijn best om via de tolk en haar begeleider een gesprek op gang te brengen maar de koningin verkoos geen antwoord te geven. Omdat dit werk was, kon ik niet van het overvloedige maal genieten. Mijn gedachten dwaalden af. Ik bestudeerde enige tijd, heel discreet, de juwelen die de koningin droeg: haar oorringen, haar collier, haar armbanden.

De gastvrouw gaf mij een teken om op te staan. Het is de gewoonte dat maiko en geiko tijdens een banket van plaats wisselen om de verschillende gasten te begroeten, dus dit was niet onbeleefd.

De gastvrouw leidde me de zaal uit naar de vestibule. De schoenenknecht, een heerlijke oude man die ik al jaren kende, riep me. Hij had een ondeugende schittering in zijn ogen.

'Mineko, ik wil je iets laten zien. Ik weet dat jij het graag wilt zien.'

Hij pakte een paar zwart satijnen pumps uit een cederhouten draagdoos. Het waren de schoenen van de koningin. Beide schoenen waren versierd met zeven diamanten.

'Mag ik een van die diamanten hebben?' plaagde ik. 'Als je er nou eens een van beide schoenen afhaalt en aan mij geeft? Ik wed dat ze het niet zou merken.'

'Hou op met je domme praat,' berispte hij me. 'Ik wilde alleen dat je ze zag.'

Ik luchtte mijn hart bij hem.

'Opa, koningin Elizabeth heeft niet één hapje genomen van het voedsel dat haar werd opgediend. Is dat niet verschrikkelijk? Iedereen heeft zo hard gewerkt om dit prachtige diner klaar te maken.'

'Je mag niet onbeleefd zijn, Mineko. Mensen van buiten Japan eten andere dingen dan wij, dus misschien kan ze deze dingen niet eten.'

'Dat slaat nergens op. U weet hoe zoiets gaat. Over het kleinste detail wordt van tevoren overeenstemming bereikt. Het kan mij niet schelen of ze een koningin is, ik vind het heel onbeleefd.'

Ik bedoel dat de chef-kok van het Tsuruya vanochtend niet was opgestaan met de gedachte: O ja, de koningin komt vandaag. Wat zal ik eens koken? Ik wist zeker dat hij maanden bezig was geweest met het samenstellen van het menu en dat ieder onderdeeltje ervan was gesanctioneerd door het personeel van de koningin. Hoe kon ze weigeren om zelfs maar te proeven van een maaltijd die speciaal voor haar genoegen was samengesteld? Dat snapte ik niet.

Opa probeerde me op te fleuren. 'Mineko, ik begrijp wat je zegt maar maak er niet zo'n punt van. We willen toch geen internationaal schandaal, of wel?'

Op zijn aandringen keerde ik uiteindelijk naar mijn plaats terug. Ik zat daar rustig te wachten tot het hele gebeuren voorbij was en niet in staat zonder toestemming een gesprek aan te gaan.

De tolk kwam naar me toe. 'Juffrouw, de hertog van Edinburgh wil u graag spreken.'

Misschien zou dit interessanter zijn. Ik ging naast hem zitten. De hertog gaf me toestemming rechtstreeks met hem te praten en luisterde aandachtig naar de antwoorden die ik op zijn vragen gaf. Hij bleek bijzonder geïnteresseerd in de dansen van Gion Kobu. Hij vroeg me naar de Inoue-school, de verschillen tussen een maiko en een geiko en veel andere dingen over onze manier van leven. Op een gegeven moment ontmoetten mijn ogen bij toeval die van de koningin. Die hadden een stalen blik. Dat maakte het duveltje in mij wakker.

De koningin had nog steeds niets op haar bord aangeraakt. Ik sprak verder met haar echtgenoot en bewoog me subtiel iets dichter naar hem toe. Ik liet een zogenaamde sfeer van intimiteit zien die volgens mij onopvallend was voor de meesten maar duidelijk genoeg voor één persoon. Ik wierp weer een blik in haar richting. Ze zag er verstoord uit. Het was goed te weten dat koninginnen ook mensen zijn.

De volgende dag kreeg ik een telefoontje van Tadashi Ishikawa, het hoofd van het keizerlijk paleiskantoor.

'Mine-chan, waar ben jij gisteravond in vredesnaam mee bezig geweest tijdens het ozashiki?'

'Waar heeft u het over?'

'Alles wat ik weet is dat het koninklijk paar gisteravond ineens besloot in gescheiden kamers te slapen en ik moest mijn uiterste best doen om extra beveiliging voor hen te regelen.'

'En wat heeft dat met mij te maken?'

'Ik weet het niet, maar jij bent de enige die rechtstreeks met de hertog heeft gesproken. Ik nam aan dat jij iets hebt gedaan...'

'De hertog heeft het initiatief voor het gesprek genomen en verleende me toestemming om rechtstreeks met hem te praten. Hij leek bijzonder te genieten van onze tête-à-tête.'

'Dat is het dus. Daar hadden ze ruzie over.'

'Maar ik snap niet waarom. Ik probeerde alleen mijn werk te doen.'

'Natuurlijk deed je dat maar...'

‘Meneer Ishikawa, mag ik u iets vragen? Ik heb een aantal verschillende landen bezocht en ik heb altijd geprobeerd te eten wat de gastheer of -vrouw mij vriendelijk aanbood. Om dat te weigeren zou slechtgemanierd zijn en als ik op staatsbezoek was, zou dat zelfs gezien kunnen worden als een belediging. En dan heb ik het nog niet eens over alle mensen die zo hun best hebben gedaan op die maaltijd. Wat denkt u ervan? Bent u het daar niet mee eens?’

‘Aha, Mine-chan, ik begrijp het. Het wordt me nu allemaal duidelijk. Ik moet het toegeven, je bent een kleine deugniet.’

Voor mij is er nooit een excuus voor slecht gedrag.

三十五 35

Vijf jaar lang geloofde ik dat Toshio van zijn vrouw zou scheiden om met mij te trouwen. In die periode loog hij twee keer tegen mij. Beide leugens hadden met zijn gezin te maken. De eerste keer zei hij dat hij voor zaken de stad uit moest, terwijl hij de nacht met zijn vrouw, die vanuit Tokyo was gekomen om hem te zien, in Kyoto doorbracht. De tweede keer was toen we uit San Francisco in Tokyo terugkwamen. Hij zei dat we gescheiden de luchthaven moesten verlaten, want hij had gehoord dat er journalisten bij de uitgang stonden. Omdat ik altijd probeerde een schandaal te vermijden, voldeed ik plichtsgetrouw aan zijn verzoek. Maar er waren geen journalisten. Na de douane zag ik in de verte zijn vrouw en kinderen die naar het vliegveld waren gekomen om hem te verwelkomen.

Ik weet dat ik aan het begin van onze relatie had gezegd dat leugens onacceptabel zouden zijn, maar het leven is niet zo eenvoudig. Toen we eenmaal iets hadden, merkte ik dat ik Toshio meer tijd moest gunnen om alles uit te zoeken voor hij die beslissende stap kon zetten. Na vijf jaar realiseerde ik mij dat hij die stap niet zou zetten en ik moest de feiten onder ogen zien. We waren niet veel dichter bij het een echtpaar worden dan in die nacht in het Waldorf-Astoria. Ik besloot een einde aan de relatie te maken en zocht naar de juiste gelegenheid. Hij was zo vriendelijk mij die te geven.

In maart 1976 loog Toshio voor de derde en laatste keer tegen mij.

Ik reisde regelmatig naar Tokyo voor zaken. Als ik alleen was, verbleef ik op de damesetage in het New Otani Hotel maar als ik met Toshio was, logeerden we altijd in dezelfde suite op de vijfde verdieping van het Tokyo Prince Hotel. Ik herinner me ons kamernummer nog steeds.

We hadden afgesproken elkaar op een bepaalde avond in Tokyo te ontmoeten, dus ik checkte in het hotel in nadat ik was aangekomen. Ik zette net mijn cosmetica en toiletartikelen op de toilettafel in de badkamer toen de telefoon ging. Het was Toshio.

'Ik zit midden in een productievergadering. Het ziet ernaar uit dat die nog enkele uren gaat duren. Vind je het erg om zelf iets te regelen voor het diner? Dan zie ik je later wel.'

Ik belde een goede vriendin die in de buurt woonde om samen te gaan eten. Daarna besloten we uit te gaan en plezier te maken. We gingen naar alle hippe plaatsen en disco's in Roppongi. Het was een tijd geleden dat ik me zo had laten gaan en ik vermaakte me kostelijk.

Ik kwam om drie uur 's ochtends in het hotel terug. Een van Toshio's bedienden zat in de lobby op me te wachten en kwam haastig naar me toe om me te begroeten.

'Wacht je op mij?' vroeg ik.

'Ja, juffrouw, ik...'

'Is het goed met Toshio?'

'Ja, ja, alles is goed met hem. Maar hij zit nog steeds in vergadering. Hij heeft mij de sleutel gegeven en gevraagd u naar uw kamer te begeleiden.'

Ik begreep het niet zo goed maar was te moe om me er druk over te maken.

We gingen de lift in en hij drukte op het knopje voor de achtste verdieping.

'Neem me niet kwalijk, maar dat is de verkeerde verdieping. Ik logeer op de vijfde.'

'Nee, dat is niet zo. Mij is verteld dat u op de achtste logeert.'

Dit is heel vreemd, dacht ik terwijl Toshio's bediende de deur ontsloot van een kamer die ik nooit eerder had gezien. Het was geen suite. Ik draaide me om om iets tegen de bediende te zeggen maar hij haastte zich al buigend de kamer uit. Hij zei goedenacht en sloot de deur achter zich.

Ik keek om me heen. Daar stonden mijn tassen op precies dezelfde plaats waar ik ze had neergezet. En mijn toiletartikelen stonden in dezelfde volgorde op de toilettafel. Ik had het gevoel dat ik in de greep van een geest was terechtgekomen. Te moe om me zorgen te maken over wat er aan de hand was, nam ik een bad en ging naar bed.

Toshio belde me om vier uur 's nachts: 'De vergadering is bijna klaar maar ik ben nog hier.'

Met andere woorden, ik zou hem niet gauw zien.

'Vanwaar die verandering van kamers?'

'O dat, nou, kijk, zie je, dat vertel ik je nog wel. Er zijn hier nu mensen...'

Hij liet het voorkomen alsof hij niet kon praten in het bijzijn van andere mensen. Maar het klonk niet oprecht. Hij gaf de indruk alsof hij iets verborgen hield. De volgende ochtend besloot ik uit te zoeken wat er aan de hand was. Ik zei tegen de man achter de balie, die me kende, dat ik mijn sleutel vergeten was. Hij zond een piccolo met me mee om de deur van de suite te openen.

Er was niemand in de kamer maar er was duidelijk iemand geweest. Het bed was beslapen. Er lagen gebruikte handdoeken op de badkamervloer. Ik deed de kast open. Daarin hing een bontjas en er stond een damestas op de grond. Onnodig te zeggen dat die niet van mij waren.

Aangezien dit mijn kamer was had ik er geen enkele moeite mee om die tas open te maken. Ik keek erin en zag behalve veel kleren ook een stapeltje foto's van Toshio's vrouw. Het soort foto waarop een handtekening voor fans komt te staan. Kennelijk had Toshio, nadat ik de avond tevoren was uitgegaan, mijn spullen laten verplaatsen zodat zijn vrouw deze kamer kon betrekken. Ik was woedend. Hoe kon hij! Het kon me niet schelen dat het om zijn vrouw ging. Dit was onze kamer! En ik was er het eerst geweest.

Later hoorde ik dat Toshio en zijn vrouw een last-minute oproep hadden gekregen voor een gezamenlijk optreden in een tv-show. Maar dan nog, toen hij wist dat zij kwam, had hij een andere kamer moeten boeken en niet mijn spullen van de ene naar de andere kamer laten brengen.

Ik huiverde toen ik me realiseerde wat dit betekende. De waarheid lag voor me. Zijn vrouw kwam op de eerste plaats. Zij was belangrijker voor hem dan ik. Waarom had hij anders die moeite gedaan? Als hij me gewoon verteld had dat zijn vrouw onderweg was, dan was ik naar het New Otani Hotel gegaan. Dan had ik zeker geen kamer op de achtste verdieping van het Tokyo Prince Hotel besteld, omdat ik dan kans liep haar tegen te komen.

Het was me allemaal te veel. Ik belde de huishoudelijke dienst en vroeg om een grote schaar. Ik nam de bontjas van de hanger. Ik pakte de schaar en knipte de jas in stukjes. Daarna keerde ik haar tas om op het bed. Ik gooide de foto's op de stapel spullen en stak de schaar er midden in.

Zo, Toshio, je hebt je keuze gemaakt. Daar moet je dan maar mee leven. Sayanora.

Ik ging naar mijn kamer op de achtste verdieping, pakte mijn koffers in en wandelde de hoteldeur uit. Ik nam me plechtig voor nooit meer naar die suite of dat hotel terug te keren. Toshio reageerde op geen enkele manier op wat ik had gedaan. Hij bleef me behandelen alsof er niets was gebeurd en sprak niet een keer over het voorval.

Ik verwachtte dat hij mij met mijn buitensporige daad zou confronteren. In gedachten gaf ik hem geld voor de bontjas en wees hem op mijn onafhankelijkheid. Zijn weigering om het voorval ter sprake te brengen betekende dat we vastzaten in een vreemd patroon. Ik begon mezelf te wapenen om het helemaal te kunnen uitmaken.

In mei nodigde Toshio me uit voor een familie-uitje naar vakantieoord Yugawara. We gingen met zijn ouders, zijn broer (ook een bekend acteur) en de vriendin van zijn broer, een actrice. Het was niet raar dat ik met dit artistieke gezelschap reisde. Zijn ouders waardeerden het cachet dat ik als geiko aan de groep gaf en vonden het prettig me in hun kring op te nemen. Zij keurden mijn relatie met hun zoon goed en we waren erg op elkaar gesteld.

In het vakantieoord was een bij het seizoen passend 'irisbad', een traditioneel lentetonicum om lichaam en geest te revitaliseren. Op zoek naar eenzaamheid ging ik alleen dat bad in en overdacht wat ik zou doen. Wat ik zou zeggen. Hoe ik me op een nette manier aan de situatie kon onttrekken. Uiteindelijk nam ik een beslissing. Ik zou niets zeggen. Ik zou het uitmaken door gewoon niet langer beschikbaar te zijn.

Toshio hield van autorijden. Hij had een gouden Lincoln Continental en een jagersgroene Jaguar waarin hij heel hard reed. De volgende morgen reed hij mij terug naar Tokyo en zette me af bij de Inn waar ik zou logeren. Zodra hij uit het zicht was, hield ik een taxi aan en ging naar het New Otani Hotel. Toshio vermoedde kennelijk dat er iets loos was. Hij reed een blokje om en kwam terug. Maar ik was verdwenen.

Ik checkte in het hotel in en wierp me op het bed. Daar lag ik uren hartstochtelijk te huilen. Ik probeerde nog steeds de relatie te rationaliseren: Waarom kan ik de dingen niet laten zoals ze zijn? Wat maakt het nu uit dat hij getrouwd is? Maar feit was dat het uitmaakte. Ik weigerde nog langer tweede keus te zijn.

Toen ik geen tranen meer had, belde ik een goede vriendin. In die tijd was ik zo bekend dat ik gratis wedstrijden in sumoworstelen kon bijwonen. Zoals men zei: 'mijn gezicht was mijn toegangsbewijs'. Ik nodigde mijn vriendin uit me daarheen die avond te vergezellen. Ze had geen afspraken en kwam.

We zaten in de 'zandstuif'-stoelen op de eerste rij, zo genoemd omdat daar het zand terechtkomt dat door de worstelaars van het podium wordt afgegooid. We zaten net goed en wel of wie kwam daar vrolijk binnen, de man zelf. Ik was hierdoor van de wijs gebracht en ging snel naar buiten. Ik kon het niet verdragen in zijn buurt te zijn. Ik ging terug naar Kyoto en bezocht met inachtneming van het juiste protocol de Okasan van het ochaya die optrad als onze tussenpersoon om haar op de hoogte te stellen van onze scheiding.

Toshio wilde zich er niet bij neerleggen. Hij probeerde mij te bezoeken, maar ik weigerde. Zelfs zijn moeder werd erbij betrokken. Zij kwam een aantal keren naar het okiya om met Mama Masako en mij te spreken. Ze smeekte me het opnieuw te overwegen. 'Zijn hart is gebroken, Mineko. Wil je alsjeblieft van gedachten veranderen?' Hoe meer ze pleitte, hoe zekerder ik wist dat ik de juiste beslissing had genomen.

Uiteindelijk gaven ze het op en was het voorbij. En zo eindigde het dus. Zo doodde ik de liefde van mijn leven. In mijn hart was 'Toshio' dood. Hij werd gewoon Shintaro Katsu, de acteur. Nu ik alleen was, begon ik te denken aan echte onafhankelijkheid.

Ik had meer dan genoeg van het systeem. Al die jaren had ik de regels gevolgd en het was onmogelijk binnen het systeem te blijven en te doen wat ik wilde. De belangrijkste reden waarom Gion Kobu zo was gesystematiseerd, was om de waardigheid en de financiële onafhankelijkheid te verzekeren van de vrouwen die er werkten. Maar de beoordelingen van de Inoue-school maakten ons toch ondergeschikt. Er was geen ruimte voor enige vorm van zelfstandigheid.

We mogen niet lesgeven en we mogen niet optreden in wat en waar we willen. Wij moeten voor alles toestemming vragen, van onze repertoirekeuze tot de accessoires en rekwisieten die we gebruiken. Dit geheimzinnige systeem bestaat ongewijzigd al meer dan honderd jaar. Het kent geen procedure voor aanpassingen noch wegen om tot verbetering en hervorming te komen. Klagen of weerstand bieden is verboden. Zoals gezegd, had ik vanaf mijn vijftiende jaar geprobeerd veranderingen in het systeem door te voeren. Zonder enig resultaat.

Een ander groot probleem is dat wij artiesten bijna niet betaald krijgen voor publieke optredens, zelfs niet voor de Miyako Odori met alle bekendheid en uitverkochte zalen. Over een select groepje (de leraren) gaat de mare dat zij fortuinen verdienen, maar degenen die werkelijk op het podium staan, ontvangen heel weinig. En dat na een maand onafgebroken repeteren en kaartjes verkopen. (Het verkopen van kaartjes hoort bij ons werk. Ik vroeg mijn beste cliënten meestal om een kaartjesblok te kopen als presentjes voor hun werknemers en cliënten. Per seizoen verkocht ik vaak zo'n 2500 kaartjes.)

Wij houden dus de dans in leven, maar de dans houdt ons niet in leven. En wij zijn geen pilaarheiligen die van de mist kunnen leven.

Ik was nu zesentwintig en moest de verantwoordelijkheid voor het voortbestaan van het okiya onder ogen zien. Ik begon te begrijpen onder welke druk Tante Oima had gestaan voordat ze mij vond. Dat wilde ik niet. Door mijn positie werd ik door jongere maiko overstelpt met de vraag of ik hun officiële Onesan wilde worden. Ze kregen allen hetzelfde antwoord:

'De Nyokoba is dan wel door het ministerie van Onderwijs erkend als een beroepsopleiding, maar je krijgt geen diploma aan het eind. Hoe hard je je ook inspant, je eindigt met hetzelfde als waarmee je begon: een basisschoolopleiding. Je hebt geen academische erkenning of kwalificaties waarmee je in de buitenwereld kunt functioneren. Zelfs als je het heel goed doet en een meestercertificaat van de Inoue-school weet te verwerven, dan kun je jezelf niet onderhouden. Ik heb jarenlang geprobeerd dit te veranderen, maar niemand heeft geluisterd. Dus het spijt me, zolang de dingen onveranderd blijven, voelt het voor mij niet goed om Jongere Zusters aan te nemen. Maar als je het wilt, stel ik je graag aan een andere geiko voor die misschien wel je mentor wil worden.'

Zonder Jongere Zusters was het onmogelijk de zaken van ons okiya uit te breiden. De geiko werden ouder. De inkomsten daalden. Ik wilde geen van mijn cliënten vragen hun beschermheerschap uit te breiden, al boden velen dat aan. Ik wilde mezelf niet met schulden of verplichtingen opzadelen, omdat het haaks zou staan op het ideaal van de onafhankelijke zakenvrouw dat mij door al mijn mentoren was ingeprent. Mijn mogelijkheden waren beperkt. Ik moest op zoek naar iets anders om geld mee te verdienen.

Omstreeks die tijd opende een vriendin van mij, die ook fulltime als geiko werkte, haar eigen nachtclub. Dit soort 'combinatiebanen' was er nog niet veel in Gion Kobu en men fronste ernstig de wenkbrauwen over haar vernieuwingsdrang. Ik vond het echter fantastisch.

Ik besloot dit ook te proberen. Ik wilde het okiya renoveren en een deel ervan als nachtclub inrichten! Als de club eenmaal liep, kon ik van die inkomsten mijn familie onderhouden en was ik vrij om te doen wat ik wilde. Mama Masako kon me zonodig in de club helpen.

Maar er wachtte mij een grote verrassing. Het bleek dat wij het okiya niet in eigendom hadden! Zonder dat ik het wist hadden wij het al die jaren gehuurd. En iets dat niet van ons was, konden we niet renoveren. Ik probeerde Mama Masako over te halen het huis te kopen, maar mijn woorden waren aan dovemansoren gericht. Haar oplossing voor onze problemen was geld oppotten, niet uitgeven. Ze zag niets in investeren in de toekomst. Zij vond huren prima.

Ik niet. Dus ik ging achter haar rug om aan de slag. Ik belde de bank en kon, gebaseerd op mijn inkomsten, een hypotheek krijgen om het pand met mijn eigen geld te kopen. Maar er was weer een obstakel. Het huis was meer dan honderd jaar oud en mocht volgens de wet niet meer opgeknapt worden. De bepalingen schreven voor dat we het moesten laten slopen en een nieuw bouwen. Dat wilde ik wel maar Mama Masako was er pertinent tegen.

Ik was vastbesloten om niet op te geven. Mijn last was te zwaar. Ik trad op in elf verschillende voorstellingen per jaar. Ik was dol op dansen maar het betaalde niet genoeg om het okiya van te onderhouden. De enige manier waarop ik de familie-inkomsten kon verhogen, was met nog meer ozashiki bezoeken, maar ik zat overvol. En al jarenlang.

Ik wilde nog steeds een nieuw gebouw neerzetten op de plaats van het okiya, maar ik realiseerde me dat het tijd zou kosten om Mama Masako voor mijn plannen te winnen. Ik kon zoals meestal echter niet wachten. Dus ik ging op zoek, vond een ruimte te huur en financiers die in een nachtclub wilden investeren.

In juni 1977 opende ik mijn eigen zaak: Club Hollyhock. Ik had een partner die toezicht op het gebeuren hield als ik er niet was. Iedere middag voordat ik aan het werk ging, zorgde ik dat alles in orde was. En iedere nacht ging ik na mijn ozashiki naar de club en bleef tot sluitingstijd.

三十六 36

De daaropvolgende drie jaar stuurde ik erop aan dat ik me kon terugtrekken. De nachtclub was slechts een tijdelijke maatregel. Mijn echte droom was een zaak waarin vrouwen zich mooier konden laten maken. Ik wilde een schoonheidskliniek hebben en ging plannen maken om die werkelijkheid te laten worden.

Allereerst moest ik een plek vinden. Ik moest Mama Masako ervan overtuigen dat ik een gebouw moest laten neerzetten. Het zou volgens mij vijf verdiepingen moeten hebben. Op de eerste verdieping kwam de club, op de tweede verdieping een schoonheidskliniek en een kapsalon en de bovenste verdiepingen waren voor onze woonruimten en huurders. Hieruit kreeg ik voldoende inkomsten om het huishouden draaiend te houden.

Vervolgens moest ik zorgdragen voor de toekomst van alle geiko en medewerkers voor wie het okiya zorgde. Ik zou verlovingen regelen voor de vrouwen die wilden trouwen en de anderen helpen bij het zoeken naar nieuwe betrekkingen of het beginnen van hun eigen zaak.

Daarna kon ik beslissen hoe en wanneer ik me zou terugtrekken. Volgens de media was ik de meest succesvolle geiko in de laatste honderd jaar. Ik wilde dit hoogtepunt ruimschoots kapitaliseren. Mijn terugtreding zou een grote slag voor het systeem zijn. Ik hoopte dat de schok over mijn ontrouw en de reacties hierop de behoudende leiders ervan zouden overtuigen dat zij dingen moesten veranderen. Ik wilde dat zij gingen inzien dat het systeem in Gion Kobu gevaarlijk uit de pas liep bij de tijd en dat als zij geen hervormingen zouden doorvoeren Gion Kobu geen toekomst meer had.

Vanuit mijn gezichtspunt was de teloorgang van de karyukai onvermijdelijk. Het systeem had zichzelf zodanig overleefd dat het de schatten die bewaard moesten blijven aan het verstikken was. De werkelijkheid was dat al op dat ogenblik het aantal okiya en ochaya in Gion Kobu aan het afnemen was. De eigenaren van ochaya en okiya richtten zich slechts op onmiddellijke winst, een gezamenlijke toekomstvisie hadden zij niet.

Ik kon niet werkeloos toezien hoe Gion Kobu in het niets zou verdwijnen. Misschien had ik nog tijd het tij te keren. Ik nam een ingrijpende beslissing. Ik zou me voor mijn dertigste jaar terugtrekken. Ik besloot actief wegen te zoeken om mijn inkomsten zeker te stellen.

In die tijd werd ik toevallig gebeld door Keizo Saji, de president-directeur van Suntory.

'Mineko, we gaan een reclamefilmpje maken voor Suntory Old en ik vroeg me af of jij de maiko aanwijzingen wilt geven voor hun bewegingen. Als je tijd hebt, kunnen we elkaar dan morgenmiddag om vier uur in restaurant Kyoyamoto ontmoeten?'

De heer Saji was een fantastische cliënt en ik wilde hem graag ter wille zijn.

Ik droeg een lichtblauwe crêpezijden kimono voor de vroege zomer, met een wit reigerpatroon, en een vijfkleurige obi, geborduurd met een gouden watermerkpatroon.

Toen ik aankwam, waren twee maiko zich aan het voorbereiden voor de opnames, die zouden plaatsvinden in een van de besloten tatamikamers van het traditionele restaurant. Op de lage tafel bij het raam stonden een fles whisky, een ijsemmer, een fles mineraalwater, een ouderwets glas, een cocktailglas en een roerstokje. Ik deed de jongere vrouwen stap voor stap voor hoe ze op de juiste manier een drankje moesten mixen en zij deden mijn handelingen precies na. De regisseur vroeg me of ik een proefopname wilde doen.

Hij liet me door de lange gang in het restaurant lopen, langzaam zodat de camera zijn werk kon doen. De zon zonk langzaam in het westen weg en de Yasaka-pagode lichtte op aan de horizon. We namen deze scène een aantal keren op en daarna vroegen ze mij of ik de fusuma naar de besloten kamer wilde openen. Hun timing was perfect, zodat de gong in de Chionin-tempel klonk juist toen ik de schuifdeur opende.

Ik ging aan de tafel zitten en begon een drankje te bereiden. Improviserend en half grappend zei ik tegen een van de acteurs: 'Wilt u het misschien wat sterker?' Toen de proefopname klaar was en het echte filmen begon, nam ik afscheid en vertrok.

Enige dagen later was ik in mijn kamer om gekleed te worden voor de avond. De televisie stond aan. Ik hoorde het geluid van een gong en de zin: 'Wilt u het misschien wat sterker?' Dat heb ik ooit eerder gehoord, dacht ik maar ik besteedde er niet veel aandacht aan.

Later die avond kwam ik bij een ozashiki binnen en een van mijn cliënten zei: 'Ik heb gezien dat je van mening bent veranderd.'

'Waarover?'

'Over het meedoen aan reclamefilmpjes.'

'Nee hoor, dat is niet zo. Wel heeft de heer Saji me gevraagd aanwijzingen te geven aan de modellen in een van zijn filmpjes. Dat was leuk.'

'Ik denk dat hij je te pakken heeft genomen.'

Ik was het dus *wel* geweest!

Die slimme vos, lachte ik in mezelf. Hij heeft me voor de gek gehouden! Ik vond het ook al zo raar dat hij zelf bij zo'n opname was...

Maar het was pijnloos geweest en ik vond het niet erg. 'Wilt u het misschien wat sterker?' werd de zin van de dag. En de hele ervaring was onbedoeld bevrijdend. Ik besloot dat het geen kwaad kon om reclameaanbiedingen te accepteren en begon te verschijnen op foto's, in televisiereclame, advertenties, tijdschriften en praatprogramma's. Ik was blij met het extra inkomen en maakte waar mogelijk van de gelegenheid gebruik om mijn ideeën over het geikosysteem uit te dragen.

Ik deed het reclamewerk bij mijn drukke werkschema en ging in deze tredmolen door tot 18 maart 1980, de dag dat Moeder Sakaguchi stierf. Haar dood was een beslissend moment in mijn leven. Ik had het gevoel dat het helderste licht in Gion Kobu was gedoofd. Helaas was zij de laatste meester in de muziektraditie waarin zij was opgeleid. Die vorm stierf met haar.

Nu Moeder Sakaguchi er niet meer was, verloor ik alle moed. Het laatste beetje enthousiasme dat ik nog voor de levensstijl in Gion Kobu had, was nu verdwenen. Mijn lichaam was al uitgeput, nu volgde mijn geest. Moeder Sakaguchi liet me een prachtige obi-gesp van chalcedon en onyx na. Elke keer als ik ernaar keek, voelde ik me niet alleen verdrietig maar ook verloren, alsof mijn trouwste bondgenoot was vertrokken en mij alleen had achtergelaten.

Vier maanden later, op 23 juli, vroeg ik Suehiroya mij te vergezellen bij een officieel bezoek aan de iemoto. Toen we de studio binnenkwamen, stond de iemoto alleen op het toneel. Ze maakte haar dans af en kwam tegenover ons zitten. Ik legde mijn waaier plechtig voor me neer.

'Ik heb besloten mij als beroepsgeiko terug te trekken op 25 juli,' kondigde ik aan.

Grote Mevrouw begon te huilen.

'Mine-chan, ik heb je als mijn eigen dochter opgevoed. Ik heb zoveel met je meegemaakt, van je ziektes tot je successen. Wil je alsjeblieft je beslissing nog eens overwegen?'

Duizend scènes flitsten door mijn hoofd: de lessen die ze me had gegeven, de repetities, haar toestemming om het een of andere stuk in het openbaar te dansen. Ik was ontroerd door haar emotie maar ze was niet in staat dat ene te zeggen dat ik zo graag wilde horen. Ze kon niet zeggen: 'Wat je ook doet, Mineko, stop alsjeblieft niet met dansen.' Het systeem stond dat niet toe. Als ik als geiko stopte, moest ik ook met dansen ophouden.

Ik was vastbesloten. Ik boog naar Grote Mevrouw en sprak met vaste stem: 'Heel veel dank voor de vele jaren vriendelijkheid die u mij heeft geschonken. Ik zal nooit vergeten hoeveel ik u verschuldigd ben. Mijn hart is gevuld met dankbaarheid.'

Ik raakte de vloer met mijn voorhoofd aan. De kleder was sprakeloos. Ik ging naar huis en vertelde het aan Mama Masako en Kuniko. Ze barstten beiden in tranen uit. Ik zei dat ze zich moesten beheersen omdat er veel te doen was in de komende achtenveertig uur. We moesten afscheidscadeaus regelen voor iedereen in de gemeenschap.

Grote Mevrouw moet onmiddellijk de Kabukai gewaarschuwd hebben, want de telefoon begon als een dolle te rinkelen en hield de volgende twee dagen niet meer op. Iedereen wilde weten wat er aan de hand was. De functionarissen van de Kabukai eisten een verklaring. Ze smeekten me niet op te houden. Maar ze boden niet aan iets te veranderen.

Die avond ging ik naar mijn afgesproken ozashiki. Ik deed alsof er niets aan de hand was. Iedereen vroeg me wat eraan scheelde, waarom ik terugtrad. In het kort zei ik alleen: 'Ach, de afgelopen vijftien jaar leken u misschien kort maar waren voor mij een eeuwigheid.'

Het was ver na middernacht toen ik bij de Hollyhock aankwam. Het was er afgeladen vol. Ik werd plotseling overmand door uitputting. Ik pakte de microfoon en deelde mee dat ik me uit het vak terugtrok. Door het hardop te zeggen leek het nog definitiever. Ik vroeg iedereen om naar huis te gaan en sloot een paar uur eerder dan gewoonlijk af.

Om tien voor half negen de volgende ochtend was ik in de Nyokoba voor mijn les. Grote Mevrouw en ik werkten aan de dans 'Yashima-eiland', een van de dansen die alleen door erkende dansmeesters geleerd mag worden. De les duurde veel langer dan gewoonlijk. Toen ik van het toneel afkwam, keek ze me recht in de ogen en slaakte een diepe zucht.

Er hoefde niets meer te worden gezegd.

Ik trok me in mezelf terug en boog, heel diep. Dit is het dan, dacht ik. Er is geen weg terug. Het is voorbij.

Ik volgde zoals gewoonlijk een tweede les van een van de Kleine Mevrouwen, daarna een no-dans en een theeceremonieles. Ik groette mijn leraren, boog als afscheid in de genkan en liep voor de laatste keer de deur van de Nyokoba uit. Ik was negenentwintig jaar en acht maanden oud en mijn leven als geiko in Gion Kobu was voorbij.

Zoals ik had verwacht, schokte mijn uittreding het systeem. Maar niet op de manier die ik bedoeld had. Drie maanden nadat ik me had teruggetrokken, hadden zeventig geiko het vak verlaten. Ik waardeerde hun gebaar, al leek het wat laat om op dat punt solidair te zijn. Degenen die de macht hadden, veranderden niets.

三十七 37

De ochtend van 25 juli werd ik wakker en voelde me zo vrij als een vogel. Ik genoot, strekte me uit in bed en pakte een boek. Ik hoefde niet naar les. Voor de andere vrouwen in het huis was gezorgd. Ik hoefde me alleen nog te bekommeren om degenen die echt afhankelijk van me waren, Kuniko en Mama.

Kuniko's droom was een restaurant te openen. Ik beloofde haar haar drie jaar lang te ondersteunen en ze was druk bezig de nieuwe onderneming op te zetten. Als het bedrijf een succes werd, kon ze ermee doorgaan; als het mislukte, zouden we het sluiten. Ze besloot het restaurant *Ofukuro no Aji*, 'Moeders huiselijke kookkunst', te noemen.

De enige die niet probeerde om op eigen benen te staan was Mama Masako. Ik had geduldig mijn plannen keer op keer aan haar uitgelegd maar ze snapte het gewoon niet. Ze was gewend om van anderen afhankelijk te zijn en had geen enkel verlangen naar een leven op zichzelf. Eigenlijk vond ze het prima zoals het was. Wat moest ik doen? Ik kon haar niet op straat zetten. Toen ik met haar voor de rechter stond en verklaarde: 'Ik wil door de familie Iwasaki geadopteerd worden', nam ik een verantwoordelijkheid op me. Ik was door eer gebonden om voor haar te zorgen.

Mama Masako en ik verschilden enigszins van mening over wat het inhield de atotori te zijn. Ik vatte mijn verplichting aan Tante Oima op als de taak om de naam Iwasaki voort te zetten en de artistieke integriteit ervan te handhaven. Voor mij was dit niet gelijk aan de belofte het okiya oneindig te blijven besturen. Mama Masako wilde dat het okiya bleef voortbestaan.

'Mine-chan, je wordt er niet jonger op. Heb je erover nagedacht wie jouw atotori zal worden?'

Het was tijd om haar de dingen duidelijk te maken. Ik legde helder uit:

'Mama, begrijp het alstublieft. Ik wil het okiya niet besturen. Ik ben moe van dit vak en ik wil ermee ophouden. Als het aan mij lag, sloot ik het okiya morgen. Maar er is nog een mogelijkheid. Als u ermee wilt doorgaan, dan doe ik afstand van mijn positie en kunt u iemand zoeken om de atotori te zijn. Ik geef u alles wat er op mijn spaarrekening staat. U en uw volgende erfgenaam kunnen het okiya besturen en ik word weer een Tanaka.'

'Waar heb je het over? Je bent mijn dochter. Hoe kan ik je ooit vervangen? Als jij het okiya wilt sluiten, dan sluiten we het okiya.'

Het was niet precies wat ik had gehoopt dat ze zou zeggen. Ik hoopte eigenlijk dat ze mijn aanbod zou aannemen en ik bevrijd zou zijn van mijn verantwoordelijkheid voor haar en het afstoten van het okiya. Maar het leven is niet zo makkelijk.

'Goed, Mama. Ik begrijp het. Laten we een afspraak maken. U bent welkom om bij mij te wonen, maar onder één voorwaarde. Ik wil uw belofte dat u zich niet met mijn plannen zult bemoeien. Zelfs als u meent dat ik een fout maak, wil ik dat u mij de dingen op mijn manier laat doen. Als u dat belooft, zal ik de rest van uw leven voor u zorgen.'

Ze ging hiermee akkoord en gaf me eindelijk toestemming het okiya met de grond gelijk te maken en mijn droom te verwezenlijken. Ik had geen enkel schuldgevoel over mijn beslissing het okiya te sluiten. Ik had Gion Kobu alles gegeven wat ik te geven had en Gion Kobu gaf mij niet langer wat ik nodig had. Ik had geen spijt.

Ik kocht een groot appartement en daar woonden we tijdens de bouw van het nieuwe pand. Ik pakte alle waardevolle kostuums en voorwerpen in die het okiya bezat en sloeg ze veilig op in mijn nieuwe huis. Het pand was klaar op 15 oktober 1980. Door Mama Masako's voorstellen (lees: bemoeienis) moest ik mijn plannen wijzigen en kreeg het uiteindelijk drie verdiepingen in plaats van vijf. Maar het was in ieder geval beter dan niets.

Ik opende een nieuwe Club Hollyhock op de begane grond. Kuniko opende restaurant 'Moeders huiselijke kookkunst'. We trokken in een appartement op de tweede verdieping. Ik hoopte nog steeds om een schoonheidskliniek te kunnen openen op de derde verdieping, maar ondertussen gebruikten we die etage als gastverblijven en voor opslag.

Ik genoot van de relatieve rust in mijn nieuwe leven. Op uitdaging van een van mijn cliënten begon ik golf te spelen. Ik nam een paar weken privé-les en scoorde al snel tachtig en negentig. Niemand kon het geloven maar ik denk dat – net als met basketbal – golf me makkelijk afging omdat het dansen mijn gevoel voor evenwicht vergroot had en een ongebruikelijke motorische controle gegeven.

Ik begon de schoonheidsbusiness serieus te onderzoeken en plannen te maken voor een schoonheidskliniek. Ik probeerde talloze producten uit en ontmoette verschillende deskundigen op dat gebied. Een van mijn cliënten bood aan me voor te stellen aan een meesterkapper in Tokyo die wellicht kon helpen. De vrouw van die cliënt zou de ontmoeting regelen. Ze vroeg me om te komen praten als ik het niet te druk had en aangezien ik wel wat tijd had, besloot ik op haar uitnodiging in te gaan. Mevrouw S. heette me hartelijk welkom en leidde me naar de woonkamer. Aan de muur hing een van de meest opvallende schilderijen die ik ooit had gezien. Het was een magnifieke voorstelling van een vos met negen staarten.

'Wie heeft dat geschilderd?' vroeg ik, met een intuïtie die mij zei dat er iets heel belangrijks te gebeuren stond.

'Is het niet schitterend? Wij bewaren het voor de kunstenaar. Zijn naam is Jinichiro Sato. Ik krijg les van hem. Zijn carrière begint net maar ik vind dat hij zeer getalenteerd is.'

Ik werd wakker geschud. Het is de bedoeling dat ik deze kunstenaar aan de wereld voorstel. Ik wist zeker dat ik dit moest doen. Het was alsof iemand me een opdracht had gegeven.

Ik stelde mevrouw S. allerlei vragen over de schilder en snel was het tijd om met Toshio te gaan dineren. In de afgelopen jaren hadden we de vriendschap kunnen redden uit de brokken van onze relatie. Mevrouw S. en ik hadden later op de avond een afspraak met de kapper.

'Ik zie u om half elf in de Cardinal Pub in Roppongi,' zei ik nadat ik haar had bedankt voor haar gastvrijheid.

Toshio en ik dineerden heerlijk en daarna nam hij me mee naar zijn kantoor. Hij wilde mijn mening over iets waaraan hij werkte. We bekeken een video van de opnames en bespraken die. Hij stond erop me naar Roppongi te brengen. Ik was een paar minuten te laat. Ik zag een mevrouw van wie ik dacht dat het mevrouw S. was (net als Kuniko ben ik bijziend), maar die vrouw was in het gezelschap van twee personen, dus zij kon het niet zijn. Ze begonnen te gebaren dat ik naar hen toe moest komen en ik liep er glimlachend heen. Een van de mannen was heel jong en knap.

Mevrouw S. stelde me aan de kapper voor. Hij was niet de knappe man. Daarna keerde ze zich naar de andere man. 'En dit is Jinichiro Sato, de kunstenaar wiens schilderij je eerder bewonderde.'

'U bent nog zo jong,' flapte ik eruit.

'Dat ben ik helemaal niet,' pareerde hij krachtig. (Hij was negenentwintig jaar.)

'Ik vind dat schilderij prachtig,' zei ik zonder aarzeling. 'Kan ik het van u kopen?'

'O, u mag het hebben,' zei hij. 'Neem het maar. Het is van u.'

Ik was met stomheid geslagen.

'Nee, nee, dat kan ik niet doen,' zei ik. 'Het is veel te waardevol. Bovendien, als ik er niet voor betaal dan heb ik niet het gevoel dat het van mij is.'

Maar hij wilde er niet van horen. 'Als u dat schilderij zo mooi vindt, dat wil ik graag dat het van u is.' Hij klonk volkomen oprecht.

Mevrouw S. was het met hem eens.

'Wees dankbaar, liefje, en doe je voordeel met zijn vriendelijke aanbod.'

'Goed, in dat geval accepteer ik het schilderij dankbaar. Ik zal u op de een of andere manier deze gunst vergoeden.'

Ik had er geen idee van hoe profetisch mijn woorden bleken te zijn. Ik had zo weinig met de kapper gesproken dat we een nieuwe afspraak maakten voor de volgende avond.

In de daaropvolgende weken ontmoette ik Jin nog een aantal keren. Hij leek steeds op te duiken als ik met mevrouw S. had afgesproken. Begin november werd ik uitgenodigd voor een feest bij hen thuis en hij was er ook. Hij stond veel en lang naar mij te kijken, maar daar zocht ik niet veel achter. Hij was scherpzinnig en erg grappig.

Op 6 november kreeg ik een telefoontje van mevrouw S. 'Minekosan, ik wil iets belangrijks met je bespreken. Meneer Sato heeft mij gevraagd om namens hem te spreken. Hij wil met je trouwen.'

Ik dacht dat ze een grapje maakte en gaf een sarcastisch antwoord. Maar ze hield vol dat hij het ernstig meende. 'Zeg hem dan maar dat het nee is,' vertelde ik haar. 'Ik denk er niet eens over.'

Ze begon me iedere ochtend precies om tien uur te bellen om zijn aanzoek te herhalen. Ik raakte geïrriteerd. En kennelijk deed ze hetzelfde bij hem! Ze was een slimme vrouw. Jin belde mij uiteindelijk op en riep tegen me dat ik hem met rust moest laten. Ik schreeuwde terug dat ik er niets mee te maken had en uiteindelijk probeerden we erachter te komen waar mevrouw S. mee bezig was. We schaamden ons beiden. Jin vroeg of hij mocht komen om zijn excuses aan te bieden.

In plaats van zijn excuses aan te bieden, deed hij een aanzoek. Ik weigerde. Hij nam daar geen genoegen mee. Een paar dagen later kwam hij terug. Hij had mevrouw S. bij zich. Hij deed weer een aanzoek. Ik weigerde. Ik moet toegeven dat ik geïntrigeerd was door zijn brutale zelfvertrouwen. Mijn weigeringen hielden hem niet tegen. Hij kwam terug. Hij deed weer een aanzoek.

Tegen wil en dank begon ik erover na te denken. Ik kende de man nauwelijks maar hij had de kwaliteiten waarnaar ik op zoek was. Ik zocht naar een manier om de gepolijste esthetische naam Iwasaki in stand te houden. Het in de familie brengen van een groot kunstenaar was zo'n manier. En Jin was een buitengewone schilder. Daar bestond bij mij geen twijfel over. Ik geloofde toen – en dat doe ik nog steeds – dat Jin ooit tot 'nationaal levende schat' zou worden benoemd. En hij had niet alleen talent. Hij had een titel in kunstgeschiedenis van de beste kunstacademie in Japan, Geidai in Tokyo, en een diepgaande kennis hiervan.

Ik werd er niet jonger op. Ik wilde kinderen. Ik wilde weten hoe het was om getrouwd te zijn. En Jin was zo aardig. Er was niets onaangenaams aan hem.

Ik nam opnieuw de beslissing een geheel nieuwe start te maken.

De vierde keer dat hij een aanzoek deed, zei ik ja op één voorwaarde. Ik liet hem beloven dat hij zich na drie maanden van me zou laten scheiden als ik niet gelukkig was.

We trouwden op 2 december, drieëntwintig dagen nadat we elkaar hadden ontmoet.

Nawoord

後書

Wat gebeurde hierna?

Aangezien ik het hoofd van het huishouden moest worden, adopteerde Mama Masako Jin in de familie en nam hij de naam Iwasaki aan.

Ik vroeg een vergunning voor kunsthandelaar aan en kreeg die. Ik sprak met mijn financiers van de club en legde uit wat ik wilde doen. Iedereen gaf me haar of zijn zegen. Ik kreeg verrassend weinig weerstand van Mama Masako. Het hielp natuurlijk dat Jin zo charmant en knap was. Hij veroverde al snel een grote plek in Mama's hart en dat bleef zo.

Ik heb nooit die schoonheidskliniek geopend. Toen ik Jins schilderij zag, ging mijn zorgvuldig uitgedachte plan in rook op en kwam er een ander voor in de plaats. Dat ene schilderij veranderde mijn toekomst helemaal.

Ik verkocht het nieuwe gebouw. Ik sloot de club. Jin en ik verhuisden naar een huis in Yamashina. Ik raakte zwanger.

Mama bleef in Gion Kobu wonen en werken als geiko. Kuniko was geen goede zakenvrouw en het restaurant werd geen succes. Ze accepteerde de gewijzigde omstandigheden makkelijk en verhuisde met me mee. Ze was erg opgewonden over de geboorte van de baby.

Mijn prachtige dochter Kosuke werd in september geboren. Mama ging door met haar werk, maar kwam ons iedere week opzoeken en was een vast onderdeel van het gezin.

Jin is niet alleen een groot schilder. Hij is ook een begaafde kunstrestaurateur. Ik was gefascineerd door dit deel van zijn werk, de diepgaande kennis van kunst en techniek die het met zich meebrengt. Ik vroeg of ik les van hem kon krijgen en hij nam mij aan als leerling. Kuniko wilde het ook leren en kwam bij de les nadat ze de baby in bed had gelegd. We gingen beiden door tot we ons diploma hadden.

In 1988 lieten we een ruim huis bouwen in Iwakura, een noordelijke voorstad van Kyoto, met grote studio's waar we allemaal ons werk konden doen. Mijn dochter groeide voorspoedig op tot een elegante en sierlijke danseres.

Volgens mij was dit de gelukkigste tijd in Kuniko's leven. Helaas kreeg ze niet veel tijd om ervan te genieten. Ze stierf in 1996 op drieënzestigjarige leeftijd.

Aan het eind van de jaren tachtig begon Mama Masako last te krijgen van haar ogen en we waren het erover eens dat zij met pensioen moest gaan. Ze was ver in de zestig en had lang genoeg gewerkt. Zij genoot van haar levensavond en stierf in 1998 toen ze vijfenzeventig jaar was.

Op 21 juni 1997 werd ik om kwart voor zes 's ochtends wakker van een brandende pijn in mijn keel. Even later ging de telefoon.

Het was een van Toshio's bedienden die me vertelde dat Toshio eerder die ochtend aan keelkanker was gestorven.

Toshio's laatste jaren waren niet gelukkig. Ze werden overschaduwd door een faillissement, drugsproblemen en ziekte.

Ik probeerde hem waar mogelijk te helpen maar hij had een aantal ernstige problemen. Wederzijdse vrienden raadden me aan er niet in betrokken te raken en ik volgde hun advies.

Toshio vroeg me drie maanden voor zijn dood of ik hem kwam opzoeken. Ik had zo de kans om afscheid van hem te nemen. Nu had hij afscheid van mij genomen.

Yaeko stopte zo'n twee-drie jaar na mij met werken. Ze verkocht haar huis in Kyoto en gaf het geld aan haar zoon Mamoru om een huis in Kobe te bouwen, zodat ze een plek om te wonen zou hebben. Maar Mamoru gebruikte het geld van zijn vrouw voor het huis en gaf het geld van zijn moeder uit aan vrouwen. Toen Yaeko in haar nieuwe huis trok, kwam ze er tot haar ontzetting achter dat zij niet de vrouw des huizes was. Haar schoondochter gaf haar een kamer ter grootte van een kast en gooide haar later buiten de deur.

De afgelopen jaren ontwikkelde zich de ziekte van Alzheimer bij Yaeko en werd ze nog onmogelijker dan ooit. Geen van mijn zes broers en zussen noch ik hebben contact met haar. Ik weet niet eens zeker waar ze woont. Het is een trieste situatie, maar ik kan mij niet aan het idee onttrekken dat zij krijgt wat ze verdient.

Mijn eigen dagen zijn zorgeloos en vrij. Ik word niet meer gedwongen commando's van de Inoue-school op te volgen. Ik dans als ik wil. Ik dans hoe ik wil. En ik dans waar ik wil.

Ik ben dankbaar voor alle zegeningen en al het geluk in mijn leven. Het is een buitengewone reis geweest. Ik ben dank verschuldigd aan mijn vader voor de trots en de integriteit die me veilig naar deze vredige kust hebben geleid. En aan Moeder Sakaguchi, Tante Oima en Mama Masako, omdat zij me geleerd hebben onafhankelijk en vrij te zijn.

Regelmatig word ik uitgenodigd in Gion Kobu. Nu word ik hoffelijk begroet als een gast en niet als een artiest en ik geniet enorm van het verfijnde genoegen een ozashiki bij te wonen. Ik voel me weemoedig als de jongere maiko en geiko mijn gezicht niet herkennen. Maar ze weten beslist wie ik ben. Als ik aan hen vertel dat ik Mineko heet, raken ze onmiddellijk opgewonden en vragen: 'Bent u de echte Mineko? De legende?' Het is heerlijk tijd met hen door te brengen.

De karyukai zijn aan het veranderen. Toen ik als geiko stopte, was er geen gebrek aan gulle en goedgeefse cliënten, die goed opgeleid waren in de esthetische kneepjes van het vak. Dat is helaas niet meer zo. Het is niet duidelijk welke toekomst de Japanse maatschappij wacht, maar met zekerheid kan gezegd worden dat er lang niet meer zoveel werkelijk rijke individuen zijn als eens, mensen die in de gelegenheid waren en de middelen hadden om de 'bloemen- en wilgenwereld' te ondersteunen. Ik ben bang dat zowel de traditionele cultuur van Gion Kobu als de andere karyukai in de nabije toekomst ophouden te bestaan. De gedachte dat er weinig anders dan de uiterlijke vormen van deze glorieuze traditie zal overblijven, vervult me met verdriet.

Kyoto, 15 april 2002

Dit werk zou nooit tot stand zijn gekomen zonder het grote geduld en de steun van mijn echtgenoot Jin. Vanaf zijn eerste verbaasde blik, toen ik hem vele jaren geleden voor het eerst vertelde dat ik een boek wilde schrijven over mijn ervaringen als geiko, tot de dag van vandaag, heeft hij me steeds aangemoedigd helemaal open te zijn. Ondanks de tranen, het lachen en het gekibbel heb ik zijn vriendelijkheid en advies steeds erg gewaardeerd.

Ik wil ook mijn dochter Koko bedanken voor haar hulp bij het onderzoeken van vragen die ik al tientallen jaren met me meedroeg. Zij schonk mij de sleutels om de poorten van begrip te openen en daarvoor ben ik haar zeer dankbaar.

Ook wil ik mijn diepe dank betuigen aan Rande Brown voor haar grote talent om de complexiteit van de Japanse taal en cultuur in het Engels te vertalen. Het was een groot genoegen met haar samen te werken.

Ten slotte mijn oprechte waardering voor Emily Bestler van Atria Books voor haar vaardige redactionele begeleiding. Haar van inzicht getuigende vragen over de traditionele Japanse cultuur kwamen het manuscript zeer ten goede.